16	3	2	13
5	10	11	8
9	6	7	12
4	15	14	1

Platão

QUATRO DIÁLOGOS

Alcibíades Segundo
Teages
Dois Homens Apaixonados
Clitofonte

Edição bilíngue

Tradução, introdução, notas e posfácio de André Malta

editora 34

EDITORA 34

Editora 34 Ltda.
Rua Hungria, 592 Jardim Europa CEP 01455-000
São Paulo - SP Brasil Tel/Fax (11) 3811-6777 www.editora34.com.br

Capa, projeto gráfico e editoração eletrônica:
Franciosi & Malta Produção Gráfica

Revisão:
Camila de Moura, Beatriz de Freitas Moreira

1ª Edição - 2022

CIP - Brasil. Catalogação-na-Fonte
(Sindicato Nacional dos Editores de Livros, RJ, Brasil)

Platão, 427-347 a.C.
P664q Quatro diálogos / Platão; edição bilíngue; tradução, introdução, notas e posfácio de André Malta — São Paulo: Editora 34, 2022 (1ª Edição).
272 p.

ISBN 978-65-5525-113-5

Texto bilíngue, português e grego

1. Filosofia grega. 2. Platonismo.
I. Malta, André. II. Título.

CDD - 184

QUATRO DIÁLOGOS

φασὶ δὲ καὶ Σωκράτην ἀκούσαντα τὸν Λύσιν ἀναγινώσκοντος Πλάτωνος Ἡράκλεις, εἰπεῖν, ὡς πολλά μου καταψεύδεθ' ὁ νεανίσκος.

Contam ainda que Sócrates, depois de ouvir Platão ler o *Lísis*, falou: "Por Héracles! Quanta mentira diz a meu respeito o rapazinho".

Diógenes Laércio, *Vida de Platão*, III.35

ἴσως μὲν οὖν δή, ὦ Κρατύλε, οὕτως ἔχει, ἴσως δὲ καὶ οὔ. σκοπεῖσθαι οὖν χρὴ ἀνδρείως τε καὶ εὖ, καὶ μὴ ῥᾳδίως ἀποδέχεσθαι...

Talvez seja mesmo assim, Crátilo, talvez não. Temos que examinar corajosamente, e bem, e não aceitar nada facilmente...

Sócrates no *Crátilo* (440d)

ἆρ' οὖν πρὸς Διός, ὥσπερ αἱ ἄλλαι τέχναι ἐπιδεδώκασι καὶ εἰσὶ παρὰ τοὺς νῦν δημιουργοὺς οἱ παλαιοὶ φαῦλοι, οὕτω καὶ τὴν ὑμετέραν τὴν τῶν σοφιστῶν τέχνην ἐπιδεδωκέναι φῶμεν καὶ εἶναι τῶν ἀρχαίων τοὺς περὶ τὴν σοφίαν φαύλους πρὸς ὑμᾶς;

Por Zeus, será que devemos dizer que, assim como as outras artes progrediram e os trabalhadores antigos são, se comparados aos de agora, medíocres, da mesma forma também a arte de vocês, sofistas, progrediu e os primeiros sábios são, em relação a vocês, medíocres?

Sócrates no *Hípias Maior* (281d)

Introdução

André Malta

É provável que você nunca tenha lido nem ouvido falar dos quatro diálogos apresentados aqui em tradução. *Alcibíades Segundo*, *Teages*, *Dois Homens Apaixonados* e *Clitofonte* são títulos que durante séculos foram atribuídos a Platão (427-347 a.C.), mas que nos últimos duzentos anos passaram a ser vistos como apócrifos, isto é, como associados indevidamente ao nome do escritor ateniense, que jamais poderia ter sido o autor deles. Ao contrário do *Banquete*, do *Fedro*, da *República*, do *Timeu*, do *Protágoras*, da *Apologia de Sócrates* e do *Fédon*, para citar algumas das obras-primas produzidas pelo filósofo, esses textos obscuros seriam de autores desconhecidos que, vivendo tempos depois, pegaram carona na fama de Platão ao assinarem como sendo o próprio.

Contra essa corrente, no entanto, acredito que esses quatro diálogos menores podem e devem ser integrados ao conjunto maior dos *Diálogos*, para que dessa maneira comecem a ser lidos, estudados e apreciados enquanto peças de qualidade filosófica e literária: todos eles têm sua riqueza própria e representam, a meu ver, contribuições importantes para o entendimento da filosofia platônica e da sua forma de se expressar. São justamente essas qualidades gerais e as contribuições em particular de cada um que quero descrever abaixo. Já as razões pelas quais foram considerados apócrifos, e o modo pelo qual podem ser resgatados como autênticos dentro de uma abordagem mais aberta de Platão, deixo para expor de forma detalhada no "Posfácio" deste volume,

"*Plato litteratus* e o mosaico platônico: um olhar heterodoxo sobre os *Diálogos*". No "Apêndice", apresento ainda a tradução do gracioso minidiálogo *Alcíone*, cuja autoria ao longo do tempo oscilou entre Platão e um admirador seu, Luciano de Samósata, o grande prosador do século II d.C., um caso curioso que reforça a necessidade de se discutir de modo flutuante, menos rígido, o tópico da autenticidade abordado no "Posfácio".

Antes de mais nada, é preciso dizer que os quatro textos reunidos neste volume, *Alcibíades Segundo*, *Teages*, *Dois Homens Apaixonados* e *Clitofonte*, apesar de ignorados pelo público, trazem conexões imediatas, num nível superficial, com o universo da obra platônica. Alcibíades, Teages e Clitofonte não são nomes exclusivos dos diálogos a que dão título aqui. Enquanto figuras históricas, eles aparecem ou vêm referidos em outros também. A recriação ficcional que Platão faz de Alcibíades é a mais conhecida: além de ele intervir de um modo muito especial no trecho que fecha o *Banquete* (onde aparece bêbado e faz o elogio de Sócrates) e de atuar discretamente no *Protágoras*, temos ainda sua presença num outro diálogo, que por ser mais longo que o *Alcibíades Segundo* é chamado de *Alcibíades Primeiro*, para se evitar a confusão. Já em relação a Clitofonte e a Teages, o primeiro tem uma participação rápida no Livro 1 da *República*, enquanto o segundo é mencionado tanto na *República* quanto na *Apologia* como pertencendo ao círculo socrático. Até mesmo o caso das figuras anônimas com quem Sócrates conversa nos *Dois Homens Apaixonados* não é isolado: há outras obras onde um personagem central não tem seu nome revelado, como acontece no *Sofista*.

Mas há um aspecto mais profundo que liga esses quatro títulos ao conjunto platônico e favorece que sejam abordados em bloco: o elemento da formação ou instrução filosófica. A própria sequência dos subtítulos que adotei aqui, numa espécie de escala ascendente, "Sobre a ignorância" (*Alcibíades Segundo*), "Sobre a sabedoria" (*Teages*), "Sobre a filosofia" (*Dois Homens Apaixonados*) e "Uma crítica a Sócrates" (*Clitofonte*), deve ajudar a iluminar o quanto o convívio com Sócrates está em jogo nesses textos, não apenas do ponto de vista das aptidões e limitações dos aprendizes, mas também do ponto de vista da atuação do próprio Sócrates. Os três primeiros tratam da educação em seu horizonte político (com duas figuras que, por diferentes motivos, não tiveram afinal êxito em suas pretensões, Alcibíades e Teages), enquanto o último parece colocar em xeque a efetividade da incitação de Sócrates ao conhecimento.

Ao mesmo tempo, nos quatro se estabelecem conexões com outros tópicos e diálogos, além de se reforçar a caracterização de Sócrates como figura filosófica irônica, sério-cômica, detentora de uma duplicidade que está em conversa direta com a sofisticação da prosa platônica e do seu pensamento. Como se sabe, em linhas muito gerais, no coração desse pensamento estão interligados o mundo sensível (da vida concreta) e o inteligível (das ideias), encarados de um modo paradoxal, contrário ao senso comum, porque o que vemos e podemos tocar tem uma realidade inferior em comparação ao que não vemos e não tocamos. Esse é o "idealismo" platônico, que, mais do que apenas propor uma teoria, convida a uma revisão ética e política. Se esse grande arcabouço não reponta com clareza em nenhum dos diálogos aqui — ficando restrito, para surpresa de muitos, a apenas algumas das obras de Platão e, mesmo nelas, sem a esperada explanação direta —, ainda assim algumas das suas linhas podem ser sentidas.

Dos quatro, o *Alcibíades Segundo* é o mais extenso e coloca em relevo esse nome central da política ateniense antiga. Nascido em família ilustre por volta de 450 a.C., Alcibíades muito cedo perdeu o pai e teve como tutor o grande Péricles. Elegeu-se estratego em idade precoce, em 420 a.C., e foi um dos comandantes da desastrosa expedição à Sicília, em 415 a.C., episódio decisivo na longa guerra travada entre Atenas e Esparta (431-404 a.C.), que envolveu inúmeros aliados de lado a lado. Intimado a voltar à cidade, sob a acusação de supostamente ter se envolvido em atos sacrílegos antes da partida, bandeou-se para o lado espartano e só retornou com sucesso a Atenas passados alguns anos, vindo a perder mais uma vez seu prestígio tempos depois. Terminou se exilando e sendo assassinado em 404 a.C., o ano da derrota ateniense para os espartanos. Com sua beleza e carisma, magnetizou a pólis de Atenas na mesma proporção da ruína a que a conduziu com sua liderança demagógica, conforme relata Tucídides entre os Livros 5 e 8 da sua *História da Guerra do Peloponeso*.

É preciso ter essas circunstâncias históricas em mente ao acessarmos a figura do jovem ainda aspirante a líder democrático, perto dos vinte anos de idade, que vemos tanto no *Alcibíades Primeiro* quanto no *Alcibíades Segundo*. Aliás, por causa da popularidade de que desfrutou, sabemos que, além desses dois textos platônicos, existiam em circulação outros diálogos socráticos também intitulados "Alcibíades", quase como se formassem um subgênero próprio, à parte. Do ponto de vista estritamente filosófico, o *Alcibíades Primeiro* sempre foi o mais lido e estudado. Na cena imaginada, Sócrates finalmente se aproxima do belo rapaz por quem é apaixonado (segundo a visão homoerótica da época) e utiliza o encontro para ver até que ponto as ambições do jovem encontram respaldo em um conhecimento de fato da arte política. A conversa leva Alcibíades a se dar conta da importância do entendimento prévio da natureza humana — ou, em termos mais platônicos, a atentar para o cuidado com a própria alma — e a admitir a necessidade de se colocar sob a orientação de Sócrates. Mas as palavras que fecham o diálogo não são auspiciosas: Sócrates teme que esse esforço acabe não vingando.

Já na cena do *Alcibíades Segundo* traduzido aqui, vemos um Alcibíades igualmente jovem e ambicioso, também objeto da paixão socrática, tal como no *Alcibíades Primeiro*. A discussão, no entanto, é mais breve e menos cerrada, conforme acontece também em outros diálogos platônicos. Ela se abre em torno de uma questão específica, que lembra aquele fragmento de Heráclito que diz ser melhor para os seres humanos que não aconteça tudo que desejam: como saber se, ao dirigirmos um clamor aos deuses, temos plena consciência de que o que estamos pedindo é de fato bom para nós? Esse é o subtítulo que vem nos manuscritos, "Sobre o clamor". Mas o debate envereda para o tópico mais amplo do conhecimento humano: se ele for limitado, sem o domínio "do ótimo", pode trazer sérios prejuízos. Nesse caso, a própria ignorância, ou o reconhecimento de que não se sabe bem, podem ser condições mais desejáveis, não apenas na hora de se dirigir às divindades — e foi por essa razão que decidi alterar o subtítulo para "Sobre a ignorância", a meu ver mais condizente com o teor do diálogo.

Ao final, Alcibíades fica em "aporia" (ou seja, perdido no bom sentido, porque sem as certezas que tinha antes) e reconhece sua insensatez: desiste do clamor ao deus que estava indo fazer e decide entregar ao próprio Sócrates a guirlanda que trazia. Como acontece no desfecho do *Alcibíades Primeiro*, fica indicado que Sócrates agora será seu "professor", aquele que removerá "a névoa dos olhos" de Alcibíades, como a deusa Atena faz com Diomedes num trecho do Canto 5 da *Ilíada*. Porém, a "grande e espantosa animação" que Sócrates diz ter em relação ao jovem, no fim do diálogo, ativa um tipo de ironia histórica latente desde o início: Alcibíades, como sabemos pelo desenlace da sua carreira política e militar, não alcançou o conhecimento "do ótimo".

Assim, a despeito das aparências, não deixa de haver certo viés apologético nos dois *Alcibíades*, no sentido de indiretamente defenderem Sócrates da acusação (de que ele mesmo se defende na *Apologia*) de ter influenciado figuras que foram nocivas ao destino de Atenas em fins do século V a.C. É o que está também na famosa cena final do *Banquete*, onde temos a participação de um Alcibíades já um pouco mais velho: embriagado, ele revela sua admiração por Sócrates na mesma medida em que se mostra incapaz de seguir os princípios do mestre, tão logo se afasta dele. Essa incapacidade de Alcibíades, portanto, perdurando para além da sua mocidade, aponta para o fato de que o convívio com Sócrates não é unilateral, mas colaborativo, um "viver com" bem diferente da relação-padrão professor-aluno que envolve pagamento e a transmissão direta de conhecimento.

Falando ainda do tópico da responsabilidade, vale dizer que a principal citação de Homero no *Alcibíades Segundo*, tirada do Canto 1 da *Odisseia*, trata justamente disso. Sócrates utiliza essa passagem — onde Zeus diz que os homens, em vez de acusar os deuses, devem arcar eles mesmos com suas petulâncias e atos insensatos — para mostrar que culpamos as divindades em vão: a maioria, afirma Sócrates, "não abriria mão nem da tirania dada nem do cargo de general, nem de várias outras coisas que, uma vez presentes, mais as prejudicam que beneficiam". Para quem lê, está claro que Sócrates se distancia dessa "maioria" na mesma medida em que Alcibíades — que atuou precisamente como general — se identifica com ela.

Ao longo do *Alcibíades Segundo*, essa citação da *Odisseia* e outras — da *Ilíada*, do poema cômico *Margites* (atribuído também a Homero na Antiguidade) e das *Fenícias* de Eurípides, além de versos aparentemente inventados por Platão — dão um colorido todo especial ao texto, algo ausente no *Alcibíades Primeiro*. No caso da referência ao *Margites*, as voltas que Sócrates realiza para interpretar determinada passagem segundo a perspectiva do raciocínio que quer defender, de um modo ridiculamente artificial, funcionam a meu ver como uma piscadela típica desse personagem platônico nos seus momentos mais saborosos. Não apenas quando afirma que "a arte poética é toda ela por natureza enigmática" e se dispõe a "decifrar" um de seus enigmas em um poema satírico, mas também quando relata uma antiga história de consulta dos atenienses ao oráculo de Ámon durante um conflito com os lacedemônios, é o Sócrates irônico e inventivo, em sua forma habitual, que temos diante dos olhos.

O mesmo tópico do contato de Sócrates com um pupilo — e como ele pode ou não ser produtivo — reaparece no *Teages*, mas agora de forma escancarada, porque o pai do jovem, Demódoco, diz logo de saída estar à procura de um professor para o filho, que está resolvido a "se tornar sábio". Situações parecidas são exploradas no *Cármides*, no *Laques* e no *Lísis*, que na Antiguidade podiam formar, junto com o *Teages*, um subconjunto próprio no interior dos *Diálogos*. Demódoco, o pai de Teages, era um amigo de Sócrates oriundo do meio rural e, pelo que sabemos da *Apologia* e da *República*, seu filho teve morte precoce, o que o impediu de avançar nos estudos e na carreira. Portanto, como nos dois *Alcibíades*, há de novo uma possível ironia para quem domina o contexto mais amplo: lemos a obra sabendo das pretensões frustradas do jovem.

Mas que sabedoria é essa que Teages quer adquirir?, pergunta Sócrates diretamente ao rapaz. A conversa avança e ficamos sabendo que Teages quer ser sábio em política, um anseio que guarda semelhanças com a ambição e com o despreparo do jovem que foi mais longe, Alcibíades. Uma vez que ele mesmo, Teages, ouviu falar das críticas de Sócrates àqueles que queriam aprender política com grandes políticos (os quais não conseguiam ensinar o mínimo nem sequer aos próprios filhos), por que não se associar então a Sócrates, que já tinha beneficiado tantos outros atenienses? Sócrates esquiva-se indicando o próprio pai de Teages para a função, ou ainda sofistas famosos como Pródico e Górgias. Mas Teages volta à carga, com o apoio de um Demódoco agora entusiasmado com a perspectiva. É nesse momento então que Sócrates menciona o seu conhecido "sinal numinoso" como possível impedimento para o convívio com Teages, o mesmo sinal que, no *Alcibíades Primeiro*, favorecera a aproximação com Alcibíades, sem que isso garantisse o sucesso final do contato entre eles.

Sócrates, de início, apresenta a Teages exemplos nos quais a "voz" costumeira o alertou sobre algo negativo prestes a ocorrer, tanto com amigos quanto com a própria cidade, incluindo uma advertência relativa à já citada expedição ateniense à Sicília. Em seguida, porém, Sócrates conta, com um outro exemplo mais demorado, como a "voz" pode também sinalizar a respeito do efeito da relação com os discípulos: a muitos ela se contrapõe e o convívio com Sócrates é impossível; a outros não se contrapõe, mas o convívio é improdutivo; e mesmo aqueles para os quais o convívio é favorável e que sentem um progresso, mesmo no caso deles o benefício pode ser duradouro apenas para poucos, porque grande parte regride ao se afastar de Sócrates. No exemplo dado, envolvendo um tal de Aristides, duas coisas ficam sublinhadas: que Sócrates nada ensina de fato e que a proximidade física entre ele e o discípulo é determinante. O diálogo se fecha com Teages animado com a possibilidade de receber a anuência do "deus" que fala a Sócrates, enquanto este, diante de nova insistência do pai, não se opõe à tentativa.

Por mais que pareça para alguns discrepante e não-platônico, o trecho final do *Teages* expande e reforça dados a respeito desse mecanismo "irracional" de Sócrates encontráveis não apenas no *Alcibíades Primeiro*, como mencionei acima, mas ainda na *Apologia*, no *Fedro*, no *Eutidemo*, no *Eutífron* e no *Teeteto*. Se pensarmos especialmente neste último diálogo, que traz a famosa passagem onde Sócrates se apresenta como um "parteiro" intelectual (sob o comando do seu "deus") das ideias já presentes nos outros, e onde cita igualmente o exemplo do contato com Aristides, não parecerá acaso que, no *Teages*, o mecanismo do "sinal" venha ligado à ignorância que Sócrates faz questão de mais uma vez professar, junto com a delimitação do seu saber unicamente à área amorosa (*tà erotiká* em grego), num plano não propriamente sexual na relação com os rapazes, mas de uma aproximação sublimada e cognitiva. Vale a pena lembrar, a esse respeito, que as acusações que pesavam contra Sócrates no processo que o levou à morte, em 399 a.C., eram de corromper a juventude e introduzir novas divindades na cidade — ou seja, convergiram contra ele no tribunal esses dois elementos, o da aproximação com os pupilos e o da orientação dada com base no seu "deus" misterioso e incompreendido. São significativas ainda, no *Teages*, a explicação cômica dada por Sócrates a esse nome em grego — que tem *theós*, "divindade", em sua formação e assim "se ajusta bem ao sagrado" — e o fato de a ironia socrática vir explicitada pelas acusações que o candidato a discípulo lhe dirige duas vezes, de que está "brincando" com ele. Tudo somado, o *Teages* pode ser uma peça-chave para se entender melhor a construção do complexo personagem Sócrates e os mecanismos por detrás da obtenção do conhecimento na relação mestre-pupilo.

O terceiro diálogo apresentado aqui, intitulado *Dois Homens Apaixonados* (ele é conhecido também pelos títulos *Amantes* ou *Amantes Rivais*), já é diferente dos anteriores pelo fato de os dois interlocutores de Sócrates serem anônimos. Há ainda uma diferença na estrutura porque, em vez da conversa direta, como no *Alcibíades Segundo* e no *Teages*, se trata de um diálogo reportado por Sócrates, e sem que ele esteja se dirigindo, ao fazer o relato, a um interlocutor específico (o mesmo acontece, por exemplo, no caso bem mais famoso da *República*). Isso já mostra a variedade construtiva dos *Diálogos*, que operam com diferentes formatos de conversa. O ambiente, porém, é aquele mesmo do contato de Sócrates com figuras bem mais jovens: aqui estamos em uma escola onde adolescentes fazem suas investigações matemáticas e dois rapazes disputam a atenção de um deles. São os "dois homens apaixonados" do título com quem Sócrates vai puxar conversa — o termo usado em grego para eles na relação homoerótica é *erastés*, em geral vertido por "amante", mas que preferi traduzir por "apaixonado", para não dar uma ideia errada em português.

Esses dois apaixonados pelo mesmo adolescente (todos os personagens permanecem sem nome ao longo do diálogo) são opostos: um se dedica à arte das Musas e o outro à ginástica. Este tem desprezo pela investigação filosófica, enquanto aquele considera que filosofar é algo belo. Ao que tem pretensão de ser mais sábio Sócrates pergunta então o que é a filosofia, não sem antes admitir que tinha ficado atordoado com o fato de os adolescentes terem parado o que estavam fazendo para ouvi-lo, uma perturbação que sempre experimentava quando estava diante da beleza. Num desenvolvimento rápido, a partir de um fragmento poético de Sólon, a filosofia é associada ao "multiestudo" (*polimathía*, em grego) e o filósofo, ao atleta do pentatlo, por ser capaz em muita coisa ao mesmo tempo, mas inferior ao especialista em cada área em particular. O primeiro ponto é refutado por Sócrates com o argumento de que o comedimento em qualquer atividade é melhor que o excesso, e o segundo com a afirmação de que, vindo abaixo do especialista, o filósofo seria sempre inútil na pólis.

O trecho final evoca ainda a máxima do oráculo de Delfos que manda "(re)conhecer a si mesmo", promovendo a equiparação entre o autoconhecimento e a temperança, tal como acontece no *Cármides* e no *Alcibíades Primeiro*. Essa ideia central na cultura grega antiga, temperança (*sophrosúne*, no original), associável a outra máxima délfica, "nada em excesso", vem se conectar ao tema do diálogo porque o amor pelo saber implica, ele mesmo, uma admissão dos limites humanos. E implica, igualmente, um comportamento justo. É precisamente o que marca a ligação de Sócrates com Apolo e o seu enigmático oráculo, mencionada na *Apologia*: Sócrates só é mais sábio do que os demais na medida em que reconhece que não é sábio, e dessa maneira pode se conduzir na vida (e na morte) orientando-se pelo comportamento adequado. A filosofia é esse desejo permanente por conhecimento e justiça, e nosso maior conhecimento deve ser o reconhecimento da nossa limitação, não a avidez indiscriminada e injusta, seja ela material e/ou intelectual. Dizem muito, assim, as palavras finais do diálogo pronunciadas por Sócrates, quando o apaixonado que tinha uma formação pretensamente superior acaba sendo desbancado pelo que se dedicava à ginástica: "o que era sábio, envergonhado com as suas afirmações anteriores, ficou em silêncio, enquanto o que era sem estudo disse que era assim mesmo". As aparências enganam e nada é exatamente o que parece nessa filosofia contrária ao senso comum.

Com o *Clitofonte*, finalmente, voltamos ao formato da "representação teatral" pura, ou seja, sem que o diálogo seja reportado. Ainda assim, há variação na conversa quando comparada ao *Alcibíades Segundo* e ao *Teages*, porque aqui predomina a longa fala de Clitofonte, com a figura de Sócrates ficando restrita a duas breves intervenções iniciais. Como ocorre numa outra obra, o *Menexeno*, estamos diante de um diálogo que é praticamente um monólogo dentro de uma moldura dialógica. Por outro lado, o falante principal aqui não é Sócrates, convertido num mero ouvinte passivo, como ocorre no *Timeu*.

Clitofonte foi um político ateniense provavelmente um pouco mais jovem do que Alcibíades e sobre o qual temos poucas informações. É mencionado duas vezes na *Constituição de Atenas*, de Aristóteles, de forma não totalmente esclarecedora, mas numa delas posicionado ao lado de Anito, um dos acusadores de Sócrates em 399 a.C. Mais patente é sua associação com os sofistas, e especialmente com Trasímaco, no Livro 1 da *República*, onde ele, Clitofonte, intervém muito rapidamente a favor do sábio que ali se opõe a Sócrates. É essa associação que vem sublinhada também no *Clitofonte*, quando logo na abertura Sócrates diz ter ouvido que Clitofonte andava criticando-o junto a Lísias — outro nome presente no começo da *República* — e fazendo o louvor de Trasímaco. Clitofonte, indignado, responde que não é bem assim, que misturava elogios às críticas a Sócrates, e este concorda em ouvir então o que de fato Clitofonte tinha a dizer a respeito dele, para que assim pudesse se tornar alguém melhor.

É esse seu longo discurso que acompanhamos na sequência, até o fim do diálogo; Sócrates não volta a falar. De fato, a posição do interlocutor em relação a Sócrates não é totalmente crítica, porque comporta uma boa dose de admiração. Clitofonte confessa ficar sempre atordoado com os discursos de instigação que Sócrates dirige ao público, quando se mostra tal qual um *deus ex machina* do teatro, mas fica intrigado com a ausência do passo seguinte: depois do belo chamado para que cada um cuide da própria alma acima de todo o resto, vem o quê? Em termos mais específicos: não há como negar o impacto desse modo exortativo, "protréptico" (*protreptikós*, em grego), de Sócrates, que desperta do adormecimento quem o recebe, mas qual seu alcance efetivo, no sentido de levar adiante a transformação dos ouvintes e permitir o aprendizado da justiça? É com a apresentação mais detalhada desse tipo de questionamento que o discurso de Clitofonte, a despeito dos elogios misturados, acaba de fato se convertendo numa crítica aberta a Sócrates — de que seu método tinha aparentemente um escopo limitado. É como se, ao contrário da *Apologia*, onde temos o discurso de defesa de Sócrates sem que a seu lado figure o de acusação, no *Clitofonte* tivéssemos um discurso de acusação sem que junto a ele figure a defesa de Sócrates.

O que pensar disso? Seria possível imaginar que o diálogo está incompleto, mas o fato de Lísias e Trasímaco, mencionados logo na fala de abertura de Sócrates, terem seus nomes novamente citados no fim, numa composição do tipo anelar, dá a impressão de acabamento ao texto, mesmo efeito produzido ao vermos Clitofonte referir-se a si mesmo na terceira pessoa, tal como Sócrates fizera no começo. Além do mais, as suas palavras finais, "para o ser humano que ainda não foi instigado, Sócrates, vou afirmar que o seu valor é total, mas, para aquele que já foi, você é quase um empecilho a que se torne feliz na sua caminhada rumo à meta da virtude", são palavras bastante enfáticas e operam como um fecho adequado e impactante. Tudo leva a crer, assim, num efeito pretendido. A crítica formulada por Clitofonte deve deixar a réplica em suspenso, e para se entender que réplica é essa podem colaborar as duas únicas intervenções de Sócrates no início, ambas irônicas: primeiro, ao "repreender" Clitofonte (que leva a sério a repreensão), e depois ao adotar a típica pose de inferiorização e se dispor a aprender com as críticas recebidas, no sentido de se tornar alguém melhor.

Numa interpretação possível do diálogo, o efeito buscado no *Clitofonte* seria parecido com o da *Apologia*: mostrar o equívoco dos acusadores de Sócrates. A estratégia aqui, porém, é em certo sentido mais complexa. Clitofonte, em parte, está realmente certo (como está também o Alcibíades bêbado em relação ao que diz no final do *Banquete*): Sócrates pratica o discurso "protréptico", de instigação/exortação, para que as pessoas militem em favor da alma, conforme se vê, por exemplo, no *Alcibíades Primeiro*, no *Eutidemo* e na *Apologia*. De um modo muito socrático, Clitofonte chega inclusive a apresentar, recorrendo ao discurso direto, o pastiche de um discurso assim exortativo, uma espécie de "hino" repetido por Sócrates; em seguida, relata conversas de que participou nas quais imitava o método socrático da refutação baseado em analogias, talvez com novos propósitos paródicos. Mas o toque de humor decorrente desses elementos apenas acentua o que Clitofonte não vê, e que parece ser a resposta platônica às críticas formuladas: a atuação de Sócrates ultrapassa a superficialidade não apenas da simples "convocação" à virtude, mas também da transmissão direta e sofística de uma lição final. Clitofonte ri de Sócrates, mas o riso se volta contra ele.

A réplica, portanto, às críticas de que Sócrates não consegue ir além, ou de que denega o seu saber, estaria não só na própria *República*, diálogo ao qual o *Clitofonte* se liga por conta dos personagens (Clitofonte/Lísias/Trasímaco), mas também nos próprios *Diálogos* como um todo, onde a exortação socrática convive com uma série de outros procedimentos, que a ultrapassam. Lido assim, como ataque à aparentemente limitada exortação dirigida por Sócrates a seus ouvintes, o *Clitofonte* passa a ser ele mesmo uma exortação enviesada — dirigida a leitoras e leitores — para que avaliem criticamente olhares unilaterais e incapazes de um alcance complexo, porque ávidos de um saber palpável e imediato. Ao mesmo tempo, é um diálogo que não deixa de estimular em nós, de um modo positivo, um olhar potencialmente crítico em relação ao Sócrates de várias outras conversas — isto é, às suas ferramentas e aos meios propostos para se alcançar o conhecimento e a felicidade. Dessa forma, tal como ocorre com outros diálogos platônicos pequenos e despretensiosos, mas bem mais lidos e estudados, a riqueza do *Clitofonte* se mostraria inversamente proporcional ao seu tamanho.

Quero dizer algumas palavras finais sobre a tradução. Ela desempenha aqui um papel duplo: por um lado resgatar esses títulos do esquecimento, mesmo para quem é especialista em Platão, e por outro dar a ver as qualidades literárias inerentes à escrita filosófica platônica. Minhas versões para o português, portanto, não estão preocupadas em transmitir apenas a mensagem das conversas, mas também a forma elaborada pela qual essas conversas se dão, com suas variações, contrastes, paralelismos, ranhuras e inflexões — inclusive com a inclusão de algumas rubricas —, conforme já fiz antes com outras quatro obras que traduzi de Platão, *Íon* e *Hípias Menor* (saídas num volume só em 2007), e *Eutífron*, *Apologia de Sócrates* e *Críton* (publicadas conjuntamente em 2008). Assim como nesses trabalhos anteriores, uso aqui também você/vocês no lugar de tu/vós, para recuperar, ao lado de outros recursos, certa informalidade dos debates no original. Sim, esses debates trazem em vários momentos a marca da construção retórica e artificial, algo que tentei preservar ao máximo, mas isso não corresponde a um tom necessariamente grave e cerimonioso. Em outras palavras: há protocolos facilmente identificáveis no andamento das conversas filosóficas dos *Diálogos*, mas eles parecem se apoiar no uso corrente, sem promover uma "elevação filosófica". Platão está bem mais ao rés do chão do que se imagina.

Já no plano lexical, busquei manter uma tradução consistente para termos que são chave no vocabulário platônico. A vantagem, ao se fazer isso, é permitir que o diálogo entre os diálogos fique mais evidente em português. A leitora e o leitor mais familiarizados com Platão, porém, podem estranhar certas soluções, por não seguirem a tradição acadêmica estabelecida, que tacitamente criou um léxico estável para as correspondências principais. Minha justificativa para fugir a essa prática é basicamente a de que, por não ter me formado na área da filosofia antiga, sinto-me mais livre para experimentar novas possibilidades, algo que tem a ver com a própria natureza da tradução em geral. Não se trata de negar com isso, de modo algum, a existência de um vocabulário filosófico em Platão (pelo contrário), mas de mostrar que o sentido desses termos é múltiplo e móvel em cada uma das línguas em que são traduzidos.

As notas de rodapé, por fim, têm o propósito não só de iluminar esse vocabulário e as soluções adotadas, mas de fornecer aquelas informações básicas, históricas e culturais, para quem está menos familiarizado com Platão e a Grécia Antiga. Certos detalhes também foram destacados, com o intuito de que o sabor da prosa platônica não passasse despercebido. Em alguns casos, assinalei a relação entre os diálogos e promovi um cruzamento de uma nota com outra. Também registrei algumas ligações importantes com outros diálogos não apresentados aqui, sem qualquer pretensão de fornecer um mapeamento completo. Quanto às indicações de leitura fornecidas abaixo, elas são mínimas e têm o objetivo de ajudar a expandir as discussões presentes nesta apresentação e algumas das indicações feitas nas próprias notas. *Alcibíades Segundo* e *Dois Homens Apaixonados* continuam a formar um par bastante marginalizado, enquanto a bibliografia relativa a *Teages* e *Clitofonte* tem crescido sensivelmente nos últimos anos, mesmo que estes continuem a ser tomados como diálogos não autênticos pela visão consensual. O *Clitofonte*, em especial, por seu formato único e por causa da conexão com a *República* apontada acima, tem sido o mais estudado deles.

Indicações de leitura

Sobre o *Alcibíades Segundo*:

Gribble, D. *Alcibiades and Athens: A Study in Literary Presentation*. Oxford: Clarendon Press, 1999.

Helfer, A. *Socrates and Alcibiades: Plato's Drama of Political Ambition and Philosophy*. Filadélfia: University of Pennsylvania Press, 2017.

Johnson, D. M. *Socrates and Alcibiades: Four Texts*. Newburyport: Focus, 2002.

Johnson, M.; Tarrant, H. (orgs.), *Alcibiades and the Socratic Lover-Educator*. Londres: Bristol Classics, 2012.

Sobre o *Teages*:

Bailly, J. *The Socratic Theages*. Hildesheim: G. Olms, 2004.

Joyal, M. *The Platonic Theages*. Stuttgart: F. Steiner, 2000.

Pangle, T. L. "On the *Theages*", in T. L. Pangle (org.), *The Roots of Political Philosophy: Ten Forgotten Socratic Dialogues*. Ithaca: Cornell University Press, 1987.

Sobre os *Dois Homens Apaixonados*:

Bruell, C. "On the Original Meaning of Political Philosophy: An Interpretation of Plato's *Lovers*", in T. L. Pangle (org.), *The Roots of Political Philosophy: Ten Forgotten Socratic Dialogues*. Ithaca: Cornell University Press, 1987.

Sobre o *Clitofonte*:

Bailly, J. *Plato's Euthyphro and Clitophon*. Newburyport: Focus, 2003.

Orwin, C. "On the *Cleitophon*", in T. L. Pangle (org.), *The Roots of Political Philosophy: Ten Forgotten Socratic Dialogues*. Ithaca: Cornell University Press, 1987.

Slings, S. R. *Plato: Clitophon*. Cambridge: Cambridge University Press, 1999.

Ἀλκιβιάδης Δεύτερος*

ΣΩΚΡΑΤΗΣ [138a]

ὦ Ἀλκιβιάδη, ἆρά γε πρὸς τὸν θεὸν προσευξόμενος πορεύῃ;

ΑΛΚΙΒΙΑΔΗΣ

πάνυ μὲν οὖν, ὦ Σώκρατες.

ΣΩΚΡΑΤΗΣ

φαίνῃ γέ τοι ἐσκυθρωπακέναι τε καὶ εἰς γῆν βλέπειν, ὥς τι συννοούμενος.

ΑΛΚΙΒΙΑΔΗΣ

καὶ τί ἄν τις συννοοῖτο, ὦ Σώκρατες;

---

* Texto grego estabelecido a partir de *Platonis Opera*, t. II, John Burnet (org.), Oxford, Clarendon Press, 1899 (Bibliotheca Oxoniensis), disponível em <www.perseus.tufts.edu>. Nos seguintes casos adotou-se leitura diferente: *deinà* em vez de *deilà*, em 143a e 148b; interrogação em vez de ponto alto depois de *kataskeuês*, em 144e; e *mè próteron epourísei tò tês psukhês* em vez de *lampróteron epourísei tò tês túkhes*, em 147a.

Alcibíades Segundo (Sobre a ignorância)

SÓCRATES [138a]

Alcibíades![1] (*vendo que carregava uma guirlanda nas mãos*) Será que você está indo dirigir um clamor ao deus?[2]

ALCIBÍADES

Sim, com certeza, Sócrates.

SÓCRATES

Você parece aborrecido e com o olhar voltado para o chão, como se estivesse inquieto com algo...

ALCIBÍADES

E com o que se poderia estar inquieto, Sócrates?

---

[1] Alcibíades (450-404 a.C.), filho de Clínias e Dinomaque, foi um dos mais controversos líderes atenienses da segunda metade do século V a.C. e discípulo de Sócrates. Retratado como extremamente belo e ambicioso, teve papel decisivo na Guerra do Peloponeso, entre Atenas e Esparta (431-404 a.C.), que terminou com a derrota do regime democrático. Figura também como personagem nos diálogos *Alcibíades Primeiro*, *Protágoras* e *Banquete*. Podemos supor que aqui, como no *Alcibíades Primeiro* (123d), é retratado estando perto de completar vinte anos de idade.

[2] A guirlanda é mencionada no final do diálogo. Na cena imaginada, sua presença como dádiva costumeira ao deus seria a indicação do que Alcibíades estava indo fazer.

ΣΩΚΡΑΤΗΣ

τὴν μεγίστην, ὦ Ἀλκιβιάδη, σύννοιαν, ὥς γ' ἐμοὶ [138b] δοκεῖ. ἐπεὶ φέρε πρὸς Διός, οὐκ οἴει τοὺς θεούς, ἃ τυγχάνομεν εὐχόμενοι καὶ ἰδίᾳ καὶ δημοσίᾳ, ἐνίοτε τούτων τὰ μὲν διδόναι, τὰ δ' οὔ, καὶ ἔστιν οἷς μὲν αὐτῶν, ἔστι δ' οἷς οὔ;

ΑΛΚΙΒΙΑΔΗΣ

πάνυ μὲν οὖν.

ΣΩΚΡΑΤΗΣ

οὐκοῦν δοκεῖ σοι πολλῆς προμηθείας γε προσδεῖσθαι, ὅπως μὴ λήσεται αὑτὸν εὐχόμενος μεγάλα κακά, δοκῶν δ' ἀγαθά, οἱ δὲ θεοὶ τύχωσιν ἐν ταύτῃ ὄντες τῇ ἕξει, ἐν ᾗ διδόασιν αὐτοὶ ἅ τις εὐχόμενος τυγχάνει; ὥσπερ τὸν Οἰδίπουν [138c] αὐτίκα φασὶν εὔξασθαι χαλκῷ διελέσθαι τὰ πατρῷα τοὺς ὑεῖς· ἐξὸν αὐτῷ τῶν παρόντων αὐτῷ κακῶν ἀποτροπήν τινα εὔξασθαι, ἕτερα πρὸς τοῖς ὑπάρχουσιν κατηρᾶτο· τοιγαροῦν ταῦτά τε ἐξετελέσθη, καὶ ἐκ τούτων ἄλλα πολλὰ καὶ δεινά, ἃ τί δεῖ καθ' ἕκαστα λέγειν;

ΑΛΚΙΒΙΑΔΗΣ

ἀλλὰ σὺ μέν, ὦ Σώκρατες, μαινόμενον ἄνθρωπον εἴρηκας· ἐπεὶ τίς ἄν σοι δοκεῖ τολμῆσαι ὑγιαίνων τοιαῦτ' εὔξασθαι;

SÓCRATES

Com a inquietação máxima, Alcibíades, suponho eu! [138b] Pois vamos, por Zeus, você não acha que os deuses às vezes dão algumas dessas coisas pelas quais calhamos de clamar privada e publicamente, mas outras não, e para alguns sim, mas para outros não?

ALCIBÍADES

Sim, com certeza.

SÓCRATES

Ora, você não supõe que é preciso ter muita prudência para não se clamar, sem perceber, por grandes males supondo que são bens, e os deuses calharem de estar naquela disposição em que dão as coisas pelas quais alguém calha de clamar? Tal como dizem, por exemplo, que Édipo [138c] clamou para que os filhos dividissem com o bronze a herança paterna: sendo-lhe possível clamar por uma reversão dos males então presentes, pronunciou outras pragas por cima das já existentes.[3] Eis por que aquelas coisas se cumpriram, e a partir delas muitas outras e terríveis, que não precisamos detalhar aqui.

ALCIBÍADES

Mas você mencionou, Sócrates, um ser humano enlouquecido! Pois quem você supõe que ousaria, em sã consciência, clamar por tais coisas?

---

[3] "Com o bronze" significa aqui "usando armas", "guerreando". Édipo, depois de descobrir que matara o pai e casara com a mãe, é expulso de Tebas. Como não recebe auxílio dos filhos, Etéocles e Polinices, acaba por amaldiçoá-los, e os dois se matam um ao outro na guerra travada pelo poder da cidade. As nossas fontes mais antigas são as tragédias *Sete contra Tebas*, de Ésquilo, *Édipo Rei*, *Antígona* e *Édipo em Colono*, de Sófocles, e *As Fenícias*, de Eurípides (versos desta última são citados na conclusão do diálogo).

ΣΩΚΡΑΤΗΣ

τὸ μαίνεσθαι ἆρά γε ὑπεναντίον σοι δοκεῖ τῷ φρονεῖν;

ΑΛΚΙΒΙΑΔΗΣ

πάνυ μὲν οὖν.

ΣΩΚΡΑΤΗΣ [138d]

ἄφρονες δὲ καὶ φρόνιμοι δοκοῦσιν ἄνθρωποι εἶναι τινές σοι;

ΑΛΚΙΒΙΑΔΗΣ

εἶναι μέντοι.

ΣΩΚΡΑΤΗΣ

φέρε δή, ἐπισκεψώμεθα τίνες ποτ᾽ εἰσὶν οὗτοι. ὅτι μὲν γάρ εἰσί τινες, ὡμολόγηται, ἄφρονές τε καὶ φρόνιμοι, καὶ μαινόμενοι ἕτεροι.

ΑΛΚΙΒΙΑΔΗΣ

ὡμολόγηται γάρ.

ΣΩΚΡΑΤΗΣ

ἔτι δὲ ὑγιαίνοντές εἰσί τινες;

ΑΛΚΙΒΙΑΔΗΣ

εἰσίν.

ΣΩΚΡΑΤΗΣ

οὐκοῦν καὶ ἀσθενοῦντες ἕτεροι;

ΑΛΚΙΒΙΑΔΗΣ [139a]

πάνυ γε.

SÓCRATES

Será que você supõe que enlouquecer é o contrário de ser sensato?

ALCIBÍADES

Sim, com certeza.

SÓCRATES [138d]

E supõe que existem seres humanos insensatos e outros sensatos?

ALCIBÍADES

Que existem.

SÓCRATES

Vamos então! Examinemos quem são eles. Porque — admitimos nós — existem tanto os insensatos quanto os sensatos, e outros ainda enlouquecidos.

ALCIBÍADES

Admitimos.

SÓCRATES

E existem ainda os sãos?

ALCIBÍADES

Existem.

SÓCRATES

Ora, e não existem também outros, debilitados?

ALCIBÍADES [139a]

Com certeza!

ΣΩΚΡΑΤΗΣ

οὐκοῦν οὐχ οἱ αὐτοί;

ΑΛΚΙΒΙΑΔΗΣ

οὐ γάρ.

ΣΩΚΡΑΤΗΣ

ἆρ᾽ οὖν καὶ ἕτεροί τινές εἰσιν, οἳ μηδέτερα τούτων πεπόνθασιν;

ΑΛΚΙΒΙΑΔΗΣ

οὐ δῆτα.

ΣΩΚΡΑΤΗΣ

ἀνάγκη γάρ ἐστιν ἄνθρωπον ὄντα ἢ νοσεῖν ἢ μὴ νοσεῖν.

ΑΛΚΙΒΙΑΔΗΣ

ἔμοιγε δοκεῖ.

ΣΩΚΡΑΤΗΣ

τί δέ; περὶ φρονήσεως καὶ ἀφροσύνης ἆρά γε τὴν αὐτὴν ἔχεις σὺ γνώμην;

ΑΛΚΙΒΙΑΔΗΣ

πῶς λέγεις;

ΣΩΚΡΑΤΗΣ

εἰ δοκεῖ σοι οἷόν τε εἶναι ἢ φρόνιμον ἢ ἄφρονα, ἢ ἔστι τι διὰ μέσου τρίτον πάθος, ὃ ποιεῖ τὸν ἄνθρωπον μήτε [139b] φρόνιμον μήτε ἄφρονα;

SÓCRATES

Ora, e são os mesmos?

ALCIBÍADES

Não são.

SÓCRATES

Será que existem ainda outros, que não estão em nenhuma dessas duas condições?

ALCIBÍADES

Não!

SÓCRATES

Pois é forçoso que, sendo humano, ou esteja doente ou não esteja.

ALCIBÍADES

Suponho que sim.

SÓCRATES

Mas então, será que você tem a mesma opinião sobre a sensatez e a insensatez?[4]

ALCIBÍADES

Como assim?

SÓCRATES

Se você supõe que só é possível ser sensato ou insensato, ou há uma terceira condição intermediária, [139b] que faz do ser humano nem sensato, nem insensato.

---

4 "Sensatez"/"sensato" (*phrónesis*/*phrónimos*) e "insensatez"/"insensato" (*aphrosúne*/*áphron*) compõem pares fundamentais no diálogo.

ΑΛΚΙΒΙΑΔΗΣ

οὐ δῆτα.

ΣΩΚΡΑΤΗΣ

ἀνάγκη ἄρ᾽ ἐστὶ τὸ ἕτερον τούτων πεπονθέναι.

ΑΛΚΙΒΙΑΔΗΣ

ἔμοιγε δοκεῖ.

ΣΩΚΡΑΤΗΣ

οὐκοῦν μέμνησαι ὁμολογήσας ὑπεναντίον εἶναι μανίαν φρονήσει;

ΑΛΚΙΒΙΑΔΗΣ

ἔγωγε.

ΣΩΚΡΑΤΗΣ

οὐκοῦν καὶ μηδὲν εἶναι διὰ μέσου τρίτον πάθος, ὃ ποιεῖ τὸν ἄνθρωπον μήτε φρόνιμον μήτε ἄφρονα εἶναι;

ΑΛΚΙΒΙΑΔΗΣ

ὡμολόγησα γάρ.

ΣΩΚΡΑΤΗΣ

καὶ μὴν δύο γε ὑπεναντία ἑνὶ πράγματι πῶς ἂν εἴη;

ΑΛΚΙΒΙΑΔΗΣ

οὐδαμῶς.

ΣΩΚΡΑΤΗΣ [139c]

ἀφροσύνη ἄρα καὶ μανία κινδυνεύει ταὐτὸν εἶναι.

ALCIBÍADES

Não!

SÓCRATES

É forçoso então que esteja em uma dessas duas condições.

ALCIBÍADES

Suponho que sim.

SÓCRATES

Ora, você não se lembra de ter admitido que a loucura é o contrário da sensatez?

ALCIBÍADES

Sim!

SÓCRATES

Ora, e de que não há uma terceira condição intermediária, que faz do ser humano nem sensato, nem insensato?

ALCIBÍADES

Pois admiti.

SÓCRATES

Na realidade, como haveria duas coisas contrárias a uma só?

ALCIBÍADES

De modo algum.

SÓCRATES [139c]

Então insensatez e loucura correm o risco de ser o mesmo.

ΑΛΚΙΒΙΑΔΗΣ

φαίνεται.

ΣΩΚΡΑΤΗΣ

πάντας οὖν ἂν φάντες, ὦ Ἀλκιβιάδη, τοὺς ἄφρονας μαίνεσθαι ὀρθῶς ἂν φαίημεν· αὐτίκα τῶν σῶν ἡλικιωτῶν εἴ τινες τυγχάνουσιν ἄφρονες ὄντες, ὥσπερ εἰσί, καὶ τῶν ἔτι πρεσβυτέρων· ἐπεὶ φέρε πρὸς Διός, οὐκ οἴει τῶν ἐν τῇ πόλει ὀλίγους μὲν εἶναι τοὺς φρονίμους, ἄφρονας δὲ δὴ τοὺς πολλούς, οὓς δὴ σὺ μαινομένους καλεῖς;

ΑΛΚΙΒΙΑΔΗΣ

ἔγωγε.

ΣΩΚΡΑΤΗΣ

οἴει ἂν οὖν χαίροντας ἡμᾶς εἶναι μετὰ τοσούτων [139d] μαινομένων πολιτευομένους, καὶ οὐκ ἂν παιομένους καὶ βαλλομένους, καὶ ἅπερ εἰώθασιν οἱ μαινόμενοι διαπράττεσθαι, πάλαι δὴ δίκην δεδωκέναι; ἀλλὰ ὅρα, ὦ μακάριε, μὴ οὐχ οὕτως ταῦτ᾽ ἔχει.

ΑΛΚΙΒΙΑΔΗΣ

πῶς ἂν οὖν ποτ᾽ ἔχοι, ὦ Σώκρατες; κινδυνεύει γὰρ οὐχ οὕτως ἔχειν ὥσπερ ᾠήθην.

ΣΩΚΡΑΤΗΣ

οὐδ᾽ ἐμοὶ δοκεῖ. ἀλλὰ τῇδέ πῃ ἀθρητέον.

ΑΛΚΙΒΙΑΔΗΣ

πῇ ποτε λέγεις;

ALCIBÍADES

Parece que sim.

SÓCRATES

Portanto, Alcibíades, se disséssemos que *todos* os insensatos são enlouquecidos, estaríamos corretos — por exemplo, alguns da sua idade, como os que há por aí, que calham de ser insensatos, ou mesmo dos mais velhos? Pois vamos, por Zeus, você não acha que na cidade poucos são os sensatos, enquanto a maioria é insensata, esses que você chama de "enlouquecidos"?

ALCIBÍADES

Sim!

SÓCRATES

Mas você acha que nós poderíamos nos alegrar em dividir [139d] a cidade com tantos enlouquecidos?! Não teríamos sido há muito já castigados, ao sofrermos agressões, golpes e todas aquelas coisas que os enlouquecidos costumam pôr em prática?! Veja, venturoso homem: talvez não seja bem assim...

ALCIBÍADES

Como então poderia ser, Sócrates? Pois corre-se o risco de não ser bem assim como eu achava...

SÓCRATES

Suponho que não seja. Mas isso pode ser encarado deste outro jeito.

ALCIBÍADES

De que jeito você está falando?

ΣΩΚΡΑΤΗΣ

ἐγὼ δή σοί γε ἐρῶ. ὑπολαμβάνομέν τινας εἶναι νοσοῦντας· ἢ οὔ;

ΑΛΚΙΒΙΑΔΗΣ

πάνυ μὲν οὖν.

ΣΩΚΡΑΤΗΣ [139e]

ἆρ᾽ οὖν δοκεῖ σοι ἀναγκαῖον εἶναι τὸν νοσοῦντα ποδαγρᾶν ἢ πυρέττειν ἢ ὀφθαλμιᾶν, ἢ οὐκ ἂν δοκεῖ σοι καὶ μηδὲν τούτων πεπονθὼς ἑτέραν νόσον νοσεῖν; πολλαὶ γὰρ δήπου γέ εἰσι, καὶ οὐχ αὗται μόναι.

ΑΛΚΙΒΙΑΔΗΣ

ἔμοιγε δοκοῦσιν.

ΣΩΚΡΑΤΗΣ

ὀφθαλμία σοι οὖν δοκεῖ πᾶσα νόσος εἶναι;

ΑΛΚΙΒΙΑΔΗΣ

ναί.

ΣΩΚΡΑΤΗΣ

ἆρ᾽ οὖν καὶ πᾶσα νόσος ὀφθαλμία;

ΑΛΚΙΒΙΑΔΗΣ

οὐ δῆτα ἔμοιγε· ἀπορῶ μέντοι γε πῶς λέγω.

SÓCRATES

Eu mesmo vou lhe dizer. Postulamos que há os adoentados, não?

ALCIBÍADES

Sim, com certeza.

SÓCRATES [139e]

E será que você supõe ser forçoso que o adoentado tenha gota, febre ou oftalmia? Ou não supõe que, mesmo não tendo nenhuma dessas doenças, possa sofrer de outra? Pois existem decerto muitas, e não apenas essas.

ALCIBÍADES

Suponho que sim!

SÓCRATES

E você supõe que toda oftalmia é uma doença?[5]

ALCIBÍADES

Sim.

SÓCRATES

E será que toda doença é uma oftalmia?

ALCIBÍADES

Não! Mas estou em aporia quanto ao que estou dizendo...[6]

---

[5] "Oftalmia" é a inflamação do olho.

[6] A "aporia" (*aporía*), "falta de saída", "impasse" ou "dificuldade" na reflexão é um elemento central da busca pelo conhecimento na filosofia associada a Sócrates; ver menções abaixo em 142d, 147e, 148d e 150a, e sua presença no *Teages* (127a), nos *Dois Homens Apaixonados* (134e-135a) e no *Clitofonte* (409e e 410c).

ΣΩΚΡΑΤΗΣ [140a]

ἀλλ᾽ ἐὰν ἔμοιγε προσέχῃς τὸν νοῦν, σύν τε δύο σκεπτομένω τυχὸν εὑρήσομεν.

ΑΛΚΙΒΙΑΔΗΣ

ἀλλὰ προσέχω, ὦ Σώκρατες, εἰς δύναμιν τὴν ἐμήν.

ΣΩΚΡΑΤΗΣ

οὐκοῦν ὡμολογήθη ἡμῖν ὀφθαλμία μὲν πᾶσα νόσος εἶναι, νόσος μέντοι οὐκ εἶναι πᾶσα ὀφθαλμία;

ΑΛΚΙΒΙΑΔΗΣ

ὡμολογήθη.

ΣΩΚΡΑΤΗΣ

καὶ ὀρθῶς γέ μοι δοκεῖ ὁμολογηθῆναι. καὶ γὰρ οἱ πυρέττοντες πάντες νοσοῦσιν, οὐ μέντοι οἱ νοσοῦντες πάντες πυρέττουσιν οὐδὲ ποδαγρῶσιν οὐδέ γε ὀφθαλμιῶσιν, [140b] οἶμαι· ἀλλὰ νόσος μὲν πᾶν τὸ τοιοῦτόν ἐστι, διαφέρειν δέ φασιν οὓς δὴ καλοῦμεν ἰατροὺς τὴν ἀπεργασίαν αὐτῶν. οὐ γὰρ πᾶσιν οὔτε ὅμοιαι οὔτε ὁμοίως διαπράττονται, ἀλλὰ κατὰ τὴν αὑτῆς δύναμιν ἑκάστη· νόσοι

SÓCRATES [140a]

Se você prestar atenção em mim, "sendo dois a examinar juntos" calharemos de encontrar a saída.[7]

ALCIBÍADES

Mas estou prestando, Sócrates, segundo minha capacidade.[8]

SÓCRATES

Ora, não admitimos que toda oftalmia é uma doença, e que no entanto nem toda doença é uma oftalmia?

ALCIBÍADES

Admitimos.

SÓCRATES

E suponho que admitimos corretamente. Com efeito, todos que têm febre adoecem, e no entanto nem todos os adoentados têm febre ou gota ou oftalmia, acho eu. [140b] Embora tudo isso sejam doenças, elas diferem — dizem aqueles que nós chamamos de médicos — em seus "desdobramentos".[9] Pois não são todas iguais nem operam de modo igual, mas cada uma segundo sua capacidade. E no entanto

---

[7] Adaptação de trecho do verso 224 do Canto 10 da *Ilíada*, "sendo dois a caminhar juntos", quando Diomedes afirma que a ação compartilhada é mais proveitosa que a solitária. A citação aparece também no *Banquete* (174d) e no *Protágoras* (348d).

[8] A capacidade (*dúnamis*) limitada de Alcibíades é um elemento para o qual o diálogo chama a atenção algumas vezes.

[9] O termo grego *apergasía*, cujo sentido primeiro é "efetivação", parece ser ridicularizado aqui em seu uso técnico, para se referir à "manifestação" ou "sintoma" de uma doença.

μέντοι πᾶσαί εἰσιν. ὥσπερ δημιουργούς τινας ὑπολαμβάνομεν· ἢ οὔ;

ΑΛΚΙΒΙΑΔΗΣ

πάνυ μὲν οὖν.

ΣΩΚΡΑΤΗΣ

οὐκοῦν τοὺς σκυτοτόμους καὶ τέκτονας καὶ ἀνδριαντοποιοὺς καὶ ἑτέρους παμπληθεῖς, οὓς τί δεῖ καθ' ἕκαστα λέγειν; ἔχουσι δ' οὖν διειληφότες δημιουργίας μέρη, καὶ [140c] πάντες οὗτοί εἰσι δημιουργοί, οὐ μέντοι εἰσὶ τέκτονές γε οὐδὲ σκυτοτόμοι οὐδ' ἀνδριαντοποιοί, οἳ σύμπαντές εἰσι δημιουργοί.

ΑΛΚΙΒΙΑΔΗΣ

οὐ δῆτα.

ΣΩΚΡΑΤΗΣ

οὕτως μὲν τοίνυν καὶ τὴν ἀφροσύνην διειληφότες εἰσί, καὶ τοὺς μὲν πλεῖστον αὐτῆς μέρος ἔχοντας μαινομένους καλοῦμεν, τοὺς δ' ὀλίγον ἔλαττον ἠλιθίους τε καὶ ἐμβροντήτους· οἱ δὲ ἐν εὐφημοτάτοις ὀνόμασι βουλόμενοι κατονομάζειν οἱ μὲν μεγαλοψύχους, οἱ δὲ εὐήθεις, ἕτεροι δὲ [140d] ἀκάκους καὶ ἀπείρους καὶ ἐνεούς· εὑρήσεις δὲ καὶ ἕτερα πολλὰ ἀναζητῶν ὀνόματα. πάντα δὲ ταῦτα ἀφροσύνη ἐστίν, διαφέρει δέ, ὥσπερ τέχνη τέχνης ἡμῖν κατεφαίνετο καὶ νόσος νόσου· ἢ πῶς σοι δοκεῖ;

todas são doenças. Do mesmo modo, postulamos que existem trabalhadores, não?[10]

ALCIBÍADES

Sim, com certeza.

SÓCRATES

Ora, não são eles sapateiros, construtores, escultores e inúmeros outros que não precisamos detalhar aqui? Cada um tem sua parcela de trabalho [140c] e todos eles são trabalhadores, e no entanto nem todos são construtores ou sapateiros ou escultores, ainda que sejam todos, no conjunto, trabalhadores.

ALCIBÍADES

Não mesmo!

SÓCRATES

Pois assim também outros repartiram a insensatez, e os que têm a maior parcela dela chamamos de "enlouquecidos", e os que têm uma um pouco menor, de "estúpidos" e "abobalhados" — embora os que preferem nomeá-los com termos eufemísticos os chamem ora de "espíritos grandiosos", ora de "ingênuos", [140d] ora ainda de "sem maldade", "inexperientes" e "broncos". Procurando você vai encontrar muitos outros nomes. Tudo isso é insensatez, mas diferem entre si tal como para nós uma arte mostrava diferir da outra,[11] e uma doença da outra. Ou como você supõe que seja isso?

---

[10] "Trabalhador" traduz o termo grego *demiourgós*, que se aplica a quem exerce qualquer tipo de "arte"; ver nota seguinte.

[11] "Arte" traduz aqui sempre o grego *tékhne* e tem o sentido de "técnica", "habilidade", "profissão", "ofício". Pode ser usada como sinônimo de "trabalho" (*demiourgía*); ver nota anterior.

ΑΛΚΙΒΙΑΔΗΣ

ἐμοὶ μὲν οὕτως.

ΣΩΚΡΑΤΗΣ

οὐκοῦν ἀπ᾽ ἐκείνου πάλιν ἐπανέλθωμεν. ἦν γὰρ δήπου καὶ ἐν ἀρχῇ τοῦ λόγου, σκεπτέον εἶναι τοὺς ἄφρονάς τε καὶ φρονίμους, τίνες ποτ᾽ εἰσίν. ὡμολόγητο γὰρ εἶναί τινας· ἦ γὰρ οὔ;

ΑΛΚΙΒΙΑΔΗΣ

ναί, ὡμολόγηται.

ΣΩΚΡΑΤΗΣ [140e]

ἆρ᾽ οὖν τούτους φρονίμους ὑπολαμβάνεις, οἳ ἂν εἰδῶσιν ἅττα δεῖ πράττειν καὶ λέγειν;

ΑΛΚΙΒΙΑΔΗΣ

ἔγωγε.

ΣΩΚΡΑΤΗΣ

ἄφρονας δὲ ποτέρους; ἆρά γε τοὺς μηδέτερα τούτων εἰδότας;

ΑΛΚΙΒΙΑΔΗΣ

τούτους.

ΣΩΚΡΑΤΗΣ

οὐκοῦν οἵ γε μὴ εἰδότες μηδέτερα τούτων λήσουσιν αὑτοὺς καὶ λέγοντες καὶ πράττοντες ἅττα μὴ δεῖ;

ALCIBÍADES

Que seja assim.

SÓCRATES

Retomemos então lá de trás. Foi dito decerto no princípio do raciocínio[12] que se deve examinar quem são os insensatos e os sensatos. Pois admitimos que eles existem, não?

ALCIBÍADES

Sim, admitimos.

SÓCRATES [140e]

E será então que você postula como sensatos esses que sabem o que se deve fazer e falar?

ALCIBÍADES

Sim!

SÓCRATES

E quais como insensatos? Será que esses que não sabem nem uma coisa nem outra?

ALCIBÍADES

Esses mesmos.

SÓCRATES

Ora, os que não sabem nem uma coisa nem outra não falarão e farão, sem perceber, o que não se deve?

---

[12] Ao longo dos diálogos apresentados aqui, "raciocínio" traduz o grego *lógos*.

ΑΛΚΙΒΙΑΔΗΣ

φαίνεται.

ΣΩΚΡΑΤΗΣ

τούτων μέντοι ἔλεγον, ὦ Ἀλκιβιάδη, καὶ τὸν [141a] Οἰδίπουν εἶναι τῶν ἀνθρώπων· εὑρήσεις δ᾽ ἔτι καὶ τῶν νῦν πολλοὺς οὐκ ὀργῇ κεχρημένους, ὥσπερ ἐκεῖνον, οὐδ᾽ οἰομένους κακά σφισιν εὔχεσθαι, ἀλλ᾽ ἀγαθά. ἐκεῖνος μὲν ὥσπερ οὐδ᾽ ηὔχετο, οὐδ᾽ ᾤετο· ἕτεροι δέ τινές εἰσιν οἳ τἀναντία τούτων πεπόνθασιν. ἐγὼ μὲν γὰρ οἶμαί σε πρῶτον, εἴ σοι ἐμφανὴς γενόμενος ὁ θεὸς πρὸς ὃν τυγχάνεις πορευόμενος, ἐρωτήσειεν, πρὶν ὁτιοῦν εὔξασθαί σε, εἰ ἐξαρκέσει σοι τύραννον γενέσθαι τῆς Ἀθηναίων πόλεως· εἰ δὲ τοῦτο φαῦλον ἡγήσαιο καὶ μὴ μέγα τι, προσθείη καὶ [141b] πάντων τῶν Ἑλλήνων· εἰ δέ σε ὁρῴη ἔτι ἔλαττον δοκοῦντα ἔχειν, εἰ μὴ καὶ πάσης Εὐρώπης, ὑποσταίη σοι, καὶ τοῦτο μὴ μόνον ὑποσταίη, ἀλλ᾽ αὐθημερόν σου βουλομένου ὡς πάντας αἰσθήσεσθαι ὅτι Ἀλκιβιάδης ὁ Κλεινίου τύραννός ἐστιν· αὐτὸν οἶμαι ἂν σε ἀπιέναι περιχαρῆ γενόμενον, ὡς τῶν μεγίστων ἀγαθῶν κεκυρηκότα.

ΑΛΚΙΒΙΑΔΗΣ

ἐγὼ μὲν οἶμαι, ὦ Σώκρατες, κἂν ἄλλον ὁντινοῦν, εἴπερ τοιαῦτα συμβαίη αὐτῷ.

ΣΩΚΡΑΤΗΣ [141c]

ἀλλὰ μέντοι ἀντί γε τῆς σῆς ψυχῆς οὐδ᾽ ἂν τὴν πάντων Ἑλλήνων τε καὶ βαρβάρων χώραν τε καὶ τυραννίδα βουληθείης σοι γενέσθαι.

ALCIBÍADES

Parece que sim.

SÓCRATES

Pois então: eu falava que também Édipo, Alcibíades, [141a] era um desses seres humanos. Ainda entre os de agora você vai encontrar muitos assim — não entregues à ira, como ele —, que acham que não clamam por males para si, mas por bens. Ele nem clamava por isso nem achava que clamava, mas existem outros que estão na situação contrária. Eu mesmo acho que, caso o deus para o qual você calha de se dirigir, tornando-se manifesto, lhe perguntasse primeiro (antes de você clamar pelo que fosse) se seria suficiente para você se tornar o tirano da cidade dos atenienses; e, com você considerando isso algo medíocre e nada grandioso, [141b] ele acrescentasse, "... e de todos os helenos", mas visse que você supunha estar ainda na pior, a não ser que ele lhe prometesse "... e de toda a Europa"; e então ele prometesse não apenas isso, mas também no mesmo dia (porque você assim quis) que todos reconhecessem Alcibíades, filho de Clínias, como seu tirano — eu acho que você iria sim embora feliz demais, como alguém que obteve os maiores bens...[13]

ALCIBÍADES

Acho que qualquer um iria, Sócrates, se lhe acontecesse esse tipo de coisa!

SÓCRATES [141c]

E no entanto você não gostaria de abrir mão da sua própria vida em troca de ter, para si, o território e a tirania de todos os helenos e bárbaros...

---

[13] Sócrates chama a atenção para a grande ambição política de Alcibíades, apresentada em termos semelhantes no *Alcibíades Primeiro* (105a-c e 120a); ver também o *Teages* (125e-126a).

ΑΛΚΙΒΙΑΔΗΣ

οὐκ οἶμαι ἔγωγε. πῶς γὰρ ἄν, μηθέν γέ τι μέλλων αὐτοῖς χρήσεσθαι;

ΣΩΚΡΑΤΗΣ

τί δ᾽ εἰ μέλλοις κακῶς τε καὶ βλαβερῶς χρῆσθαι; οὐδ᾽ ἂν οὕτως;

ΑΛΚΙΒΙΑΔΗΣ

οὐ δῆτα.

ΣΩΚΡΑΤΗΣ

ὁρᾷς οὖν ὡς οὐκ ἀσφαλὲς οὔτε τὰ διδόμενα εἰκῇ δέχεσθαί γε οὔτε αὐτὸν εὔχεσθαι γενέσθαι, εἴ γέ τις [141d] βλάπτεσθαι μέλλοι διὰ ταῦτα ἢ τὸ παράπαν τοῦ βίου ἀπαλλαγῆναι. πολλοὺς δ᾽ ἂν ἔχοιμεν εἰπεῖν, ὅσοι τυραννίδος ἐπιθυμήσαντες ἤδη καὶ σπουδάσαντες τοῦτ᾽ αὐτοῖς παραγενέσθαι, ὡς ἀγαθόν τι πράξαντες, διὰ τὴν τυραννίδα ἐπιβουλευθέντες τὸν βίον ἀφῃρέθησαν. οἶμαι δέ σε οὐκ ἀνήκοον εἶναι ἔνιά γε "χθιζά τε καὶ πρωιζὰ" γεγενημένα, ὅτε Ἀρχέλαον τὸν Μακεδόνων τύραννον τὰ παιδικά, ἐρασθέντα τῆς τυραννίδος οὐθὲν ἧττον ἤπερ ἐκεῖνος τῶν παιδικῶν, ἀπέκτεινε τὸν ἐραστὴν ὡς τύραννός τε καὶ εὐδαίμων [141e] ἀνὴρ ἐσόμενος· κατασχὼν δὲ τρεῖς ἢ τέτταρας

ALCIBÍADES

Acho que não! Como poderia gostar, sem nenhuma perspectiva de desfrutar deles?

SÓCRATES

Mas e com a perspectiva de desfrutar deles de um modo vil e prejudicial? Nem assim?

ALCIBÍADES

Não!

SÓCRATES

Você está vendo então que não é seguro — nem aceitar aleatoriamente as coisas dadas, nem a própria pessoa clamar por tê-las, [141d] se a perspectiva é a de ser prejudicado por causa delas ou de perder por completo a vida. Mas poderíamos citar muitos que, tendo já desejado a tirania e se empenhado em tê-la para si — como se pusessem em prática algo bom —, por causa da mesma tirania foram alvos de uma conspiração e privados da vida. Acho que você não deixou de ouvir a respeito de alguns acontecimentos de "ontem ou anteontem",[14] quando Arquelau, tirano dos macedônios, foi vítima do seu menininho.[15] Este — apaixonado pela tirania não menos do que aquele estava por ele, menininho —, matou quem lhe tinha paixão [141e] com a perspectiva de se

---

[14] Expressão tirada de um discurso de Odisseu no Canto 2 da *Ilíada* (v. 303), quando se refere à partida da frota grega de Áulis rumo a Troia, quase vinte anos antes.

[15] Arquelau teria governado a Macedônia (ao norte da Grécia) de 413 a 399 a.C. Foi responsável pelo fortalecimento militar e cultural da região, tendo acolhido, entre outros, Eurípides no final da sua vida. Platão emprega aqui, para Arquelau e seu protegido, termos convencionais próprios do homoerotismo que era comum na Atenas clássica, aplicáveis também à relação entre Sócrates e Alcibíades (ver nota 46 abaixo, o *Teages*, nota 32, e os *Dois Homens Apaixonados*, 133b).

ἡμέρας τὴν τυραννίδα πάλιν αὐτὸς ἐπιβουλευθεὶς ὑφ' ἑτέρων τινῶν ἐτελεύτησεν. ὁρᾷς δὴ καὶ τῶν ἡμετέρων πολιτῶν — ταῦτα γὰρ οὐκ ἄλλων ἀκηκόαμεν, ἀλλ' αὐτοὶ παρόντες οἴδαμεν — [142a] ὅσοι στρατηγίας ἐπιθυμήσαντες ἤδη καὶ τυχόντες αὐτῆς οἱ μὲν ἔτι καὶ νῦν φυγάδες τῆσδε τῆς πόλεώς εἰσιν, οἱ δὲ τὸν βίον ἐτελεύτησαν· οἱ δὲ ἄριστα δοκοῦντες αὐτῶν πράττειν διὰ πολλῶν κινδύνων ἐλθόντες καὶ φόβων οὐ μόνον ἐν ταύτῃ τῇ στρατηγίᾳ, ἀλλ' ἐπεὶ εἰς τὴν ἑαυτῶν κατῆλθον, ὑπὸ τῶν συκοφαντῶν πολιορκούμενοι πολιορκίαν οὐδὲν ἐλάττω τῆς ὑπὸ τῶν πολεμίων διετέλεσαν, ὥστε ἐνίους αὐτῶν εὔχεσθαι ἀστρατηγήτους εἶναι μᾶλλον ἢ ἐστρατηγηκέναι. [142b] εἰ μὲν οὖν ἦσαν οἱ κίνδυνοί τε καὶ πόνοι φέροντες εἰς ὠφέλειαν, εἶχεν ἄν τινα λόγον· νῦν δὲ καὶ πολὺ τοὐναντίον.

εὑρήσεις δὲ καὶ περὶ τέκνων τὸν αὐτὸν τρόπον, εὐξαμένους τινὰς ἤδη γενέσθαι καὶ γενομένων εἰς συμφοράς τε καὶ λύπας τὰς μεγίστας καταστάντας. οἱ μὲν γὰρ μοχθηρῶν διὰ τέλους ὄντων τῶν τέκνων ὅλον τὸν βίον λυπούμενοι διήγαγον· τοὺς δὲ χρηστῶν μὲν γενομένων, [142c] συμφοραῖς δὲ χρησαμένων ὥστε στερηθῆναι, καὶ τούτους οὐδὲν εἰς ἐλάττονας δυστυχίας καθεστηκότας ἤπερ ἐκείνους καὶ βουλομένους ἂν ἀγένητα μᾶλλον εἶναι ἢ γενέσθαι. ἀλλ' ὅμως τούτων τε καὶ ἑτέρων πολλῶν ὁμοιοτρόπων τούτοις οὕτω σφόδρα καταδήλων ὄντων, σπάνιον εὑρεῖν ὅστις ἂν ἢ διδομένων ἀπόσχοιτο ἢ μέλλων δι' εὐχῆς τεύξεσθαι παύσαιτο ἂν

tornar tirano e um homem feliz. Depois de exercer a tirania por três ou quatro dias, porém, ele próprio foi alvo, por sua vez, da conspiração de outros e alcançou seu fim. Você vê ainda entre os nossos cidadãos — pois não ouvimos isso dos outros, mas sabemos por presenciar — [142a] quantos, tendo já desejado e conquistado o cargo de general, estão, uns, ainda hoje exilados desta cidade, enquanto outros alcançaram o fim da vida. E mesmo aqueles dentre eles que são reputados excelentes enfrentaram muitos perigos e pavores, não apenas na função de general, mas também quando retornaram para casa, ao serem continuamente assediados pelos sicofantas não menos do que eram pelos inimigos,[16] de modo que alguns deles acabaram por clamar, em vez de pelo cargo, pelo "descargo" de general.[17] [142b] Se, de fato, esses perigos e esforços levassem a algum benefício, haveria uma razão; porém, é bem o contrário!

Também em relação aos filhos você vai encontrar a mesma coisa, com alguns tendo já clamado por tê-los e, depois de os ter, colocando-se nas maiores desventuras e aflições. Uns, porque os filhos são viciosos do começo ao fim, passam a vida inteira aflitos. Outros têm filhos prestimosos [142c] mas vitimados por desventuras, e terminam privados deles, colocando-se nas mesmas infelicidades daqueles primeiros, e preferindo que tivessem vivido sem filhos a os terem tido. Contudo, mesmo com essas e várias outras coisas semelhantes estando assim evidentes para tais pessoas, é raro encontrar alguém que abriria mão do que foi dado ou que, tendo a perspectiva de alcançar algo pelo clamor, deixaria de cla-

---

[16] "Sicofantas" eram cidadãos que atuavam como informantes ou acusadores profissionais na democracia ateniense, procurando denunciar supostos crimes de seus pares.

[17] No grego, o neologismo *astratégetos* ("não-general") se contrapõe ao verbo *strategéo*, "exercer o cargo de general". Tentei recuperar o jogo em português com a forma "descargo".

εὐχόμενος· οἱ δὲ πολλοὶ οὔτε ἂν τυραννίδος διδομένης ἀπόσχοιντο ἂν οὔτε στρατηγίας οὐδ' ἑτέρων [142d] πολλῶν, ἃ παρόντα βλάπτει μᾶλλον ἢ ὠφελεῖ, ἀλλὰ κἂν εὔξαιντο ἂν γενέσθαι, εἴ τῳ μὴ παρόντα τυγχάνει· ὀλίγον δὲ ἐπισχόντες ἐνίοτε παλινῳδοῦσιν, ἀνευχόμενοι ἅττ' ἂν τὸ πρῶτον εὔξωνται.

ἐγὼ μὲν οὖν ἀπορῶ μὴ ὡς ἀληθῶς μάτην θεοὺς ἄνθρωποι αἰτιῶνται, ἐξ ἐκείνων φάμενοι κακά σφισιν εἶναι· "οἱ δὲ καὶ αὐτοὶ/ σφῇσιν εἴτε ἀτασθαλίαισιν εἴτε ἀφροσύναις χρὴ εἰπεῖν, ὑπὲρ μόρον [142e] ἄλγε' ἔχουσι". κινδυνεύει γοῦν, ὦ Ἀλκιβιάδη, φρόνιμός τις εἶναι ἐκεῖνος ὁ ποιητής, ὃς δοκεῖ μοι φίλοις ἀνοήτοις τισὶ χρησάμενος, ὁρῶν αὐτοὺς καὶ πράττοντας καὶ εὐχομένους ἅπερ οὐ βέλτιον ἦν, ἐκείνοις δὲ ἐδόκει, κοινῇ ὑπὲρ ἁπάντων αὐτῶν εὐχὴν ποιήσασθαι· λέγει δέ πως ὡδί· [143a] "Ζεῦ βασιλεῦ, τὰ μὲν ἐσθλά", φησί, "καὶ εὐχομένοις καὶ ἀνεύκτοις/ ἄμμι δίδου, τὰ δὲ δειλὰ καὶ εὐχομένοις ἀπαλέξειν", κελεύει. ἐμοὶ μὲν οὖν καλῶς δοκεῖ καὶ ἀσφαλῶς λέγειν ὁ ποιητής· σὺ δ' εἴ τι ἐν νῷ ἔχεις πρὸς ταῦτα, μὴ σιώπα.

mar. A maioria não abriria mão nem da tirania dada nem do cargo de general, nem de várias [142d] outras coisas que, uma vez presentes, mais as prejudicam do que as beneficiam — antes clamariam por tê-las, se elas calhassem de não estar presentes. Porém, pouco tempo depois de estarem na posse delas, cantam uma palinódia para desfazer o clamor inicial.[18]

Por isso fico em aporia, suspeitando que é verdadeiramente em vão que os seres humanos culpam os deuses, ao afirmarem que seus males vêm deles, quando "são eles mesmos/ que por sua petulância — ou insensatez, devemos dizer — além do quinhão [142e] têm dores".[19] Corre-se assim o risco, Alcibíades, de aquele grande poeta ser alguém sensato. Suponho que, tendo alguns amigos imprudentes e vendo-os fazer e clamar por coisas que não eram as melhores para eles (mas que supunham que eram), poetou por todos um clamor comum. Fala mais ou menos assim: [143a] "Zeus rei, dá-nos sim as coisas boas", diz, "quer clamemos, quer/ não, mas afasta as terríveis, ainda que nós clamemos". É o que ordena. Suponho que o poeta fala de modo belo e seguro, mas caso você tenha algo em mente em relação a isso não se cale.[20]

---

[18] "Cantar uma palinódia" significa retratar-se do que foi dito anteriormente. A expressão ficou consagrada pelo uso no diálogo *Fedro* (243a-b), onde se diz que Estesícoro (séculos VII-VI a.C.), depois de compor um poema responsabilizando Helena pela Guerra de Troia, ficou cego. O poeta decidiu então se redimir criando uma nova versão, em que ela era inocente, e assim recuperou a visão.

[19] Referência, com adaptações, aos versos 32-34 do Canto 1 da *Odisseia*, quando Zeus se pronuncia sobre a responsabilidade humana. Sócrates usa o substantivo central no diálogo, *aphrosúne*, "insensatez", como equivalente de *atasthalíe*, "petulância". No Canto 24 (vv. 457-458) usam-se os dois para os pretendentes de Penélope, mortos por Odisseu.

[20] "Aquele grande poeta" e "o poeta", nesse trecho, são referências a Homero ou a um poeta que desconhecemos? Os dois versos hexamétricos citados são de origem ignorada e foram recolhidos na *Antologia Palatina* (Livro X, 108). Eles voltam a ser mencionados em 148b. Para a cita-

ΑΛΚΙΒΙΑΔΗΣ

χαλεπόν, ὦ Σώκρατες, ἐστὶν ἀντιλέγειν πρὸς τὰ καλῶς εἰρημένα· ἐκεῖνο δ' οὖν ἐννοῶ, ὅσων κακῶν αἰτία ἡ ἄγνοια τοῖς ἀνθρώποις, ὁπότε, ὡς ἔοικε, λελήθαμεν ἡμᾶς [143b] αὐτοὺς διὰ ταύτην καὶ πράττοντες καὶ τό γ' ἔσχατον εὐχόμενοι ἡμῖν αὐτοῖς τὰ κάκιστα. ὅπερ οὖν οὐδεὶς ἂν οἰηθείη, ἀλλὰ τοῦτό γε πᾶς ἂν οἴοιτο ἱκανὸς εἶναι, αὐτὸς αὑτῷ τὰ βέλτιστα εὔξασθαι, ἀλλ' οὐ τὰ κάκιστα. τοῦτο μὲν γὰρ ὡς ἀληθῶς κατάρᾳ τινὶ ἀλλ' οὐκ εὐχῇ ὅμοιον ἂν εἴη.

ΣΩΚΡΑΤΗΣ

ἀλλ' ἴσως, ὦ βέλτιστε, φαίη ἄν τις ἀνήρ, ὃς ἐμοῦ τε καὶ σοῦ σοφώτερος ὢν τυγχάνοι, οὐκ ὀρθῶς ἡμᾶς [143c] λέγειν, οὕτως εἰκῇ ψέγοντας ἄγνοιαν, εἴ γε μὴ προσθείημεν τὴν ἔστιν ὧν τε ἄγνοιαν καὶ ἔστιν οἷς καὶ ἔχουσί πως ἀγαθόν, ὥσπερ ἐκείνοις κακόν.

ΑΛΚΙΒΙΑΔΗΣ

πῶς λέγεις; ἔστι γὰρ ὁτιοῦν πρᾶγμα ὅτῳ δὴ ὁπωσοῦν ἔχοντι ἄμεινον ἀγνοεῖν ἢ γιγνώσκειν;

ΣΩΚΡΑΤΗΣ

ἔμοιγε δοκεῖ· σοὶ δ' οὔ;

ALCIBÍADES

É duro, Sócrates, contradizer o que foi belamente dito. Mas percebo sim o seguinte: de quantos males a ignorância[21] é causa para os seres humanos, toda vez que através dela, ao que parece, sem percebermos [143b] não só fazemos como também clamamos — o que é mais grave — pelo que é péssimo para nós mesmos! Mas ninguém acharia isso. Qualquer pessoa acharia antes ser capaz de ela própria clamar pelo que é ótimo para si, e não pelo que é péssimo! Com efeito, isso se assemelharia verdadeiramente a uma praga, não a um clamor!

SÓCRATES

Mas talvez, ótimo homem, alguém dissesse, alguém que calhasse de ser mais sábio do que eu e você, que não falamos corretamente [143c] ao criticarmos assim aleatoriamente a ignorância, a não ser que acrescentássemos que a ignorância — de algumas coisas, para algumas pessoas, em determinada condição — é algo bom, tal como para outras pessoas é algo ruim.

ALCIBÍADES

Como assim? Há alguma coisa em relação à qual, para quem quer que seja, na condição que estiver, ignorar é melhor que reconhecer?[22]

SÓCRATES

Suponho que sim. Você não?

ção de dois versos homéricos "secretos", provavelmente inventados por Platão, ver *Fedro* (252b).

[21] "Ignorância" traduz o grego *ágnoia*.

[22] Para a exploração da relação entre "ignorar" e "(re)conhecer", ver os *Dois Homens Apaixonados* (137e-138b).

ΑΛΚΙΒΙΑΔΗΣ
οὐ μέντοι μὰ Δία.

ΣΩΚΡΑΤΗΣ
ἀλλὰ μὴν οὐδὲ ἐκεῖνό σου καταγνώσομαι, ἐθέλειν ἄν σε πρὸς τὴν ἑαυτοῦ μητέρα διαπεπρᾶχθαι ἅπερ Ὀρέστην φασὶ καὶ τὸν Ἀλκμέωνα καὶ εἰ δή τινες ἄλλοι ἐκείνοις [143d] τυγχάνουσι ταὐτὰ διαπεπραγμένοι.

ΑΛΚΙΒΙΑΔΗΣ
εὐφήμει πρὸς Διός, ὦ Σώκρατες.

ΣΩΚΡΑΤΗΣ
οὔτοι τὸν λέγοντα, ὦ Ἀλκιβιάδη, ὡς οὐκ ἂν ἐθέλοις σοι ταῦτα πεπρᾶχθαι, εὐφημεῖν δεῖ σε κελεύειν, ἀλλὰ μᾶλλον πολύ, εἴ τις τὰ ἐναντία λέγοι, ἐπειδὴ οὕτω σοι δοκεῖ σφόδρα δεινὸν εἶναι τὸ πρᾶγμα, ὥστ᾽ οὐδὲ ῥητέον εἶναι οὕτως εἰκῇ. δοκεῖς δ᾽ ἂν τὸν Ὀρέστην, εἰ ἐτύγχανε φρόνιμος ὢν καὶ εἰδὼς ὅτι βέλτιστον ἦν αὐτῷ πράττειν, τολμῆσαι ἄν τι τούτων διαπράξασθαι;

ΑΛΚΙΒΙΑΔΗΣ
οὐ δῆτα.

ΣΩΚΡΑΤΗΣ [143e]
οὐδέ γε ἄλλον οἶμαι οὐδένα.

ALCIBÍADES
Não, por Zeus!

SÓCRATES
Mas não vou decerto acusá-lo disso — de querer executar a própria mãe, como dizem que Orestes e Alcmêon fizeram, e alguns outros que calham [143d] de ter executado as mesmas coisas que eles...[23]

ALCIBÍADES
Use a eufemia,[24] Sócrates, por Zeus!

SÓCRATES
Na realidade, Alcibíades, você deve ordenar o uso da eufemia não a quem fala que você não iria querer executar tais coisas, mas sim a quem falasse o contrário! Pois você supõe que tal ato é tão enormemente terrível, que nem deve ser dito assim aleatoriamente. Mas você supõe que Orestes, se tivesse calhado de ser sensato e saber qual ação era ótima para ele, teria ousado executar alguma dessas coisas?

ALCIBÍADES
Não!

SÓCRATES [143e]
Nem nenhuma outra pessoa, acho eu.

---

[23] Orestes matou a própria mãe, Clitemnestra, para vingar o assassinato do pai, Agamêmnon, levado a cabo por ela e por seu amante. Esses acontecimentos são apresentados na trilogia *Oresteia*, de Ésquilo. Alcmêon assassinou a mãe, Erífile, também para vingar o pai, Anfiarau, porque ela teria se deixado subornar ao decidir a favor da participação do marido na expedição dos *Sete contra Tebas*.

[24] Ou seja, palavras de bom agouro. A noção de "eufemia" vai reaparecer mais à frente, em 149b.

ΑΛΚΙΒΙΑΔΗΣ

οὐ μέντοι.

ΣΩΚΡΑΤΗΣ

κακὸν ἄρα, ὡς ἔοικεν, ἐστὶν ἡ τοῦ βελτίστου ἄγνοια καὶ τὸ ἀγνοεῖν τὸ βέλτιστον.

ΑΛΚΙΒΙΑΔΗΣ

ἔμοιγε δοκεῖ.

ΣΩΚΡΑΤΗΣ

οὐκοῦν καὶ ἐκείνῳ καὶ τοῖς ἄλλοις ἅπασιν;

ΑΛΚΙΒΙΑΔΗΣ

φημί.

ΣΩΚΡΑΤΗΣ

ἔτι τοίνυν καὶ τόδε ἐπισκεψώμεθα· εἴ σοι αὐτίκα μάλα παρεσταίη, οἰηθέντι βέλτιον εἶναι, Περικλέα τὸν σεαυτοῦ ἐπίτροπόν τε καὶ φίλον, ἐγχειρίδιον λαβόντα, [144a] ἐλθόντα ἐπὶ τὰς θύρας, εἰπεῖν εἰ ἔνδον ἐστί, βουλόμενον ἀποκτεῖναι αὐτὸν ἐκεῖνον, ἄλλον δὲ μηδένα· οἱ δὲ φαῖεν ἔνδον εἶναι — καὶ οὐ λέγω ἐθέλειν ἄν σε τούτων τι πράττειν· ἀλλ᾽ εἰ,

ALCIBÍADES

Não mesmo.

SÓCRATES

Então é algo ruim, ao que parece, a ignorância do ótimo, e ignorar o ótimo.[25]

ALCIBÍADES

Suponho que sim.

SÓCRATES

Ora, não só para determinada pessoa, mas também para todas as demais?

ALCIBÍADES

Concordo.

SÓCRATES

Examinemos então também o seguinte: que muito subitamente lhe ocorresse pegar — achando que isso seria melhor — um punhal e ir até a porta de Péricles, seu tutor e amigo,[26] [144a] e perguntasse se estava em casa, com a intenção de matar a ele especificamente, e a ninguém mais. E que dissessem que estava em casa. Não estou falando que você iria querer fazer alguma dessas coisas, mas que nesse caso, acho eu,

---

[25] *Tò béltiston*, traduzido aqui sempre por "o ótimo", associa-se ao que no pensamento platônico se entende por "ideia do bem". Ver ainda os *Dois Homens Apaixonados* (137c-d).

[26] Péricles (495-429 a.C.) foi o mais importante líder ateniense na metade do século V a.C. (citado também no *Teages*, 126a). Ele e Alcibíades pertenciam à mesma família dos Alcmeônidas. Como ficou órfão de pai muito cedo, Alcibíades acabou sendo criado por Péricles, que era cerca de quarenta anos mais velho (ver, a esse respeito, o *Alcibíades Primeiro*, 104b-c, 118c e 122b). A hipótese aqui parece ter o propósito de destacar o lado traiçoeiro de Alcibíades.

οἶμαι, δόξει σοι, ὅπερ οὐθὲν κωλύει δήπου τῷ γε
ἀγνοοῦντι τὸ βέλτιστον παραστῆναί ποτε δόξαν,
ὥστε οἰηθῆναι καὶ τὸ κάκιστόν ποτε βέλτιστον εἶναι·
ἢ οὐκ ἂν δοκεῖ σοι;

ΑΛΚΙΒΙΑΔΗΣ

πάνυ μὲν οὖν.

ΣΩΚΡΑΤΗΣ

εἰ οὖν παρελθὼν εἴσω καὶ ἰδὼν αὐτὸν ἐκεῖνον [144b]
ἀγνοήσαις τε καὶ οἰηθείης ἂν ἄλλον εἶναί τινα, ἆρ' ἔτι ἂν
αὐτὸν τολμήσαις ἀποκτεῖναι;

ΑΛΚΙΒΙΑΔΗΣ

οὐ μὰ τὸν Δία, οὐκ ἄν μοι δοκῶ.

ΣΩΚΡΑΤΗΣ

οὐ γὰρ δήπου τὸν ἐντυχόντα,
ἀλλ' αὐτὸν ἐκεῖνον ὃν ἠβούλου. ἦ
γάρ;

ΑΛΚΙΒΙΑΔΗΣ

ναί.

ΣΩΚΡΑΤΗΣ

οὐκοῦν καὶ εἰ πολλάκις ἐγχειροῖς, αἰεὶ δὲ ἀγνοοῖς τὸν

supostamente sim, pois nada decerto impede que tal suposição[27] ocorra, em algum momento, a um ignorante do ótimo, de modo a achar, em algum momento, que o péssimo é ótimo. Você não supõe que sim?

ALCIBÍADES

Sim, com certeza.

SÓCRATES

Se você então, depois de entrar e ver a ele [144b] especificamente, ignorasse ser ele e achasse que era outra pessoa, será que você ainda ousaria matá-lo?

ALCIBÍADES

Não, por Zeus, suponho que não!

SÓCRATES

Porque decerto não tinha a intenção de matar qualquer um que encontrasse pela frente, mas a ele especificamente, não?

ALCIBÍADES

Sim.

SÓCRATES

Mesmo então se você fizesse muitas tentativas, mas sem-

---

[27] A partir daqui "suposição" (*dóxa*) vai ser uma ideia importante explorada em contraposição ao conhecimento de fato (ver abaixo 146a-c), como acontece em outras obras de Platão (ver, por exemplo, *Clitofonte*, 409a). Para o uso de *dóxa* com o sentido de "reputação", ver os *Dois Homens Apaixonados* (135b). Vale lembrar que o verbo *dokéo*, de mesma raiz e que traduzo por "supor" (e, às vezes, por "ter a reputação de"), é usado corriqueiramente na língua grega e nos *Diálogos* para indicar a opinião ou visão de cada interlocutor.

Περικλέα, ὁπότε μέλλοις τοῦτο πράττειν, οὔποτε ἂν ἐπίθοιο αὐτῷ.

ΑΛΚΙΒΙΑΔΗΣ
οὐ δῆτα.

ΣΩΚΡΑΤΗΣ
τί δέ; τὸν Ὀρέστην δοκεῖς ἄν ποτε τῇ μητρὶ ἐπιθέσθαι, εἴ γε ὡσαύτως ἠγνόησεν;

ΑΛΚΙΒΙΑΔΗΣ [144c]
οὐκ οἶμαι ἔγωγε.

ΣΩΚΡΑΤΗΣ
οὐ γὰρ δήπου οὐδ᾽ ἐκεῖνος τὴν προστυχοῦσαν γυναῖκα οὐδὲ τὴν ὁτουοῦν μητέρα διενοεῖτο ἀποκτεῖναι, ἀλλὰ τὴν αὐτὸς αὑτοῦ.

ΑΛΚΙΒΙΑΔΗΣ
ἔστι ταῦτα.

ΣΩΚΡΑΤΗΣ
ἀγνοεῖν ἄρα τά γε τοιαῦτα βέλτιον τοῖς οὕτω διακειμένοις καὶ τοιαύτας δόξας ἔχουσιν.

ΑΛΚΙΒΙΑΔΗΣ
φαίνεται.

ΣΩΚΡΑΤΗΣ
ὁρᾷς οὖν ὅτι ἡ ἔστιν ὧν τε ἄγνοια καὶ ἔστιν οἷς καὶ ἔχουσί πως ἀγαθόν, ἀλλ᾽ οὐ κακόν, ὥσπερ ἄρτι σοι ἐδόκει;

ΑΛΚΙΒΙΑΔΗΣ
ἔοικεν.

pre ignorasse quem era Péricles toda vez que estivesse para agir, você jamais o atacaria.

ALCIBÍADES

Jamais.

SÓCRATES

Mas então, você supõe que Orestes teria atacado a mãe se tivesse igualmente ignorado quem era?

ALCIBÍADES [144c]

Acho que não!

SÓCRATES

Pois decerto ele não pensava em matar qualquer mulher que encontrasse pela frente, nem a mãe de quem quer que fosse, mas a sua própria.

ALCIBÍADES

Assim é.

SÓCRATES

Ignorar então tais coisas é melhor para quem se encontra assim, e com tais suposições.

ALCIBÍADES

Parece que sim.

SÓCRATES

Você vê então que a ignorância de algumas coisas, para algumas pessoas, em determinada condição, é algo bom, e não ruim, tal como há pouco você supunha.

ALCIBÍADES

É o que parece.

ΣΩΚΡΑΤΗΣ [144d]

ἔτι τοίνυν εἰ βούλει τὸ μετὰ τοῦτο ἐπισκοπεῖν, ἄτοπον ἂν ἴσως ἄν σοι δόξειεν εἶναι.

ΑΛΚΙΒΙΑΔΗΣ

τί μάλιστα, ὦ Σώκρατες;

ΣΩΚΡΑΤΗΣ

ὅτι, ὡς ἔπος εἰπεῖν, κινδυνεύει τό γε τῶν ἄλλων ἐπιστημῶν κτῆμα, ἐάν τις ἄνευ τοῦ βελτίστου κεκτημένος ᾖ, ὀλιγάκις μὲν ὠφελεῖν, βλάπτειν δὲ τὰ πλείω τὸν ἔχοντα αὐτό. σκόπει δὲ ὧδε. ἆρ' οὐκ ἀναγκαῖόν σοι δοκεῖ εἶναι, ὅταν τι μέλλωμεν ἤτοι πράττειν ἢ λέγειν, οἰηθῆναι δεῖν πρῶτον ἡμᾶς εἰδέναι ἢ τῷ ὄντι εἰδέναι τοῦθ' ὃ ἂν προχειροτέρως [144e] μέλλωμεν ἢ λέγειν ἢ πράττειν;

ΑΛΚΙΒΙΑΔΗΣ

ἔμοιγε δοκεῖ.

ΣΩΚΡΑΤΗΣ

οὐκοῦν οἱ ῥήτορες αὐτίκα ἤτοι εἰδότες συμβουλεύειν ἢ οἰηθέντες εἰδέναι συμβουλεύουσιν ἡμῖν ἑκάστοτε, οἱ μὲν περὶ πολέμου τε καὶ εἰρήνης, οἱ δὲ περὶ τειχῶν οἰκοδομίας ἢ καὶ λιμένων κατασκευῆς; ἑνὶ δὲ λόγῳ, ὅσα δή ποτε ἡ [145a] πόλις πράττει πρὸς ἄλλην πόλιν ἢ αὐτὴ καθ' αὑτήν, ἀπὸ τῆς τῶν ῥητόρων συμβουλῆς πάντα γίγνεται.

ΑΛΚΙΒΙΑΔΗΣ

ἀληθῆ λέγεις.

SÓCRATES [144d]

Se você estiver disposto ainda a examinar o que vem depois disso, talvez suponha ser algo descabido...

ALCIBÍADES

O que exatamente, Sócrates?

SÓCRATES

Que a aquisição dos demais conhecimentos — se acontecer sem a aquisição do ótimo — corre o risco, por assim dizer, de em poucos casos beneficiar, e na maioria das vezes prejudicar, seu detentor. Examine o seguinte: você não supõe ser forçoso que nós, ao estarmos prestes a fazer ou falar algo, devemos ou primeiro achar que sabemos, ou de fato saber, [144e] aquilo que estamos prestes a muito resolutamente falar ou fazer?

ALCIBÍADES

Suponho que sim.

SÓCRATES

Ora, os oradores, por exemplo:[28] sabendo aconselhar — ou achando que sabem —, não nos aconselham toda vez, uns a respeito da guerra e da paz, outros sobre a construção de muralhas ou sobre a equipagem dos portos? Em uma palavra: tudo aquilo [145a] que a cidade faz para outra cidade ou em relação a si mesma, tudo isso decorre integralmente do aconselhamento dos oradores.

ALCIBÍADES

Você está falando a verdade.

[28] Os "oradores" (*rhétores*) correspondiam na Atenas antiga aos nossos políticos profissionais.

ΣΩΚΡΑΤΗΣ

ὅρα τοίνυν καὶ τὰ ἐπὶ τούτοις.

ΑΛΚΙΒΙΑΔΗΣ

ἂν δυνηθῶ.

ΣΩΚΡΑΤΗΣ

καλεῖς γὰρ δήπου φρονίμους τε καὶ ἄφρονας;

ΑΛΚΙΒΙΑΔΗΣ

ἔγωγε.

ΣΩΚΡΑΤΗΣ

οὐκοῦν τοὺς μὲν πολλοὺς ἄφρονας, τοὺς δ' ὀλίγους φρονίμους;

ΑΛΚΙΒΙΑΔΗΣ

οὕτως.

ΣΩΚΡΑΤΗΣ

οὐκοῦν πρός τι ἀποβλέπων ἀμφοτέρους;

ΑΛΚΙΒΙΑΔΗΣ

ναί.

ΣΩΚΡΑΤΗΣ [145b]

ἆρ' οὖν τὸν τοιοῦτον συμβουλεύειν εἰδότα, χωρὶς τοῦ πότερον βέλτιον καὶ ὅτε βέλτιον, φρόνιμον καλεῖς;

ΑΛΚΙΒΙΑΔΗΣ

οὐ δῆτα.

SÓCRATES

Veja então o resultado disso.

ALCIBÍADES

Se eu tiver capacidade...

SÓCRATES

Você chama decerto uns de sensatos e outros de insensatos?

ALCIBÍADES

Sim!

SÓCRATES

Ora, e não chama a maioria de insensatos, e a minoria de sensatos?

ALCIBÍADES

Assim é.

SÓCRATES

Ora, e não o faz contemplando uns e outros em relação a alguma coisa?

ALCIBÍADES

Sim.

SÓCRATES [145b]

E esse que sabe aconselhar, sem saber se e quando é melhor aconselhar, será que você o chama de sensato?

ALCIBÍADES

Não!

ΣΩΚΡΑΤΗΣ

οὐδέ γε, οἶμαι, ὅστις τὸ πολεμεῖν αὐτὸ οἶδε χωρὶς τοῦ ὁπότε βέλτιον καὶ τοσοῦτον χρόνον ὅσον βέλτιον. ἦ γάρ;

ΑΛΚΙΒΙΑΔΗΣ

ναί.

ΣΩΚΡΑΤΗΣ

οὐκοῦν οὐδὲ εἴ τίς τινα ἀποκτεινύναι οἶδεν οὐδὲ χρήματα ἀφαιρεῖσθαι καὶ φυγάδα ποιεῖν τῆς πατρίδος, χωρὶς τοῦ ὁπότε βέλτιον καὶ ὅντινα βέλτιον;

ΑΛΚΙΒΙΑΔΗΣ

οὐ μέντοι.

ΣΩΚΡΑΤΗΣ [145c]

ὅστις ἄρα τι τῶν τοιούτων οἶδεν, ἐὰν μὲν παρέπηται αὐτῷ ἡ τοῦ βελτίστου ἐπιστήμη — αὕτη δ' ἦν ἡ αὐτὴ δήπου ἥπερ καὶ ἡ τοῦ ὠφελίμου· ἦ γάρ;

ΑΛΚΙΒΙΑΔΗΣ

ναί.

ΣΩΚΡΑΤΗΣ

φρόνιμον δέ γε αὐτὸν φήσομεν καὶ ἀποχρῶντα σύμβουλον καὶ τῇ πόλει καὶ αὐτὸν αὑτῷ· τὸν δὲ μὴ τοιοῦτον τἀναντία τούτων. ἢ πῶς δοκεῖ;

ΑΛΚΙΒΙΑΔΗΣ

ἐμοὶ μὲν οὕτως.

ΣΩΚΡΑΤΗΣ

τί δ' εἴ τις ἱππεύειν ἢ τοξεύειν οἶδεν, ἢ αὖ πυκτεύειν ἢ παλαίειν ἤ τι τῆς ἄλλης ἀγωνίας ἢ καὶ ἄλλο τι [145d] τῶν τοιούτων

SÓCRATES

Nem, acho eu, quem sabe o que é o guerrear em si, sem saber quando e por quanto tempo é melhor guerrear, não?

ALCIBÍADES

Sim.

SÓCRATES

Ora, nem quem sabe matar, privar dos bens ou exilar alguém da pátria, sem saber quando e contra quem é melhor fazê-lo?

ALCIBÍADES

Não mesmo.

SÓCRATES [145c]

Mas sim aquele que sabe qualquer uma dessas coisas e tem junto de si o conhecimento do ótimo, o qual é precisamente o mesmo que o conhecimento do benéfico, não?

ALCIBÍADES

Sim.

SÓCRATES

E diremos que ele é sensato, e apto a aconselhar tanto a cidade quanto a si mesmo. E diremos, de quem não for assim, o contrário disso. Ou como você supõe que seja?

ALCIBÍADES

Que seja assim.

SÓCRATES

Mas então, e quem sabe cavalgar ou atirar com o arco, ou ainda boxear ou lutar, ou participar de qualquer uma das demais disputas, [145d] ou mesmo fazer qualquer outra

ὅσα τέχνῃ οἴδαμεν, τί καλεῖς ὃς ἂν εἰδῇ τὸ κατὰ ταύτην τὴν τέχνην βέλτιον γιγνόμενον; ἆρ᾽ οὐ τὸν κατὰ τὴν ἱππικὴν ἱππικόν;

ΑΛΚΙΒΙΑΔΗΣ

ἔγωγε.

ΣΩΚΡΑΤΗΣ

τὸν δέ γε, οἶμαι, κατὰ τὴν πυκτικὴν πυκτικόν, τὸν δὲ κατ᾽ αὐλητικὴν αὐλητικόν, καὶ τἆλλα δήπου ἀνὰ λόγον τούτοις· ἢ ἄλλως πως;

ΑΛΚΙΒΙΑΔΗΣ

οὔκ, ἀλλ᾽ οὕτως.

ΣΩΚΡΑΤΗΣ

δοκεῖ οὖν σοι ἀναγκαῖον εἶναι τὸν περὶ τούτων τι ἐπιστήμονα ὄντα ἄρα καὶ ἄνδρα φρόνιμον εἶναι, ἢ πολλοῦ [145e] φήσομεν ἐνδεῖν;

ΑΛΚΙΒΙΑΔΗΣ

πολλοῦ μέντοι νὴ Δία.

ΣΩΚΡΑΤΗΣ

ποίαν οὖν οἴει πολιτείαν εἶναι τοξοτῶν τε ἀγαθῶν καὶ αὐλητῶν, ἔτι δὲ καὶ ἀθλητῶν τε καὶ τῶν ἄλλων τεχνιτῶν, ἀναμεμειγμένων δ᾽ ἐν τούτοις οὓς ἄρτι εἰρήκαμεν τῶν τε αὐτὸ τὸ πολεμεῖν εἰδότων καὶ αὐτὸ τὸ ἀποκτεινύναι, πρὸς δὲ καὶ ἀνδρῶν ῥητορικῶν πολιτικὸν φύσημα φυσώντων, ἁπάντων δὲ τούτων ὄντων ἄνευ τῆς τοῦ βελτίστου

coisa dessas todas que sabemos por uma arte: como você chama quem sabe o que é melhor segundo determinada arte? Será que não é de cavaleiro o que sabe segundo a arte equestre?

ALCIBÍADES

Sim.

SÓCRATES

E de boxeador, acho eu, o que sabe segundo a arte do boxe, e de flautista o que sabe segundo a arte da flauta, e o restante pelo mesmo raciocínio. Ou é de outro modo?

ALCIBÍADES

Não, é assim.

SÓCRATES

Você supõe então ser forçoso que o conhecedor de alguma dessas coisas seja também um homem sensato, ou diremos [145e] que falta muito?

ALCIBÍADES

Que falta muito, por Zeus!

SÓCRATES

Que forma então de governo[29] você acha que é essa dos bons arqueiros e flautistas, e também dos atletas e dos demais praticantes de uma arte, estando ainda misturados a eles aqueles de que falamos há pouco, os que sabem da guerra em si e do matar em si, e mais os oradores a bafejar sua bazófia política — mas com todos eles, sem exceção, sem o conheci-

---

[29] "Forma de governo" traduz o grego *politeía*, termo que serve de título a um dos mais importantes diálogos de Platão, a *República*.

ἐπιστήμης καὶ τοῦ εἰδότος, ὁπότε βέλτιον ἑνὶ ἑκάστῳ τούτων [146a] χρῆσθαι καὶ πρὸς τίνα;

ΑΛΚΙΒΙΑΔΗΣ

φαύλην τινὰ ἔγωγε, ὦ Σώκρατες.

ΣΩΚΡΑΤΗΣ

φαίης γε ἂν, οἶμαι, ὁπόταν ὁρῴης ἕνα ἕκαστον αὐτῶν φιλοτιμούμενόν τε καὶ νέμοντα τὸ πλεῖστον τῆς πολιτείας "τούτῳ μέρος,/ ἵν' αὐτὸς αὑτοῦ τυγχάνει κράτιστος ὤν"· λέγω δὲ τὸ κατ' αὐτὴν τὴν τέχνην βέλτιστον γιγνόμενον· τοῦ δὲ τῇ πόλει τε καὶ αὐτὸν αὑτῷ βελτίστου ὄντος τὰ πολλὰ διημαρτηκότα, ἅτε, οἶμαι, ἄνευ νοῦ δόξῃ πεπιστευκότα. [146b] οὕτως δὲ τούτων ἐχόντων, ἆρ' οὐκ ἂν ὀρθῶς λέγοιμεν φάντες πολλῆς ταραχῆς τε καὶ ἀνομίας μεστὴν εἶναι τὴν τοιαύτην πολιτείαν;

ΑΛΚΙΒΙΑΔΗΣ

ὀρθῶς μέντοι νὴ Δία.

ΣΩΚΡΑΤΗΣ

οὐκοῦν ἀναγκαῖον ἡμῖν ἐδόκει οἰηθῆναι δεῖν πρῶτον ἡμᾶς εἰδέναι ἢ τῷ ὄντι εἰδέναι τοῦτο ὃ ἂν προχείρως μέλλωμεν ἢ πράττειν ἢ λέγειν;

ΑΛΚΙΒΙΑΔΗΣ

ἐδόκει.

ΣΩΚΡΑΤΗΣ

οὐκοῦν κἂν μὲν πράττῃ ἅ τις οἶδεν ἢ δοκεῖ

mento do ótimo, e de quando e em relação a quem [146a] é melhor se valer de cada uma dessas artes?

ALCIBÍADES

Uma forma de governo medíocre, Sócrates!

SÓCRATES

Você diria isso, acho eu, quando visse cada um deles disputando honrarias e dedicando, do governo, a maior "parcela a isto:/ onde calha de ser ele próprio muito superior",[30] ou seja, no que é ótimo segundo sua própria arte, mas falhando frequentemente no que é ótimo para a cidade e para si próprio, por se fiar, acho eu, na suposição desprovida de inteligência.[31] [146b] Sendo essa a situação, será que não estaríamos corretos em dizer que uma tal forma de governo está cheia de perturbação e anomia?

ALCIBÍADES

Corretos sim, por Zeus!

SÓCRATES

Ora, não supusemos que devemos, forçosamente, ou primeiro achar que sabemos, ou de fato saber, aquilo que estamos prestes a resolutamente fazer ou falar?

ALCIBÍADES

Supusemos.

SÓCRATES

Ora, e também que, se alguém fizer o que sabe ou supõe

---

[30] Citação de um trecho da tragédia perdida *Antíope*, de Eurípides, mencionado também no *Górgias* (484e).

[31] "Inteligência" é como traduzo o substantivo grego *noûs*.

εἰδέναι, παρέπηται δὲ τὸ ὠφελίμως, καὶ λυσιτελούντως ἡμᾶς ἕξειν [146c] καὶ τῇ πόλει καὶ αὑτὸν αὑτῷ;

ΑΛΚΙΒΙΑΔΗΣ

πῶς γὰρ οὔ;

ΣΩΚΡΑΤΗΣ

ἐὰν δέ γ', οἶμαι, τἀναντία τούτων, οὔτε τῇ πόλει οὔτ' αὑτὸν αὑτῷ;

ΑΛΚΙΒΙΑΔΗΣ

οὐ δῆτα.

ΣΩΚΡΑΤΗΣ

τί δέ; καὶ νῦν ἔτι ὡσαύτως σοι δοκεῖ ἢ ἄλλως πως;

ΑΛΚΙΒΙΑΔΗΣ

οὔκ, ἀλλ' οὕτως.

ΣΩΚΡΑΤΗΣ

ἆρ' οὖν ἔφησθα καλεῖν τοὺς μὲν πολλοὺς ἄφρονας, τοὺς δ' ὀλίγους φρονίμους;

ΑΛΚΙΒΙΑΔΗΣ

ἔγωγε.

ΣΩΚΡΑΤΗΣ

οὐκοῦν φαμεν πάλιν τοὺς πολλοὺς διημαρτηκέναι τοῦ βελτίστου, ὡς τὰ πολλά γε, οἶμαι, ἄνευ νοῦ δόξῃ πεπιστευκότας.

ΑΛΚΙΒΙΑΔΗΣ [146d]

φαμὲν γάρ.

saber — e tiver junto de si o modo benéfico de fazê-lo —, será ainda vantajoso [146c] tanto para a cidade quanto para si mesmo?

ALCIBÍADES
Claro que sim.

SÓCRATES
Mas que se, acho eu, fizer o contrário disso, não será, nem para a cidade nem para si mesmo?

ALCIBÍADES
Não será!

SÓCRATES
Mas então, você ainda agora mantém o que supôs antes, ou altera?

ALCIBÍADES
Não, mantenho.

SÓCRATES
E será que você disse chamar a maioria de insensatos, e a minoria de sensatos?

ALCIBÍADES
Sim.

SÓCRATES
Voltamos então a dizer que a maioria falha no ótimo porque se fia frequentemente, acho eu, na suposição desprovida de inteligência.

ALCIBÍADES [146d]
Voltamos.

ΣΩΚΡΑΤΗΣ

Λυσιτελεῖ ἄρα τοῖς πολλοῖς μήτ᾽ εἰδέναι μηδὲν μήτ᾽ οἴεσθαι εἰδέναι, εἴπερ γε μᾶλλον προθυμήσονται πράττειν μὲν ταῦτα ἅττ᾽ ἂν εἰδῶσιν ἢ οἰηθῶσιν εἰδέναι, πράττοντες δὲ βλάπτεσθαι τὰ πλείω μᾶλλον ἢ ὠφελεῖσθαι.

ΑΛΚΙΒΙΑΔΗΣ

ἀληθέστατα λέγεις.

ΣΩΚΡΑΤΗΣ

ὁρᾷς οὖν, ὅτε ἔφην κινδυνεύειν τό γε τῶν ἄλλων [146e] ἐπιστημῶν κτῆμα, ἐάν τις ἄνευ τῆς τοῦ βελτίστου ἐπιστήμης κεκτημένος ᾖ, ὀλιγάκις μὲν ὠφελεῖν, βλάπτειν δὲ τὰ πλείω τὸν ἔχοντ᾽ αὐτό, ἆρ᾽ οὐχὶ τῷ ὄντι ὀρθῶς ἐφαινόμην λέγων;

ΑΛΚΙΒΙΑΔΗΣ

καὶ εἰ μὴ τότε, ἀλλὰ νῦν μοι δοκεῖ, ὦ Σώκρατες.

ΣΩΚΡΑΤΗΣ

δεῖ ἄρα καὶ πόλιν καὶ ψυχὴν τὴν μέλλουσαν ὀρθῶς βιώσεσθαι ταύτης τῆς ἐπιστήμης ἀντέχεσθαι, ἀτεχνῶς ὥσπερ ἀσθενοῦντα ἰατροῦ ἤ τινος κυβερνήτου τὸν ἀσφαλῶς [147a] μέλλοντα πλεῖν. ἄνευ γὰρ ταύτης, ὅσῳπερ ἂν λαμπρότερον ἐπουρίσῃ τὸ τῆς τύχης ἢ περὶ χρημάτων κτῆσιν ἢ σώματος ῥώμην ἢ καὶ ἄλλο τι τῶν τοιούτων, τοσούτῳ μείζω ἁμαρτήματα ἀπ᾽ αὐτῶν ἀναγκαῖόν ἐστιν, ὡς ἔοικε, γίγνεσθαι. ὁ δὲ δὴ τὴν καλουμένην πολυμαθίαν τε

SÓCRATES

É vantajoso então para a maioria não saber, e não achar que sabe, coisa alguma, principalmente se estiverem ansiosos por fazer isso que sabem ou acham que sabem, mas que na maioria das vezes traz, ao ser feito, mais prejuízo que benefício.

ALCIBÍADES

Muito verdadeiro o que você está falando.

SÓCRATES

Você vê então: quando eu disse que a aquisição dos demais conhecimentos [146e] — se acontecer sem a aquisição do conhecimento do ótimo — corre o risco de pouco beneficiar e, na maioria das vezes, prejudicar seu detentor, será que eu na realidade não estava correto em dizê-lo?

ALCIBÍADES

Naquele momento supus que não, mas agora suponho que sim, Sócrates.

SÓCRATES

É preciso então que tanto a cidade quanto a alma[32] que têm a perspectiva de viver corretamente atenham-se a esse conhecimento, como simplesmente alguém debilitado a um médico, ou a um piloto quem tem a perspectiva [147a] de navegar com segurança. Sem ele, receio que quanto mais a alma avançar de vento em popa — seja em relação à aquisição de bens, seja em relação ao vigor do corpo ou a qualquer outra coisa do tipo —, tanto maiores, ao que parece, serão forçosamente os erros decorrentes disso. E quem adquiriu o

---

[32] A *República* é o diálogo que explora a fundo essa relação entre cidade e alma.

καὶ πολυτεχνίαν κεκτημένος, ὀρφανὸς δὲ ὢν ταύτης τῆς ἐπιστήμης, ἀγόμενος δὲ ὑπὸ μιᾶς ἑκάστης τῶν ἄλλων, ἆρ᾽ οὐχὶ τῷ ὄντι δικαίως πολλῷ χειμῶνι χρήσεται, ἅτε, οἶμαι, ἄνευ κυβερνήτου [147b] διατελῶν ἐν πελάγει, χρόνον οὐ μακρὸν βίου θέων; ὥστε συμβαίνειν μοι δοκεῖ καὶ ἐνταῦθα τὸ τοῦ ποιητοῦ, ὃ λέγει κατηγορῶν πού τινος, ὡς ἄρα "πολλὰ μὲν ἠπίστατο ἔργα, κακῶς δέ", φησίν, "ἠπίστατο πάντα".

ΑΛΚΙΒΙΑΔΗΣ

καὶ τί δή ποτε συμβαίνει τὸ τοῦ ποιητοῦ, ὦ Σώκρατες; ἐμοὶ μὲν γὰρ οὐδ᾽ ὁτιοῦν δοκεῖ πρὸς λόγον εἰρηκέναι.

ΣΩΚΡΑΤΗΣ

καὶ μάλα γε πρὸς λόγον· ἀλλ᾽ αἰνίττεται, ὦ βέλτιστε, καὶ οὗτος καὶ ἄλλοι δὲ ποιηταὶ σχεδόν τι πάντες. ἔστιν τε γὰρ φύσει ποιητικὴ ἡ σύμπασα αἰνιγματώδης καὶ [147c] οὐ τοῦ προστυχόντος ἀνδρὸς γνωρίσαι· ἔτι τε πρὸς τῷ φύσει τοιαύτη εἶναι, ὅταν λάβηται ἀνδρὸς φθονεροῦ τε καὶ

chamado "multiestudo" e a chamada "multiarte",[33] sendo no entanto órfão desse conhecimento (e por isso conduzido ora por um, ora por outro dos demais), será que na realidade não se envolverá justamente em uma grande tempestade, por, acho eu, "perseverar em mar aberto sem piloto, [147b] tendo de vida para percorrer um tempo não muito extenso"? De modo que nesse caso também suponho caber bem o verso do poeta onde fala, decerto para se queixar de alguém, que "conhecia muitas atividades, mas conhecia todas mal".[34]

ALCIBÍADES

Mas por que cabe bem o verso do poeta, Sócrates? Pois suponho que não se aplica de jeito nenhum ao raciocínio...[35]

SÓCRATES

Aplica-se muito ao raciocínio! É que ele fala por enigmas, assim como praticamente todos os demais poetas, ótimo homem! Pois a arte poética é toda ela por natureza [147c] enigmática e não pode ser apreendida por qualquer um que aparece pela frente. Além de ser assim por natureza, quando

---

[33] Referência aos chamados "sofistas", que afirmavam dominar vasto conhecimento e cobravam caro por seus ensinamentos, ao contrário de Sócrates, que não aceitava dinheiro e proclamava a própria ignorância; ver ainda o *Teages* (122a e 127e-128a) e o *Clitofonte* (nota 2). Sobre o "multiestudo" e a "multiarte" e a possível associação com a filosofia, ver ainda os *Dois Homens Apaixonados* (133c-139a).

[34] Fragmento do poema épico-cômico *Margites*, atribuído também por Aristóteles a Homero no capítulo 4 da sua *Poética*. O trecho imediatamente anterior entre aspas parece ser a citação de alguma outra obra desconhecida.

[35] A reação de Alcibíades chama a atenção para o fato de que nos diálogos platônicos em geral é Sócrates quem se recusa a recorrer à chamada interpretação "alegórica" da poesia (que explora seus sentidos ocultos), o que confere humor e ironia a toda essa passagem. Para outra interpretação feita por Sócrates, dessa vez de versos do poeta Simônides, ver o *Protágoras* (339a-348c).

μὴ βουλομένου ἡμῖν ἐνδείκνυσθαι ἀλλ᾽ ἀποκρύπτεσθαι ὅτι μάλιστα τὴν αὑτοῦ σοφίαν, ὑπερφυῶς δὴ τὸ χρῆμα ὡς δύσγνωστον φαίνεται, ὅτι ποτὲ νοοῦσιν ἕκαστος αὐτῶν. οὐ γὰρ δήπου Ὅμηρόν γε τὸν θειότατόν τε καὶ σοφώτατον ποιητὴν ἀγνοεῖν δοκεῖς ὡς οὐχ οἷόν τε ἦν ἐπίστασθαι κακῶς· ἐκεῖνος γάρ ἐστιν ὁ λέγων τὸν Μαργίτην πολλὰ [147d] μὲν ἐπίστασθαι, κακῶς δέ, φησί, πάντα ἠπίστατο· ἀλλ᾽ αἰνίττεται, οἶμαι, παράγων τὸ κακῶς μὲν ἀντὶ τοῦ κακοῦ, τὸ δὲ ἠπίστατο ἀντὶ τοῦ ἐπίστασθαι· γίγνεται οὖν συντεθὲν ἔξω μὲν τοῦ μέτρου, ἔστι δ᾽ ὅ γε βούλεται, ὡς πολλὰ μὲν ἠπίστατο ἔργα, κακὸν δ᾽ ἦν ἐπίστασθαι αὐτῷ πάντα ταῦτα. δῆλον οὖν ὅτι εἴπερ ἦν αὐτῷ κακὸν τὸ πολλὰ εἰδέναι, φαῦλός τις ὢν ἐτύγχανεν, εἴπερ γε πιστεύειν δεῖ τοῖς προειρημένοις λόγοις.

ΑΛΚΙΒΙΑΔΗΣ [147e]

ἀλλ᾽ ἐμοὶ μὲν δοκεῖ, ὦ Σώκρατες· ἦ χαλεπῶς γ᾽ ἂν ἄλλοις τισὶ πιστεύσαιμι λόγοις, εἴπερ μηδὲ τούτοις.

ΣΩΚΡΑΤΗΣ

καὶ ὀρθῶς γέ σοι δοκεῖ.

ΑΛΚΙΒΙΑΔΗΣ

πάλιν αὖ μοι δοκεῖ.

ΣΩΚΡΑΤΗΣ

ἀλλὰ φέρε πρὸς Διός — ὁρᾷς γὰρ δήπου τὴν ἀπορίαν ὅση τε καὶ οἵα, ταύτης δὲ καὶ σύ μοι δοκεῖς κεκοινωνηκέναι· μεταβαλλόμενός γέ τοι ἄνω καὶ κάτω οὐδ᾽ ὁτιοῦν παύῃ, ἀλλ᾽ ὅ τι ἂν μάλιστά σοι δόξῃ, τοῦτο καὶ ἐκδεδυκέναι αὖ [148a] καὶ οὐκέτι ὡσαύτως δοκεῖν — εἰ οὖν σοί γ᾽ ἔτι καὶ νῦν ἐμφανὴς γενόμενος ὁ θεὸς πρὸς ὃν τυγχάνεις πορευόμενος ἐρωτήσειε, πρὶν ὁτιοῦν εὔξασθαί σε, εἰ ἐξαρκέσει σοι ἐκείνων τι γενέσθαι ὧνπερ καὶ ἐν

se apossa de um homem avaro e nada disposto a demonstrar para nós sua sabedoria, mas antes escondê-la o máximo possível, como se mostra extraordinariamente difícil apreender o que cada um deles tem em mente! Pois você decerto não supõe que Homero — o poeta mais divino e sábio — ignorava não ser possível conhecer mal. Porque é ele quem fala que Margites conhecia [147d] muitas coisas, mas conhecia todas mal. É que ele fala por enigmas, acho eu, colocando "mal" em vez de "mau" e "conhecia" em vez de "conhecer". Composto o verso então fora do metro, é isto que quer dizer, que conhecia muitas atividades, mas conhecê-las todas para ele era mau. Está claro que, se para ele era mau saber muito, só podia calhar de ser alguém medíocre — se devemos nos fiar nos raciocínios enunciados anteriormente.

ALCIBÍADES [147e]

Suponho que sim, Sócrates. Dificilmente eu poderia me fiar em outros raciocínios que não esses.

SÓCRATES

E você supõe corretamente.

ALCIBÍADES

Suponho, por outro lado, que seja o contrário...

SÓCRATES

Vamos, por Zeus — você decerto está vendo que grande e estranha aporia a nossa, pois suponho que também compartilhe dela. É que, deslocando-se para cima e para baixo, você tampouco sossega em momento algum: sempre que supõe algo com convicção, isso então também lhe escapa [148a] e você supõe que não é mais desse jeito. Portanto, caso o deus para o qual você calha de se dirigir, tornando-se agora mesmo manifesto, lhe perguntasse, antes de você clamar pelo que fosse, se seria suficiente para você ter alguma daquelas coisas

ἀρχῇ ἐλέγετο, εἴτε καὶ αὐτῷ σοι ἐπιτρέψειεν εὔξασθαι, τί ποτ᾽ ἂν οἴει ἢ τῶν παρ᾽ ἐκείνου διδομένων λαμβάνων ἢ αὐτὸς εὐξάμενος γενέσθαι τοῦ καιροῦ τυχεῖν;

ΑΛΚΙΒΙΑΔΗΣ

ἀλλὰ μὰ τοὺς θεούς, ἐγὼ μὲν οὐθὲν ἂν ἔχοιμί σοι εἰπεῖν, ὦ Σώκρατες, οὕτως· ἀλλὰ μάργον τί μοι δοκεῖ εἶναι, [148b] καὶ ὡς ἀληθῶς πολλῆς φυλακῆς, ὅπως μὴ λήσει τις αὑτὸν εὐχόμενος μὲν κακά, δοκῶν δὲ τἀγαθά, ἔπειτ᾽ ὀλίγον ἐπισχών, ὅπερ καὶ σὺ ἔλεγες, παλινῳδῇ, ἀνευχόμενος ἅττ᾽ ἂν τὸ πρῶτον εὔξηται.

ΣΩΚΡΑΤΗΣ

ἆρ᾽ οὖν οὐχὶ εἰδώς τι πλέον ἡμῶν ὁ ποιητής, οὗ καὶ ἐν ἀρχῇ τοῦ λόγου ἐπεμνήσθην, "τὰ δειλὰ καὶ εὐχομένοις ἀπαλέξειν" ἐκέλευεν;

ΑΛΚΙΒΙΑΔΗΣ

ἔμοιγε δοκεῖ.

ΣΩΚΡΑΤΗΣ

τοῦτον μὲν τοίνυν, ὦ Ἀλκιβιάδη, καὶ Λακεδαιμόνιοι [148c] τὸν ποιητὴν ἐζηλωκότες, εἴτε καὶ αὐτοὶ οὕτως ἐπεσκεμμένοι, καὶ ἰδίᾳ καὶ δημοσίᾳ ἑκάστοτε παραπλησίαν εὐχὴν εὔχονται, τὰ καλὰ ἐπὶ τοῖς ἀγαθοῖς τοὺς θεοὺς

que já citamos no começo, ou se deveria incumbi-lo de fazer seu clamor por conta própria, o que você acha que seria mais oportuno: pegar o que é dado por ele ou clamar você mesmo por algo?

ALCIBÍADES

Mas, pelos deuses, Sócrates, assim eu não seria capaz de lhe responder! Suponho que seja um *mar que se agita*[36] e algo que [148b] requer, verdadeiramente, muita precaução, para que, sem perceber, alguém não clame por males supondo que são bens, e pouco tempo depois de estar na posse deles — como você falava — tenha de cantar uma palinódia para desfazer o clamor inicial.

SÓCRATES

E será que não sabia mais que nós o poeta (que mencionei também no começo do raciocínio) ao ordenar "afasta as terríveis, ainda que nós clamemos"?

ALCIBÍADES

Suponho que sim.

SÓCRATES

Pois é por admirarem esse poeta,[37] Alcibíades, [148c] ou ainda por terem realizado um tal exame por conta própria, que os lacedemônios fazem toda vez, privada e publicamente, um clamor semelhante, ordenando aos deuses que lhes

---

[36] Tentativa de reproduzir, com a forma "mar que se agita", o jogo original entre Margites e o adjetivo *márgos*, "louco" (agradeço aqui à sugestão de Camila de Moura).

[37] Retomada dos versos citados anteriormente (ver nota 20). A proximidade aqui também com referências a Homero faz com que novamente possamos tomar "o poeta" e "esse poeta" como sendo o próprio, ou quem sabe uma outra figura cujo nome Sócrates prefere omitir.

διδόναι κελεύοντες αὖ σφίσιν αὐτοῖς· πλείω δ᾽ οὐδεὶς ἂν ἐκείνων εὐξαμένων ἀκούσειεν. τοιγαροῦν εἰς τὸ παρῆκον τοῦ χρόνου οὐδένων ἧττον εὐτυχεῖς εἰσιν ἄνθρωποι· εἰ δ᾽ ἄρα καὶ συμβέβηκεν αὐτοῖς ὥστε μὴ πάντα εὐτυχεῖν, ἀλλ᾽ οὖν οὐ διὰ [148d] τὴν ἐκείνων εὐχήν, ἐπὶ τοῖς θεοῖς δ᾽ ἐστὶν ὥστε, οἶμαι, καὶ διδόναι ἅττ᾽ ἄν τις εὐχόμενος τυγχάνῃ καὶ τἀναντία τούτων.

βούλομαι δέ σοι καὶ ἕτερόν τι διηγήσασθαι, ὅ ποτε ἤκουσα τῶν πρεσβυτέρων τινῶν, ὡς Ἀθηναίοις καὶ Λακεδαιμονίοις διαφορᾶς γενομένης συνέβαινεν ἀεὶ τῇ πόλει ἡμῶν ὥστε καὶ κατὰ γῆν καὶ κατὰ θάλατταν ὁπότε μάχη γένοιτο δυστυχεῖν καὶ μηδέποτε δύνασθαι κρατῆσαι· τοὺς οὖν Ἀθηναίους ἀγανακτοῦντας τῷ πράγματι καὶ ἀπορουμένους τίνι [148e] χρὴ μηχανῇ τῶν παρόντων κακῶν ἀποτροπὴν εὑρεῖν, βουλευομένοις αὐτοῖς δοκεῖν κράτιστον εἶναι πέμψαντας πρὸς Ἄμμωνα ἐκεῖνον ἐπερωτᾶν· ἔτι δὲ πρὸς τούτοις τάδε, καὶ ἀνθ᾽ ὅτου ποτὲ Λακεδαιμονίοις οἱ θεοὶ μᾶλλον νίκην διδόασιν ἢ σφίσιν αὐτοῖς, οἳ πλείστας, φάναι, μὲν θυσίας καὶ καλλίστας τῶν Ἑλλήνων ἄγομεν, ἀναθήμασί τε κεκοσμήκαμεν τὰ ἱερὰ αὐτῶν ὡς οὐδένες ἄλλοι, πομπάς τε πολυτελεστάτας καὶ σεμνοτάτας ἐδωρούμεθα τοῖς θεοῖς ἀν᾽ ἕκαστον ἔτος, καὶ [149a] ἐτελοῦμεν χρήματα ὅσα οὐδ᾽ ἄλλοι σύμπαντες Ἕλληνες· Λακεδαιμονίοις δέ, φάναι, οὐδεπώποτ᾽ ἐμέλησεν οὐδὲν τούτων, ἀλλ᾽ οὕτως ὀλιγώρως διάκεινται πρὸς τοὺς θεούς, ὥστε καὶ ἀνάπηρα θύουσιν ἑκάστοτε καὶ τἆλλα πάντα οὐκ ὀλίγῳ ἐνδεεστέρως τιμῶσιν ἤπερ ἡμεῖς, χρήματα οὐδὲν ἐλάττω κεκτημένοι τῆς ἡμετέρας πόλεως. ἐπεὶ δὴ εἰρηκέναι ταῦτα καὶ ἐπερωτῆσαι τί χρὴ πράττοντας αὐτοὺς τῶν

deem "coisas boas e belas". Ninguém os ouviria clamar por mais que isso. Eis por que até o tempo presente não são seres humanos menos afortunados do que quaisquer outros. E se tem ocorrido de não serem em tudo afortunados, não é por causa [148d] do clamor deles. Cabe aos deuses, acho eu, dar tanto as coisas pelas quais calhamos de clamar quanto o contrário delas.

Mas quero narrar para você uma outra história, que ouvi certa vez dos mais velhos. Tendo surgido um conflito entre os atenienses e os lacedemônios, acontecia sempre de a nossa cidade ser desafortunada quando uma batalha ocorria — tanto por terra quanto por mar — e nunca conseguir vencer. Irritados com a situação, e em aporia quanto ao estratagema [148e] pelo qual encontrariam uma reversão dos males então presentes, os atenienses decidiram, deliberando, que o melhor seria mandar interrogar o grande Ámon[38] — entre outras coisas, sobre por que os deuses davam a vitória aos lacedemônios de preferência a eles. "Somos nós", disseram eles, "que oferecemos, dentre os helenos, belíssimos e numerosíssimos sacrifícios, adornando os templos com oferendas como ninguém mais faz, e somos nós que presenteamos os deuses a cada ano com procissões custosíssimas e venerabilíssimas, [149a] e gastamos uma quantidade de dinheiro que todos os outros helenos juntos não gastam. Enquanto os lacedemônios", disseram eles, "jamais se importaram com nada disso: antes se comportam para com os deuses de um modo tão desinteressado, que inclusive sacrificam toda vez vítimas defeituosas, e em todas as demais honras que prestam não é por pouco que ficam atrás de nós, ainda que possuam a mesma quantidade de dinheiro que a nossa cidade." Depois de terem

---

[38] Deus egípcio identificado com Zeus e cujo culto ocorria em algumas regiões da Grécia (ver *Fedro*, 274d). A referência provável é a um oráculo existente na Líbia, no norte da África.

παρόντων κακῶν ἀπαλλαγὴν εὑρεῖν, ἄλλο μὲν οὐθὲν ἀποκριθῆναι τὸν [149b] προφήτην — τὸν γὰρ θεὸν οὐκ ἐᾶν δῆλον ὅτι — καλέσαντα δὲ αὐτόν, "Ἀθηναίοις", φάναι, "τάδε λέγει Ἄμμων· φησὶν ἂν βούλεσθαι αὐτῷ τὴν Λακεδαιμονίων εὐφημίαν εἶναι μᾶλλον ἢ τὰ σύμπαντα τῶν Ἑλλήνων ἱερά". τοσαῦτα εἰπεῖν, οὐκέτι περαιτέρω. τήν γ' οὖν εὐφημίαν οὐκ ἄλλην τινά μοι δοκεῖ λέγειν ὁ θεὸς ἢ τὴν εὐχὴν αὐτῶν· ἔστι γὰρ τῷ ὄντι πολὺ [149c] διαφέρουσα τῶν ἄλλων. οἱ μὲν γὰρ ἄλλοι Ἕλληνες οἱ μὲν χρυσόκερως βοῦς παραστησάμενοι, ἕτεροι δ' ἀναθήμασι δωρούμενοι τοὺς θεούς, εὔχονται ἅττ' ἂν τύχῃ ταῦτα, ἄν τε ἀγαθὰ ἄν τε κακά· βλασφημούντων οὖν αὐτῶν ἀκούοντες οἱ θεοὶ οὐκ ἀποδέχονται τὰς πολυτελεῖς ταυτασὶ πομπάς τε καὶ θυσίας. ἀλλὰ δοκεῖ μοι πολλῆς φυλακῆς δεῖσθαι καὶ σκέψεως ὅτι ποτὲ ῥητέον ἐστὶ καὶ μή.

εὑρήσεις δὲ καὶ παρ' Ὁμήρῳ ἕτερα παραπλήσια τούτοις [149d] εἰρημένα. φησὶν γὰρ τοὺς Τρῶας ἔπαυλιν ποιουμένους "ἔρδειν ἀθανάτοισι τεληέσσας ἑκατόμβας·/ τὴν δὲ κνῖσαν ἐκ τοῦ πεδίου τοὺς ἀνέμους φέρειν οὐρανὸν εἴσω/ ἡδεῖαν· τῆς δ' οὔ τι θεοὺς μάκαρας δατέεσθαι,/ οὐδ' ἐθέλειν· μάλα γάρ σφιν ἀπήχθετο Ἴλιος ἱρὴ/ [149e] καὶ Πρίαμος καὶ λαὸς ἐυμμελίω Πριάμοιο"· ὥστε οὐδὲν αὐτοῖς ἦν προύργου θύειν τε καὶ δῶρα τελεῖν μάτην, θεοῖς ἀπηχθημένους. οὐ γάρ, οἶμαι, τοιοῦτόν ἐστι τὸ τῶν θεῶν ὥστε ὑπὸ δώρων παράγεσθαι οἷον κακὸν τοκιστήν· ἀλλὰ καὶ

dito isso e perguntado o que deveriam fazer para encontrar uma libertação dos males então presentes, o profeta os chamou e respondeu [149b] dizendo apenas (pois estava claro que o deus não permitia mais): "Aos atenienses Ámon fala assim: diz preferir para si mesmo a eufemia dos lacedemônios a todos os rituais sagrados dos helenos". Falou esse tanto apenas e nada além. E por "eufemia" suponho que o deus não queria se referir a outra coisa senão ao clamor deles, pois é realmente muito diferente [149c] dos restantes. Pois os demais helenos — uns apresentando bois auricórnios, outros presenteando os deuses com oferendas — clamam por quaisquer coisas que lhes ocorrerem, sejam boas, sejam más. Mas os deuses, ao ouvirem suas blasfêmias, não aceitam essas custosas procissões e sacrifícios. Suponho então que seja preciso muita precaução e que se examine o que deve ser dito e o que não.

Você vai encontrar também em Homero outras afirmações [149d] semelhantes. Pois diz que os troianos, ao montarem acampamento, "aos imortais hecatombes perfeitas sacrificaram" e que "o odor — os ventos levaram da planície céu acima,/ doce, mas os venturosos deuses dele não provaram,/ rejeitando-o, já que muito detestavam Ílion sacra,/ [149e] Príamo e também de Príamo de belas lanças a tropa".[39] De modo que para eles não adiantava sacrificar e ofertar presentes em vão, detestados que eram pelos deuses. Pois não é esta, acho eu, a natureza dos deuses: serem seduzidos por presentes, como um vil usurário.[40] E também nós enunciamos

---

[39] Citação dos versos 548-552 do Canto 8 da *Ilíada*. Com exceção do verso 549, os demais não aparecem em nenhum manuscrito de Homero, tendo sido inseridos na nossa vulgata da *Ilíada* a partir dessa citação. Mais uma criação da lavra de Platão? Ver nota 20.

[40] Essa fala parece aludir a uma passagem do Canto 9 da *Ilíada* (vv. 497-501), quando Fênix pede a Aquiles que se deixe aplacar com os presentes oferecidos por Agamêmnon, pois até os deuses eram "flexíveis"

ἡμεῖς εὐήθη λόγον λέγομεν, ἀξιοῦντες Λακεδαιμονίων ταύτῃ περιεῖναι. καὶ γὰρ ἂν δεινὸν εἴη εἰ πρὸς τὰ δῶρα καὶ τὰς θυσίας ἀποβλέπουσιν ἡμῶν οἱ θεοὶ ἀλλὰ μὴ πρὸς τὴν ψυχήν, ἄν τις ὅσιος καὶ δίκαιος ὢν [150a] τυγχάνῃ. πολλῷ γε μᾶλλον, οἶμαι, ἢ πρὸς τὰς πολυτελεῖς ταύτας πομπάς τε καὶ θυσίας, ἃς οὐδὲν κωλύει πολλὰ μὲν εἰς θεούς, πολλὰ δ᾽ εἰς ἀνθρώπους ἡμαρτηκότας καὶ ἰδιώτην καὶ πόλιν ἔχειν ἀν᾽ ἕκαστον ἔτος τελεῖν· οἱ δέ, ἅτε οὐ δωροδόκοι ὄντες, καταφρονοῦσιν ἁπάντων τούτων, ὥς φησιν ὁ θεὸς καὶ θεῶν προφήτης. κινδυνεύει γοῦν καὶ παρὰ θεοῖς καὶ παρ᾽ ἀνθρώποις τοῖς νοῦν ἔχουσι δικαιοσύνη τε [150b] καὶ φρόνησις διαφερόντως τετιμῆσθαι· φρόνιμοι δὲ καὶ δίκαιοι οὐκ ἄλλοι τινές εἰσιν ἢ τῶν εἰδότων ἃ δεῖ πράττειν καὶ λέγειν καὶ πρὸς θεοὺς καὶ πρὸς ἀνθρώπους. βουλοίμην δ᾽ ἂν καὶ σοῦ πυθέσθαι ὅ τι ποτ᾽ ἐν νῷ ἔχεις πρὸς ταῦτα.

ΑΛΚΙΒΙΑΔΗΣ

ἀλλ᾽ ἐμοὶ μέν, ὦ Σώκρατες, οὐκ ἄλλῃ πῃ δοκεῖ ἢ ᾗπερ σοί τε καὶ τῷ θεῷ· οὐδὲ γὰρ ἂν εἰκὸς εἴη ἀντίψηφον ἐμὲ τῷ θεῷ γενέσθαι.

ΣΩΚΡΑΤΗΣ

οὐκοῦν μέμνησαι ἐν πολλῇ ἀπορίᾳ φάσκων εἶναι, [150c] ὅπως μὴ λάθῃς σεαυτὸν εὐχόμενος κακά, δοκῶν δὲ ἀγαθά;

ΑΛΚΙΒΙΑΔΗΣ

ἔγωγε.

um raciocínio ingênuo quando avaliamos que nisso somos superiores aos lacedemônios. Com efeito, só pode ser algo terrível se os deuses ficam contemplando nossos presentes e sacrifícios, mas não nossa alma — se calhamos de ser [150a] piedosos e justos. Contemplam sim bem mais isso, acho eu, do que essas custosas procissões e sacrifícios que um indivíduo e uma cidade podem oferecer — nada impede — ano após ano, ainda que errem muito, seja em relação aos deuses, seja em relação aos seres humanos. Mas aqueles, por não serem subornáveis, desprezam tudo isso, conforme o deus e seu profeta afirmam. Corre-se assim o risco de a justiça e a sensatez serem honradas de modo diferenciado tanto pelos deuses quanto pelos seres humanos [150b] que têm inteligência. E sensatos e justos não são senão aqueles que sabem o que se deve fazer e falar em relação aos deuses e aos seres humanos. Mas gostaria também de ouvir o que você tem em mente em relação a essas coisas.

ALCIBÍADES

Suponho, Sócrates, não ser de outro modo senão como é para você e para o deus. Não seria adequado eu votar contra o deus...

SÓCRATES

Ora, você não se lembra de dizer que estava em grande aporia, [150c] temendo que, sem perceber, clamasse por males supondo que eram bens?

ALCIBÍADES

Sim!

---

diante das oferendas humanas. Ver também o verso 964 da *Medeia* de Eurípides, onde se menciona o dito corrente de que "as dádivas persuadem até os deuses".

ΣΩΚΡΑΤΗΣ

ὁρᾷς οὖν ὡς οὐκ ἀσφαλές σοί ἐστιν ἐλθεῖν πρὸς τὸν θεὸν εὐξομένῳ, ἵνα μηδ᾽ ἂν οὕτω τύχῃ, βλασφημοῦντός σου ἀκούων οὐθὲν ἀποδέξηται τῆς θυσίας ταύτης, τυχὸν δὲ καὶ ἕτερόν τι προσαπολαύσῃς. ἐμοὶ μὲν οὖν δοκεῖ βέλτιστον εἶναι ἡσυχίαν ἔχειν· τῇ μὲν γὰρ Λακεδαιμονίων εὐχῇ διὰ τὴν μεγαλοψυχίαν — τοῦτο γὰρ κάλλιστον τῶν ἐν ἀφροσύνῃ γε ὀνομάτων — οὐκ ἂν οἶμαί σε ἐθέλειν χρῆσθαι. [150d] ἀναγκαῖον οὖν ἐστὶ περιμένειν ἕως ἄν τις μάθῃ ὡς δεῖ πρὸς θεοὺς καὶ πρὸς ἀνθρώπους διακεῖσθαι.

ΑΛΚΙΒΙΑΔΗΣ

πότε οὖν παρέσται ὁ χρόνος οὗτος, ὦ Σώκρατες, καὶ τίς ὁ παιδεύσων; ἥδιστα γὰρ ἄν μοι δοκῶ ἰδεῖν τοῦτον τὸν ἄνθρωπον τίς ἐστιν.

ΣΩΚΡΑΤΗΣ

οὗτος ᾧ μέλει περὶ σοῦ. ἀλλὰ δοκεῖ μοι, ὥσπερ τῷ Διομήδει φησὶν τὴν Ἀθηνᾶν Ὅμηρος ἀπὸ τῶν ὀφθαλμῶν ἀφελεῖν τὴν ἀχλύν, "ὄφρ᾽ εὖ γιγνώσκοι ἠμὲν θεὸν ἠδὲ καὶ ἄνδρα", [150e] οὕτω καὶ σοὶ δεῖν ἀπὸ τῆς

SÓCRATES

Você está vendo então como não é seguro ir dirigir um clamor ao deus: pode calhar que este, ao ouvir sua blasfêmia, nada aceite desse seu sacrifício, podendo calhar ainda de você "desfrutar" de alguma outra coisa... Suponho assim que o melhor agora é você se manter quieto. Pois acho que, devido ao seu "espírito grandioso" — esse o mais belo dos nomes para a insensatez —, você não estaria disposto a se valer do clamor dos lacedemônios...[41] [150d] É forçoso então aguardar, até que se entenda como deve ser o comportamento em relação aos deuses e aos seres humanos.

ALCIBÍADES

Quando chegará esse tempo, Sócrates, e quem haverá de me instruir? Suponho que seria um grande prazer ver quem é esse ser humano.[42]

SÓCRATES

É aquele que se importa com você. Mas suponho que, tal como Homero diz que Atena removeu a névoa dos olhos de Diomedes, "pra que soubesse quem era um deus e quem era um homem",[43] [150e] assim também é preciso que ele

---

[41] Ou seja, Alcibíades não conseguiria recorrer a um clamor mais modesto; note-se a retomada de um dos termos alternativos para "insensatez" enunciados antes, em 140c.

[42] O fato de Sócrates ter sido "professor" de figuras como Alcibíades, responsável pelo declínio do poderio ateniense no final do século V a.C., faz parte das acusações que pesam contra ele na *Apologia de Sócrates* (33a), embora ele negasse essa condição (ver o *Clitofonte*, 408c e nota 11). Para uma defesa veemente de Sócrates na sua relação com Alcibíades, ver as *Memoráveis* de Xenofonte (I.2). No final do *Alcibíades Primeiro* (135d-c), o jovem aceita colocar-se sob a influência de Sócrates, embora este se mostre pessimista quanto ao sucesso de suas ações na cidade. Ver ainda toda a situação apresentada no *Teages*.

[43] Citação do Canto 5 da *Ilíada* (v. 128).

ψυχῆς πρῶτον τὴν ἀχλὺν ἀφελόντα, ἣ νῦν παροῦσα τυγχάνει, τὸ τηνικαῦτ᾽ ἤδη προσφέρειν δι᾽ ὧν μέλλεις γνώσεσθαι ἠμὲν κακὸν ἠδὲ καὶ ἐσθλόν. νῦν μὲν γὰρ οὐκ ἄν μοι δοκεῖς δυνηθῆναι.

ΑΛΚΙΒΙΑΔΗΣ

ἀφαιρείτω, εἴτε βούλεται τὴν ἀχλὺν εἴτε ἄλλο τι· ὡς ἐγὼ παρεσκεύασμαι μηθὲν ἂν φυγεῖν τῶν ὑπ᾽ ἐκείνου προσταττομένων, ὅστις ποτ᾽ ἐστὶν ἅνθρωπος, εἴ γε μέλλοιμι βελτίων γενέσθαι.

ΣΩΚΡΑΤΗΣ [151a]

ἀλλὰ μὴν κἀκεῖνος θαυμαστὴν ὅσην περὶ σὲ προθυμίαν ἔχει.

ΑΛΚΙΒΙΑΔΗΣ

εἰς τότε τοίνυν καὶ τὴν θυσίαν ἀναβάλλεσθαι κράτιστον εἶναί μοι δοκεῖ.

ΣΩΚΡΑΤΗΣ

καὶ ὀρθῶς γέ σοι δοκεῖ· ἀσφαλέστερον γάρ ἐστιν ἢ παρακινδυνεύειν τοσοῦτον κίνδυνον.

ΑΛΚΙΒΙΑΔΗΣ

ἀλλὰ πῶς, ὦ Σώκρατες; καὶ μὴν τουτονὶ τὸν στέφανον, ἐπειδή μοι δοκεῖς καλῶς συμβεβουλευκέναι, σοὶ [151b] περιθήσω· τοῖς θεοῖς δὲ καὶ στεφάνους καὶ τἆλλα πάντα τὰ νομιζόμενα τότε δώσομεν, ὅταν ἐκείνην τὴν ἡμέραν ἐλθοῦσαν ἴδω. ἥξει δ᾽ οὐ διὰ μακροῦ τούτων θελόντων.

primeiro remova da sua alma a névoa que calha de estar presente nela, e só depois venha com os meios pelos quais você vai reconhecer o que é mau e o que é bom. Agora, porém, suponho que você não teria capacidade.

ALCIBÍADES

Que ele remova então — névoa ou o que quer que seja! Como estou pronto a não me esquivar de nenhum dos comandos dele, seja o ser humano que for, caso possa vir a me tornar melhor!

SÓCRATES [151a]

Mas ele também — que grande e espantosa animação tem em relação a você!

ALCIBÍADES

Suponho então que a melhor solução seja também adiar o sacrifício até lá.

SÓCRATES

E você supõe corretamente. Pois é mais seguro do que correr tamanho risco.

ALCIBÍADES

O que você me diz então, Sócrates? Na realidade, como suponho que você me deu um belo conselho, vou coroá-lo [151b] com esta guirlanda.[44] E daremos depois aos deuses guirlandas e tudo o mais que o culto exige, quando eu vir que aquele dia chegou. Com eles querendo, não tardará em chegar!

---

[44] A imagem sugere, ao mesmo tempo, um Sócrates divinizado e vitorioso. Para o mesmo gesto de Alcibíades, ver o *Banquete* (213c).

ΣΩΚΡΑΤΗΣ

ἀλλὰ δέχομαι καὶ τοῦτο, καὶ ἄλλο δὲ ἄν τι τῶν παρὰ σοῦ δοθέντων ἡδέως ἴδοιμι δεξάμενον ἐμαυτόν. ὥσπερ δὲ καὶ ὁ Κρέων Εὐριπίδῃ πεποίηται τὸν Τειρεσίαν ἰδὼν ἔχοντα τὰ στέφη καὶ ἀκούσας ἀπὸ τῶν πολεμίων ἀπαρχὰς αὐτὸν εἰληφέναι διὰ τὴν τέχνην, "οἰωνὸν ἐθέμην", φησί, "καλλίνικα σὰ στέφη·/ ἐν γὰρ κλύδωνι κείμεθ', ὥσπερ οἶσθα σύ"· οὕτω δὲ κἀγὼ παρὰ σοῦ τὴν δόξαν ταύτην οἰωνὸν τίθεμαι. [151c] δοκῶ δέ μοι οὐκ ἐν ἐλάττονι κλύδωνι τοῦ Κρέοντος εἶναι, καὶ βουλοίμην ἂν καλλίνικος γενέσθαι τῶν σῶν ἐραστῶν.

SÓCRATES

Aceito isso sim, e com prazer me veria aceitando qualquer outra coisa dada por você! Tal como Creonte é poetado por Eurípides, quando vê Tirésias com as guirlandas e ouve que por sua arte as obteve como primícias da guerra — "como bom sinal tomei", diz, "tuas guirlandas da bela vitória,/ porque em mar agitado estamos postos, conforme tu sabes" —,[45] assim também eu tomo como bom sinal essa suposição vinda de você. [151c] Suponho que estou num mar não menos agitado que o de Creonte e gostaria de obter bela vitória sobre aqueles que são apaixonados por você.[46]

---

[45] Trecho da tragédia *As Fenícias*, de Eurípides (vv. 858-859). Tirésias acabara de ajudar Atenas a vencer as tropas de Eumolpo, e Creonte quer agora consultar o adivinho sobre como salvar a cidade de Tebas do ataque argivo. O sinal é sim em parte positivo, porque Tebas terminará sendo salva, mas vale lembrar que na peça a saudação é seguida pelo anúncio de que o filho de Creonte, Meneceu, terá de ser sacrificado para o bem da cidade, morte que efetivamente acontece na sequência do drama.

[46] Referência à relação erótica (nunca efetivada no plano físico) entre Sócrates e Alcibíades, explorada por Platão na conclusão do *Banquete* (212d-223d). Sobre o amor de Sócrates pelo jovem, ver o *Alcibíades Primeiro* (103a-104c e 131c-132a). Ver ainda o *Teages* (nota 32).

Θεάγης*

ΔΗΜΟΔΟΚΟΣ [121a]

ὦ Σώκρατες, ἐδεόμην ἄττα σοι ἰδιολογήσασθαι, εἰ σχολή· κἂν εἰ ἀσχολία δὲ μὴ πάνυ τις μεγάλη, ὅμως ἐμοῦ ἕνεκα ποίησαι σχολήν.

ΣΩΚΡΑΤΗΣ

ἀλλὰ καὶ ἄλλως τυγχάνω σχολάζων, καὶ δὴ σοῦ γε ἕνεκα καὶ πάνυ. ἀλλ' εἴ τι βούλει λέγειν, ἔξεστιν.

ΔΗΜΟΔΟΚΟΣ

βούλει οὖν δεῦρο εἰς τὴν τοῦ Διὸς τοῦ ἐλευθερίου στοὰν ἐκποδὼν ἀποχωρήσωμεν;

ΣΩΚΡΑΤΗΣ

εἰ σοὶ δοκεῖ.

---

* Texto grego estabelecido a partir de *Platonis Opera*, t. III, John Burnet (org.), Oxford, Clarendon Press, 1903 (Bibliotheca Oxoniensis), disponível em <www.perseus.tufts.edu>. Nos seguintes casos adotou-se leitura diferente: *tôn tá mageirikà* em vez de *tôn mageíron*, em 125c; e *pémpei* (subjuntivo) em vez de *pémpoi*, em 127a.

Teages (Sobre a sabedoria)

DEMÓDOCO [121a] (*trazendo junto de si o filho Teages*)

Sócrates, eu precisava falar algumas coisas em privado com você, se estiver com tempo livre. Mesmo se estiver sem tempo — mas não for algo muito sério —, encontre ainda assim um tempo para mim...

SÓCRATES

Não só calho sim de estar com tempo livre, mas, sendo para você, com muito![1] Se estiver disposto a falar, podemos.

DEMÓDOCO

Você estaria disposto a nos retirarmos aqui do caminho e irmos para o pórtico de Zeus Libertador?[2]

SÓCRATES

Se você supõe que é melhor...

---

[1] O "tempo livre" ou "ócio" (*skholé*) faz parte da caracterização de Sócrates, o que confere certo tom cômico à apreensão inicial demonstrada por Demódoco.

[2] Próximo à ágora, o pórtico de Zeus Libertador (ou Eleutério) era onde se conservavam os escudos dos que morreram lutando pela cidade. Simbolizava, assim, o fato de Atenas não ter sucumbido ao jugo externo, principalmente persa, e aqui já antecipa o desdobramento político da discussão sobre a sabedoria. O cenário também dá um sentido especial, neste diálogo, à recorrente interjeição "por Zeus".

ΔΗΜΟΔΟΚΟΣ [121b]

ἴωμεν δή. ὦ Σώκρατες, πάντα τὰ φυτὰ κινδυνεύει τὸν αὐτὸν τρόπον ἔχειν, καὶ τὰ ἐκ τῆς γῆς φυόμενα καὶ τὰ ζῷα τά τε ἄλλα καὶ ἄνθρωπος. καὶ γὰρ ἐν τοῖς φυτοῖς ῥᾷστον ἡμῖν τοῦτο γίγνεται, ὅσοι τὴν γῆν γεωργοῦμεν, τὸ παρασκευάσασθαι πάντα τὰ πρὸ τοῦ φυτεύειν καὶ αὐτὸ τὸ φυτεῦσαι· ἐπειδὰν δὲ τὸ φυτευθὲν βιῷ, μετὰ τοῦτο θεραπεία τοῦ φύντος καὶ πολλὴ καὶ χαλεπὴ καὶ δύσκολος [121c] γίγνεται. οὕτω δὲ ἔχειν ἔοικε καὶ τὸ περὶ τῶν ἀνθρώπων· ἀπὸ τῶν ἐμαυτοῦ ἐγὼ πραγμάτων τεκμαίρομαι καὶ ἐς τἆλλα. καὶ γὰρ ἐμοὶ ἡ τοῦ υἱέος τουτουΐ, εἴτε φυτείαν εἴτε παιδοποιίαν δεῖ αὐτὴν ὀνομάζειν, πάντων ῥᾴστη γέγονεν, ἡ δὲ τροφὴ δύσκολός τε καὶ ἀεὶ ἐν φόβῳ περὶ αὐτοῦ δεδιότι.

τὰ μὲν οὖν ἄλλα πολλὰ ἂν εἴη λέγειν, ἡ δὲ νῦν παροῦσα ἐπιθυμία τούτῳ πάνυ με φοβεῖ· ἔστι μὲν γὰρ οὐκ ἀγεννής, σφαλερὰ δέ· ἐπιθυμεῖ γὰρ δὴ οὗτος ἡμῖν, ὦ Σώκρατες, ὥς [121d] φησι, σοφὸς γενέσθαι. δοκῶ γάρ μοι, τῶν ἡλικιωτῶν τινες αὐτοῦ καὶ δημοτῶν, εἰς τὸ ἄστυ καταβαίνοντες, λόγους τινὰς ἀπομνημονεύοντες διαταράττουσιν αὐτόν, οὓς ἐζήλωκεν καὶ πάλαι μοι πράγματα παρέχει, ἀξιῶν ἐπιμεληθῆναί με ἑαυτοῦ καὶ χρήματα τελέσαι τινὶ τῶν

DEMÓDOCO [121b]

Andemos então! Corre-se o risco, Sócrates, de tudo aquilo que cresce ter uma mesma forma de ser, não apenas o que brota da terra, mas também os animais e especialmente o ser humano... Com as plantas, efetivamente, para todos nós que cultivamos a terra isto é facílimo: preparar tudo que precede o plantio mais o plantio em si.[3] Mas quando o que foi plantado ganha vida, depois disso o cuidado com o broto torna-se intenso, árduo, difícil. [121c] Parece ser assim também com os seres humanos, e é com base na minha própria situação que firmo um juízo sobre os demais. Pois o "plantio" ou engendramento — como se queira chamar — deste meu filho aqui (*aponta para Teages*) foi a coisa mais fácil de todas, mas sua criação tem sido difícil para mim, sempre temendo e alarmado por ele.

Várias outras coisas poderiam ser ditas, mas atualmente um desejo presente nele me deixa muito alarmado, pois, embora não seja ignóbil, é perigoso: veja só, Sócrates, ele deseja, conforme diz, [121d] se tornar sábio! Suponho que alguns da idade dele, lá do nosso demo,[4] fiquem vindo para a cidade e o perturbando com os relatos de certos raciocínios. Sentindo inveja deles, há muito me importuna, achando justo que eu milite por ele e gaste dinheiro com algum sofista

---

[3] Indicação de que Demódoco vivia na zona rural de Atenas. Seu nome é mencionado na *Apologia de Sócrates* (33e), junto com os dos filhos Parálio e Teages, este já falecido à época do julgamento de Sócrates. O diálogo dá a entender que Sócrates e Demódoco já se conheciam, embora só agora Teages fosse introduzido ao amigo do pai. Na *República*, Sócrates diz, numa referência isolada ao jovem, que Teages acabou por se dedicar à filosofia, e não à política, por causa de sua saúde debilitada (496b-c).

[4] Os demos eram os povoados ou distritos em que se dividia Atenas. O de Demódoco era o de Anagirunte, como Sócrates dirá mais à frente (127e). Note-se que a ideia de "povo" ou "povoado" entra na composição do nome próprio *Demó-dokos*.

σοφιστῶν, ὅστις αὐτὸν σοφὸν ποιήσει. ἐμοὶ δὲ τῶν μὲν χρημάτων καὶ ἔλαττον [122a] μέλει, ἡγοῦμαι δὲ τοῦτον οὐκ εἰς μικρὸν κίνδυνον ἰέναι οἷ σπεύδει.

τέως μὲν οὖν αὐτὸν κατεῖχον παραμυθούμενος· ἐπειδὴ δὲ οὐκέτι οἷός τέ εἰμι, ἡγοῦμαι κράτιστον εἶναι πείθεσθαι αὐτῷ, ἵνα μὴ πολλάκις ἄνευ ἐμοῦ συγγενόμενός τῳ διαφθαρῇ. νῦν οὖν ἥκω ἐπ᾽ αὐτὰ ταῦτα, ἵνα τῳ τούτων τῶν σοφιστῶν δοκούντων εἶναι συστήσω τουτονί. σὺ οὖν ἡμῖν εἰς καλὸν παρεφάνης, ᾧ ἂν ἐγὼ μάλιστα ἐβουλόμην περὶ τῶν τοιούτων μέλλων πράξειν συμβουλεύσασθαι. ἀλλ᾽ εἴ τι ἔχεις συμβουλεύειν ἐξ ὧν ἐμοῦ ἀκήκοας, ἔξεστί τε [122b] καὶ χρή.

ΣΩΚΡΑΤΗΣ

ἀλλὰ μὲν δή, ὦ Δημόδοκε, καὶ λέγεταί γε συμβουλὴ ἱερὸν χρῆμα εἶναι. εἴπερ οὖν καὶ ἄλλη ἡτισοῦν ἐστιν ἱερά, καὶ αὕτη ἂν εἴη περὶ ἧς σὺ νῦν συμβουλεύῃ· οὐ γὰρ ἔστι περὶ ὅτου θειοτέρου ἂν ἄνθρωπος βουλεύσαιτο ἢ περὶ

que o torne sábio.[5] Mas é menos com o dinheiro que estou me importando: [122a] considero sim que, aonde quer se lançar, vai se deparar com um risco nada pequeno...

Durante um tempo o detive com meus conselhos, mas já que não posso mais, considero que o melhor é ceder, para não acontecer de no futuro — entrando, longe de mim, em contato com um qualquer — vir a ser corrompido.[6] Eis que venho agora então por tal motivo, para juntar este aqui (*aponta para Teages*) com algum desses que são reputados sofistas.[7] E que beleza ter aparecido para nós justo você, com quem eu mais gostaria de me aconselhar acerca do tipo de coisa que estou prestes a fazer. Vamos, se tem algum conselho a dar com base no que ouviu de mim, você não só pode [122b] como deve falar!

SÓCRATES

Na realidade, Demódoco, o que se diz por aí é que conselho é coisa sagrada...[8] E se existe um sagrado seria esse com o qual você se vê às voltas, uma vez que não há assunto mais divino para a deliberação humana do que a instrução

---

[5] Em grego, rigorosamente, *sophistés*, "sofista", significa "sabedor" e é equivalente a *sophós*, "sábio" (ver nota 7 abaixo). O verbo *epimeloûmai*, que traduzo por "militar", indicaria uma preocupação cívica, e foi objeto de um trocadilho de Sócrates com o nome do seu principal acusador, Meleto (ver o *Eutífron*, 3a, e a *Apologia de Sócrates*, 24c). Sobre a "militância" (*epiméleia*), ver ainda os *Dois Homens Apaixonados* (136a) e o *Clitofonte* (407e e nota 6).

[6] Mesmo verbo (*diaphtheíro*) presente na acusação contra Sócrates citada na *Apologia de Sócrates*, de "corromper" os jovens (24b-c), e que reaparece mais à frente (127c).

[7] Explicitação de que em grego *sophistés*, em sua acepção neutra, é o mesmo que "sábio" ou "sabedor".

[8] O aconselhamento é o tema central da obra *Demódoco*, em sua maior parte um monólogo de Sócrates dirigido ao mesmo Demódoco presente aqui no *Teages*. Sobre a autenticidade dessa obra, ver "Posfácio".

παιδείας καὶ αὐτοῦ καὶ τῶν αὐτοῦ οἰκείων. [122c] πρῶτον μὲν οὖν ἐγώ τε καὶ σὺ συνομολογήσωμεν τί ποτε οἰόμεθα τοῦτο εἶναι περὶ οὗ βουλευόμεθα· μὴ γὰρ πολλάκις ἐγὼ μὲν ἄλλο τι αὐτὸ ὑπολαμβάνω, σὺ δὲ ἄλλο, κἄπειτα πόρρω που τῆς συνουσίας αἰσθώμεθα γελοῖοι ὄντες, ἐγώ τε ὁ συμβουλεύων καὶ σὺ ὁ συμβουλευόμενος, μηδὲν τῶν αὐτῶν ἡγούμενοι.

ΔΗΜΟΔΟΚΟΣ

ἀλλά μοι δοκεῖς ὀρθῶς λέγειν, ὦ Σώκρατες, καὶ ποιεῖν χρὴ οὕτω.

ΣΩΚΡΑΤΗΣ

καὶ λέγω γε ὀρθῶς, οὐ μέντοι παντάπασί γε· σμικρὸν γάρ τι μετατίθεμαι. ἐννοῶ γὰρ μὴ καὶ ὁ μειρακίσκος οὗτος οὐ τούτου ἐπιθυμεῖ οὗ ἡμεῖς αὐτὸν οἰόμεθα [122d] ἐπιθυμεῖν ἀλλ᾽ ἑτέρου, εἶτ᾽ αὖ ἡμεῖς ἔτι ἀτοπώτεροι ὦμεν περὶ ἄλλου του βουλευόμενοι. ὀρθότατον οὖν μοι δοκεῖ εἶναι ἀπ᾽ αὐτοῦ τούτου ἄρχεσθαι, διαπυνθανομένους ὅ τι καὶ ἔστιν οὗ ἐπιθυμεῖ.

ΔΗΜΟΔΟΚΟΣ

κινδυνεύει γοῦν οὕτω βέλτιστον εἶναι ὡς σὺ λέγεις.

— tanto a própria quanto a dos familiares.[9] [122c] Mas primeiramente admitamos em conjunto, eu e você, o que nós achamos que é essa coisa sobre a qual deliberamos, para não acontecer de eu postular que é uma e você que é outra, e então, já avançados no convívio,[10] nós nos sentirmos ridículos — tanto eu que aconselho quanto você que é aconselhado — por não estarmos considerando nada da mesma maneira.

DEMÓDOCO

Suponho que você fala corretamente, Sócrates, e que devemos fazer assim!

SÓCRATES

Falo sim corretamente, mas não por inteiro. Proponho uma pequena mudança, pois noto que este adolescentezinho talvez não deseje precisamente isso que achamos [122d] que ele deseja, mas uma outra coisa, e nesse caso então estaremos deliberando de modo ainda mais descabido sobre algo diferente. Suponho que o mais correto seja começarmos por ele próprio, perguntando o que é precisamente isso que deseja.

DEMÓDOCO

Corre-se mesmo o risco de ser melhor assim como você está dizendo.

---

9 "Instrução" é como traduzo o grego *paideía*; a ideia continua a aparecer no diálogo, e também nos *Dois Homens Apaixonados* (135d) e no *Clitofonte* (407c-d).

10 "Convívio" é como traduzo *sunousía*, que tem também o sentido de "relação entre discípulo e mestre" e é importante no vocabulário filosófico, razão pela qual reaparece várias vezes neste diálogo (ver, a esse respeito, seu uso na abertura do *Clitofonte* e nota 2).

ΣΩΚΡΑΤΗΣ

εἰπὲ δή μοι, τί καλὸν ὄνομα τῷ νεανίσκῳ; τί αὐτὸν προσαγορεύωμεν;

ΔΗΜΟΔΟΚΟΣ

Θεάγης ὄνομα τούτῳ, ὦ Σώκρατες.

ΣΩΚΡΑΤΗΣ

καλόν γε, ὦ Δημόδοκε, τῷ ὑεῖ τὸ ὄνομα ἔθου καὶ [122e] ἱεροπρεπές. εἰπὲ δὴ ἡμῖν, ὦ Θέαγες, ἐπιθυμεῖν φῂς σοφὸς γενέσθαι, καὶ ἀξιοῖς σου τὸν πατέρα τόνδε ἐξευρεῖν ἀνδρός τινος συνουσίαν τοιούτου ὅστις σε σοφὸν ποιήσει;

ΘΕΑΓΗΣ

ναί.

ΣΩΚΡΑΤΗΣ

σοφοὺς δὲ καλεῖς πότερον τοὺς ἐπιστήμονας, περὶ ὅτου ἂν ἐπιστήμονες ὦσιν, ἢ τοὺς μή;

ΘΕΑΓΗΣ

τοὺς ἐπιστήμονας ἔγωγε.

ΣΩΚΡΑΤΗΣ

τί οὖν; οὐκ ἐδιδάξατό σε ὁ πατὴρ καὶ ἐπαίδευσεν ἅπερ ἐνθάδε οἱ ἄλλοι πεπαίδευνται, οἱ τῶν καλῶν κἀγαθῶν πατέρων ὑεῖς, οἷον γράμματά τε καὶ κιθαρίζειν καὶ παλαίειν καὶ τὴν ἄλλην ἀγωνίαν;

SÓCRATES

Me fale então: que belo nome tem o rapazinho? Como devemos chamá-lo?

DEMÓDOCO

Teages é o nome dele, Sócrates.

SÓCRATES

Que belo nome, Demódoco, você pôs no seu filho [122e] — e que se ajusta bem ao sagrado![11] Nos fale então, Teages: você diz que deseja se tornar sábio e acha justo que este seu pai aqui encontre um convívio com um homem desse tipo, que o torne sábio?

TEAGES

Sim.

SÓCRATES

E você chama de sábios os conhecedores — sejam eles conhecedores do que for — ou os não conhecedores?

TEAGES

Chamo os conhecedores!

SÓCRATES

Mas então, seu pai não o ensinou e instruiu naquilo em que todos os demais aqui foram instruídos — os que são filhos de pais belos e bons —,[12] isto é, na escrita, em tocar cítara, em lutar e participar das demais disputas?

---

[11] *Theáges*, em grego, poderia ser entendido como "o que é conduzido pelo deus" ou "o que reverencia o deus".

[12] "Belo e bom" (*kalòs kagathós*) era expressão tradicional para designar um caráter superior. Ela reaparece duas vezes mais à frente (127a).

ΘΕΑΓΗΣ

ἐμέ γε.

ΣΩΚΡΑΤΗΣ [123a]

ἔτι οὖν οἴει τινὸς ἐπιστήμης ἐλλείπειν, ἧς προσήκει ὑπὲρ σοῦ τὸν πατέρα ἐπιμεληθῆναι;

ΘΕΑΓΗΣ

ἔγωγε.

ΣΩΚΡΑΤΗΣ

τίς ἐστιν αὕτη; εἰπὲ καὶ ἡμῖν, ἵνα σοι χαρισώμεθα.

ΘΕΑΓΗΣ

οἶδεν καὶ οὗτος, ὦ Σώκρατες· ἐπεὶ πολλάκις ἐγὼ αὐτῷ εἴρηκα· ἀλλὰ ταῦτα ἐξεπίτηδες πρὸς σὲ λέγει, ὡς δὴ οὐκ εἰδὼς οὗ ἐγὼ ἐπιθυμῶ· τοιαῦτα γὰρ ἕτερα καὶ πρὸς ἐμὲ μάχεταί τε καὶ οὐκ ἐθέλει με οὐδενὶ συστῆσαι.

ΣΩΚΡΑΤΗΣ

ἀλλὰ τὰ μὲν ἔμπροσθέν σοι ἦν πρὸς τοῦτον ῥηθέντα [123b] ὥσπερ ἄνευ μαρτύρων λεγόμενα· νυνὶ δὲ ἐμὲ ποίησαι μάρτυρα, καὶ ἐναντίον ἐμοῦ κάτειπε τίς ἐστιν αὕτη ἡ σοφία ἧς ἐπιθυμεῖς. φέρε γάρ, εἰ ἐπεθύμεις ταύτης ᾗ οἱ ἄνθρωποι τὰ πλοῖα κυβερνῶσιν, καὶ ἐγώ σε ἐτύγχανον ἀνερωτῶν· "ὦ Θέαγες, τίνος ἐνδεὴς ὢν σοφίας μέμφῃ τῷ πατρὶ ὅτι οὐκ ἐθέλει σε συνιστάναι παρ᾽ ὧν ἂν σὺ σοφὸς γένοιο;" τί ἄν μοι ἀπεκρίνω; τίνα αὐτὴν εἶναι; ἆρα οὐ κυβερνητικήν;

TEAGES

A mim sim!

SÓCRATES [123a]

E você ainda acha que alguma área do conhecimento ficou de fora, em relação à qual cabe a seu pai militar por você?

TEAGES

Sim!

SÓCRATES

Que área é essa? Nos fale também, para que possamos torná-lo grato.

TEAGES

Ele já sabe, Sócrates, porque eu já lhe disse várias vezes. Mas fala essas coisas para você de caso pensado, para parecer que não sabe o que desejo. Briga também comigo por outras coisas do tipo e não quer que eu me junte a ninguém.

SÓCRATES

Mas o que você disse a ele antes foi falado [123b] como que sem a presença de testemunhas. Agora, porém, faça de mim sua testemunha e declare, perante mim, qual é essa sabedoria que você deseja.[13] Vamos: pense que você deseja essa pela qual os seres humanos pilotam as embarcações, e eu calhasse de lhe perguntar: "Teages, de que sabedoria você sente falta, quando censura seu pai por não querer juntá-lo àquelas pessoas junto às quais você poderia se tornar sábio?". O que você teria me respondido? Que ela é qual? Será que não é a arte da pilotagem?

---

[13] Sócrates brinca aqui e mais à frente com o vocabulário jurídico que era característico da Atenas clássica.

ΘΕΑΓΗΣ

ναί.

ΣΩΚΡΑΤΗΣ [123c]

εἰ δὲ ἐπιθυμῶν ταύτην τὴν σοφίαν εἶναι σοφὸς ᾗ τὰ ἅρματα κυβερνῶσιν εἶτ᾽ ἐμέμφου τῷ πατρί, ἐμοῦ αὖ ἐρωτῶντος τίς ἐστιν αὕτη ἡ σοφία, τίνα ἂν ἀπεκρίνω αὐτὴν εἶναι; ἆρ᾽ οὐχὶ ἡνιοχικήν;

ΘΕΑΓΗΣ

ναί.

ΣΩΚΡΑΤΗΣ

ἧς δὲ δὴ νῦν τυγχάνεις ἐπιθυμῶν, πότερον ἀνώνυμός τίς ἐστιν ἢ ἔχει ὄνομα;

ΘΕΑΓΗΣ

οἶμαι ἔγωγε ἔχειν.

ΣΩΚΡΑΤΗΣ

πότερον οὖν αὐτὴν μὲν οἶσθα, οὐ μέντοι τό γε ὄνομα, ἢ καὶ τὸ ὄνομα;

ΘΕΑΓΗΣ

καὶ τὸ ὄνομα ἔγωγε.

ΣΩΚΡΑΤΗΣ

τί οὖν ἔστιν; εἰπέ.

ΘΕΑΓΗΣ [123d]

τί δὲ ἄλλο, ὦ Σώκρατες, αὐτῇ ὄνομά τις φαίη ἂν εἶναι ἀλλ᾽ ἢ σοφίαν;

ΣΩΚΡΑΤΗΣ

οὐκοῦν καὶ ἡ ἡνιοχεία σοφία ἐστίν; ἢ ἀμαθία δοκεῖ σοι εἶναι;

TEAGES

Sim.

SÓCRATES [123c]

Pense agora que, desejando ser sábio nessa sabedoria pela qual pilotam carros, você censurasse seu pai, e eu então perguntasse qual é essa sabedoria: você teria me respondido que ela é qual? Será que não é a arte da condução de carros?

TEAGES

Sim.

SÓCRATES

E essa agora que você calha de desejar: é uma sem nome ou com nome?

TEAGES

Acho que com!

SÓCRATES

E você sabe qual é, mas não o nome dela, ou inclusive o nome?

TEAGES

Inclusive o nome!

SÓCRATES

E qual é? Fale.

TEAGES [123d]

Que outro nome, Sócrates, diríamos ser o dela senão... sabedoria?

SÓCRATES

Ora, a condução de carros também não é uma sabedoria? Ou você supõe que seja uma falta de estudo?

ΘΕΑΓΗΣ
οὐκ ἔμοιγε.

ΣΩΚΡΑΤΗΣ
ἀλλὰ σοφία;

ΘΕΑΓΗΣ
ναί.

ΣΩΚΡΑΤΗΣ
ἦ τί χρώμεθα; οὐχ ᾗ ἵππων ἐπιστάμεθα ζεύγους ἄρχειν;

ΘΕΑΓΗΣ
ναί.

ΣΩΚΡΑΤΗΣ
οὐκοῦν καὶ ἡ κυβερνητικὴ σοφία ἐστίν;

ΘΕΑΓΗΣ
ἔμοιγε δοκεῖ.

ΣΩΚΡΑΤΗΣ
ἆρ᾽ οὐχ αὕτη ᾗ πλοίων ἐπιστάμεθα ἄρχειν;

ΘΕΑΓΗΣ
αὕτη μὲν οὖν.

TEAGES

Eu não!

SÓCRATES

E sim uma sabedoria?

TEAGES

Sim.

SÓCRATES

Que usamos para quê? Não é essa pela qual conhecemos como governar uma parelha de cavalos?[14]

TEAGES

Sim.

SÓCRATES

Ora, a arte da pilotagem também não é uma sabedoria?

TEAGES

Suponho que sim!

SÓCRATES

Será que não é a arte pela qual conhecemos como governar as embarcações?

TEAGES

Sim, é.

---

[14] A partir daqui Sócrates passa a usar o verbo *árkhein*, "conduzir", "governar", que em grego permite uma transição mais natural para a discussão política que vem na sequência, dentro do procedimento característico da analogia com as mais diversas "artes" (isto é, "atividades" ou "ofícios"). Veja seu uso também no *Clitofonte* (407e) na relação entre corpo e alma.

ΣΩΚΡΑΤΗΣ

ἧς δὲ δὴ σὺ ἐπιθυμεῖς ἡ σοφία τίς ἐστιν; ἧ τίνος [123e] ἐπιστάμεθα ἄρχειν;

ΘΕΑΓΗΣ

ἐμοὶ μὲν δοκεῖ, ἧ τῶν ἀνθρώπων.

ΣΩΚΡΑΤΗΣ

μῶν ἧ τῶν καμνόντων;

ΘΕΑΓΗΣ

οὐ δῆτα.

ΣΩΚΡΑΤΗΣ

ἰατρικὴ γὰρ αὕτη ἐστίν· ἦ γάρ;

ΘΕΑΓΗΣ

ναί.

ΣΩΚΡΑΤΗΣ

ἀλλ᾽ ἧ τῶν ᾀδόντων ἐπιστάμεθα ἐν τοῖς χοροῖς ἄρχειν;

ΘΕΑΓΗΣ

οὔ.

ΣΩΚΡΑΤΗΣ

μουσικὴ γὰρ αὕτη γε;

ΘΕΑΓΗΣ

πάνυ γε.

ΣΩΚΡΑΤΗΣ

ἀλλ᾽ ἧ τῶν γυμναζομένων ἐπιστάμεθα ἄρχειν;

SÓCRATES

E essa que você deseja: que sabedoria é? [123e] Pela qual conhecemos como governar quem?

TEAGES

Suponho que pela qual os seres humanos...

SÓCRATES

Não me diga que essa pela qual os enfermos...

TEAGES

Não!

SÓCRATES

Pois essa é a arte da medicina, não?

TEAGES

Sim.

SÓCRATES

Mas é essa pela qual conhecemos como governar os coreutas no coro?

TEAGES

Não.

SÓCRATES

Pois essa é a arte das Musas?

TEAGES

Com certeza.

SÓCRATES

Mas é essa pela qual conhecemos como governar os ginastas?

ΘΕΑΓΗΣ
οὔ.

ΣΩΚΡΑΤΗΣ
γυμναστικὴ γὰρ αὕτη γε;

ΘΕΑΓΗΣ
ναί.

ΣΩΚΡΑΤΗΣ
ἀλλ᾽ ᾗ τῶν τί ποιούντων; προθυμοῦ εἰπεῖν ὥσπερ ἐγὼ σοὶ τὰ ἔμπροσθεν.

ΘΕΑΓΗΣ [124a]
ᾗ τῶν ἐν τῇ πόλει, ἔμοιγε δοκεῖ.

ΣΩΚΡΑΤΗΣ
οὐκοῦν ἐν τῇ πόλει εἰσὶν καὶ οἱ κάμνοντες;

ΘΕΑΓΗΣ
ναί, ἀλλ᾽ οὐ τούτων λέγω μόνον, ἀλλὰ καὶ τῶν ἄλλων τῶν ἐν τῇ πόλει.

ΣΩΚΡΑΤΗΣ
ἆρά γε μανθάνω ἣν λέγεις τέχνην; δοκεῖς γάρ μοι λέγειν οὐχ ᾗ τῶν θεριζόντων ἐπιστάμεθα ἄρχειν καὶ τρυγώντων καὶ τῶν φυτευόντων καὶ σπειρόντων καὶ ἀλοώντων· αὕτη μὲν γὰρ γεωργική, ᾗ τούτων ἄρχομεν. ἦ γάρ;

TEAGES

Não.

SÓCRATES

Pois essa é a arte da ginástica?

TEAGES

Sim.

SÓCRATES

Mas é essa pela qual conhecemos como governar os que fazem o quê? Fale com desejo,[15] assim como eu fiz por você anteriormente.

TEAGES [124a]

Pela qual os que estão na cidade, eu suponho.

SÓCRATES

Ora, na cidade não estão também os enfermos?

TEAGES

Sim, mas não falo apenas deles, mas de todos os outros também que estão na cidade.

SÓCRATES

Será que estou entendendo de que arte você está falando? Suponho que você não esteja falando dessa pela qual conhecemos como governar os ceifeiros e colheiteiros, e os plantadores, semeadores e debulhadores: porque essa pela qual os governamos é a arte do cultivo da terra, não?

---

[15] "Fale com desejo" (*prothumoû eipeîn*) parece jogar com a discussão central no diálogo sobre o "desejo" de Teages (*epithumía*, ideia apresentada pela primeira vez em 121c).

ΘΕΑΓΗΣ
ναί.

ΣΩΚΡΑΤΗΣ [124b]
οὐδέ γε οἶμαι ᾗ τῶν πριζόντων καὶ τρυπώντων καὶ ξεόντων καὶ τορνευόντων συμπάντων ἐπιστάμεθα ἄρχειν, οὐ ταύτην λέγεις· αὕτη μὲν γὰρ οὐ τεκτονική;

ΘΕΑΓΗΣ
ναί.

ΣΩΚΡΑΤΗΣ
ἀλλ' ἴσως ᾗ τούτων τε πάντων καὶ αὐτῶν τῶν γεωργῶν καὶ τῶν τεκτόνων καὶ τῶν δημιουργῶν ἁπάντων καὶ τῶν ἰδιωτῶν καὶ τῶν γυναικῶν καὶ ἀνδρῶν, ταύτην ἴσως λέγεις τὴν σοφίαν.

ΘΕΑΓΗΣ
ταύτην πάλαι, ὦ Σώκρατες, βούλομαι λέγειν.

ΣΩΚΡΑΤΗΣ [124c]
ἔχεις οὖν εἰπεῖν, Αἴγισθος ὁ Ἀγαμέμνονα ἀποκτείνας ἐν Ἄργει ἆρα τούτων ἦρχεν ὧν σὺ λέγεις, τῶν τε δημιουργῶν καὶ ἰδιωτῶν καὶ ἀνδρῶν καὶ γυναικῶν συμπάντων, ἢ ἄλλων τινῶν;

ΘΕΑΓΗΣ
οὔκ, ἀλλὰ τούτων.

TEAGES

Sim.

SÓCRATES [124b]

Tampouco, acho eu, dessa pela qual conhecemos como governar, em sua totalidade, os serradores, broqueiros, aplainadores e torneiros — não é dessa que você está falando, pois essa não é a arte da construção?

TEAGES

Sim.

SÓCRATES

Mas talvez pela qual sabemos governar não só todos esses, mas também os próprios cultivadores da terra e construtores, e todos os trabalhadores e pessoas comuns, mulheres e homens — talvez você esteja falando dessa sabedoria?

TEAGES

É dessa, Sócrates, que há muito quero falar!

SÓCRATES [124c]

Então você pode me dizer se Egisto, o assassino de Agamêmnon, governava em Argos[16] todas essas pessoas das quais você está falando — os trabalhadores e as pessoas comuns, homens e mulheres —, ou outras?

TEAGES

Não, essas.

---

[16] Sócrates começa aqui a listar governantes que tendemos a dividir entre míticos e históricos. Egisto seria uma figura lendária: o amante de Clitemnestra que matou, junto com ela, o rei Agamêmnon quando este voltou da Guerra de Troia (ver o *Alcibíades Segundo*, nota 23). Argos situava-se no Peloponeso.

ΣΩΚΡΑΤΗΣ

τί δὲ δή; Πηλεὺς ὁ Αἰακοῦ ἐν Φθίᾳ οὐ τῶν αὐτῶν τούτων ἦρχεν;

ΘΕΑΓΗΣ

ναί.

ΣΩΚΡΑΤΗΣ

Περίανδρον δὲ τὸν Κυψέλου ἄρχοντα ἐν Κορίνθῳ ἤδη ἀκήκοας γενέσθαι;

ΘΕΑΓΗΣ

ἔγωγε.

ΣΩΚΡΑΤΗΣ

οὐ τῶν αὐτῶν τούτων ἄρχοντα ἐν τῇ αὑτοῦ πόλει;

ΘΕΑΓΗΣ [124d]

ναί.

ΣΩΚΡΑΤΗΣ

τί δὲ; Ἀρχέλαον τὸν Περδίκκου, τὸν νεωστὶ τοῦτον ἄρχοντα ἐν Μακεδονίᾳ, οὐ τῶν αὐτῶν ἡγῇ τούτων ἄρχειν;

SÓCRATES

Mas então, e Peleu, filho de Éaco,[17] não governava essas mesmas pessoas na Ftia?

TEAGES

Sim.

SÓCRATES

E Periandro, filho de Cípselo, você já ouviu falar que ele foi governante em Corinto?[18]

TEAGES

Sim!

SÓCRATES

Não foi governante dessas mesmas pessoas na cidade dele?

TEAGES [124d]

Sim.

SÓCRATES

Mas então, e Arquelau,[19] filho de Pérdicas, que era governante até pouco tempo atrás na Macedônia, você não considera que ele governava essas mesmas pessoas?

---

[17] Peleu uniu-se à deusa Tétis e teve como filho único Aquiles. A Ftia ficava no norte da Grécia.

[18] Periandro foi tirano de Corinto no século VI a.C. e figurava como um dos Sete Sábios. Corinto ficava na ponta do istmo que liga a Grécia continental à península do Peloponeso.

[19] Rei da Macedônia, ao norte da Grécia, entre 413 e 399 a.C. (ver o *Alcibíades Segundo*, nota 15).

ΘΕΑΓΗΣ

ἔγωγε.

ΣΩΚΡΑΤΗΣ

Ἱππίαν δὲ τὸν Πεισιστράτου ἐν τῇδε τῇ πόλει ἄρξαντα τίνων οἴει ἄρξαι; οὐ τούτων;

ΘΕΑΓΗΣ

πῶς γὰρ οὔ;

ΣΩΚΡΑΤΗΣ

εἴποις ἂν οὖν μοι τίνα ἐπωνυμίαν ἔχει Βάκις τε καὶ Σίβυλλα καὶ ὁ ἡμεδαπὸς Ἀμφίλυτος;

ΘΕΑΓΗΣ

τίνα γὰρ ἄλλην, ὦ Σώκρατες, πλήν γε χρησμῳδοί;

ΣΩΚΡΑΤΗΣ [124e]

ὀρθῶς λέγεις. ἀλλὰ καὶ τούσδε μοι οὕτω πειρῶ ἀποκρίνασθαι, τίν᾽ ἐπωνυμίαν ἔχει Ἱππίας καὶ Περίανδρος διὰ τὴν αὐτὴν ἀρχήν;

TEAGES

Sim!

SÓCRATES

E Hípias, filho de Pisístrato,[20] que governou nesta cidade — você acha que ele governava que pessoas? Não eram essas?

TEAGES

Claro que sim.

SÓCRATES

Você poderia agora me dizer que denominação recebem Bácis, Sibila e o nosso conterrâneo Anfílito?[21]

TEAGES

Que outra seria, Sócrates, senão a de "intérpretes de oráculos"?

SÓCRATES [124e]

Você fala corretamente! Mas também em relação àqueles outros tente me responder assim. Que denominação recebem Hípias e Periandro por causa do mesmo governo?

---

[20] Pisístrato, tirano de Atenas morto em 527 a.C. Em uma das versões, foi sucedido pelo filho Hiparco, que, depois de assassinado por Harmódio e Aristogíton, em 514 a.C., deixou o poder para o irmão, Hípias; esse é o relato apresentado por Sócrates a um interlocutor anônimo no diálogo *Hiparco* (228b-229d), onde o líder é retratado como sábio e patrono das artes (embora os tiranicidas Harmódio e Aristogíton fossem cultuados como heróis na Atenas clássica). Na outra versão, que parece ser a adotada aqui, Hípias assumiu o poder após a morte do pai; foi deposto em 510 a.C.

[21] Sibila era o nome de uma profetisa da Magna Grécia (sul da Itália); Bácis, um profeta da Beócia; e Anfílito, da própria Atenas.

ΘΕΑΓΗΣ

οἶμαι μὲν τύραννοι· τί γὰρ ἄλλο;

ΣΩΚΡΑΤΗΣ

οὐκοῦν ὅστις ἐπιθυμεῖ τῶν ἀνθρώπων τῶν ἐν τῇ πόλει συμπάντων ἄρχειν, τῆς αὐτῆς ἀρχῆς τούτοις ἐπιθυμεῖ, τυραννικῆς, καὶ τύραννος εἶναι;

ΘΕΑΓΗΣ

φαίνεται.

ΣΩΚΡΑΤΗΣ

οὐκοῦν ταύτης ἐπιθυμεῖν σὺ φῄς;

ΘΕΑΓΗΣ

ἔοικέν γε ἐξ ὧν ἐγὼ εἶπον.

ΣΩΚΡΑΤΗΣ

ὢ μιαρέ, τυραννεῖν ἄρα ἡμῶν ἐπιθυμῶν πάλαι [125a] ἐμέμφου τῷ πατρὶ ὅτι σε οὐκ ἔπεμπεν εἰς διδασκάλου τυραννοδιδασκάλου τινός; καὶ σύ, ὦ Δημόδοκε, οὐκ αἰσχύνῃ πάλαι εἰδὼς οὗ ἐπιθυμεῖ οὗτος, καὶ ἔχων ὅθι πέμψας αὐτὸν δημιουργὸν ἂν ἐποίησας τῆς σοφίας ἧς ἐπιθυμεῖ, ἔπειτα φθονεῖς τε αὐτῷ καὶ οὐκ ἐθέλεις πέμπειν; ἀλλὰ νῦν ὁρᾷς; ἐπειδὴ

TEAGES

Acho que a de "tiranos".[22] Que outra seria?

SÓCRATES

Ora, aquele que deseja governar em sua totalidade os seres humanos na cidade — esse não deseja o mesmo governo que aqueles, o tirânico, e ser um tirano?

TEAGES

Parece que sim.

SÓCRATES

Ora, não é isso que você diz desejar?

TEAGES

É o que parece, a partir das coisas que eu falei...

SÓCRATES

Homem impuro![23] Então era desejando ser nosso tirano [125a] que há tempos você censurava seu pai, por não o ter mandado para a escola de um professor de tirania...? (*Voltando-se para Demódoco*) E você, Demódoco, não sente vergonha de há tempos saber o que este deseja e de, mesmo tendo podido mandá-lo para o lugar onde o teria tornado um trabalhador dessa sabedoria que ele deseja, ter negado isso a ele e se recusado a mandá-lo? Agora, você vê?, já que

---

[22] Em grego antigo, *túrannos* podia ter um sentido neutro, sendo aplicável a qualquer governante autocrático, não necessariamente despótico (uma figura como Periandro podia ser incluída no rol dos sábios), mas na Atenas democrática o termo tinha uma acepção negativa, que vai ser explorada na sequência (ver nota 18 e os *Dois Homens Apaixonados*, 138b-c, mais o *Alcibíades Segundo*, 141a-b).

[23] O vocativo "homem impuro" contrasta aqui, propositadamente, com a presença do sagrado no nome de Teages, notada anteriormente por Sócrates (em 122e).

ἐναντίον ἐμοῦ κατείρηκέ σου, κοινῇ βουλευώμεθα ἐγώ τε καὶ σὺ ἐς τίνος ἂν αὐτὸν πέμποιμεν καὶ διὰ τὴν τίνος συνουσίαν σοφὸς ἂν γένοιτο τύραννος;

ΔΗΜΟΔΟΚΟΣ [125b]

ναὶ μὰ Δία, ὦ Σώκρατες, βουλευώμεθα δῆτα, ὡς δοκεῖ γέ μοι βουλῆς δεῖν περὶ τούτου οὐ φαύλης.

ΣΩΚΡΑΤΗΣ

ἔασον, ὠγαθέ. διαπυθώμεθα αὐτοῦ πρῶτον ἱκανῶς.

ΔΗΜΟΔΟΚΟΣ

πυνθάνου δή.

ΣΩΚΡΑΤΗΣ

τί οὖν ἂν εἰ Εὐριπίδῃ τι προσχρησαίμεθα, ὦ Θέαγες; Εὐριπίδης γάρ πού φησιν — "σοφοὶ τύραννοι τῶν σοφῶν συνουσίᾳ"· εἰ οὖν ἔροιτό τις τὸν Εὐριπίδην· "ὦ Εὐριπίδη, τῶν τί [125c] σοφῶν συνουσίᾳ φῂς σοφοὺς εἶναι τοὺς τυράννους;" ὥσπερ ἂν εἰ εἰπόντα — "σοφοὶ γεωργοὶ τῶν σοφῶν συνουσίᾳ", ἠρόμεθα "τῶν τί σοφῶν;" τί ἂν ἡμῖν ἀπεκρίνατο; ἆρ' ἂν ἄλλο τι ἢ τῶν τὰ γεωργικά;

ΘΕΑΓΗΣ

οὔκ, ἀλλὰ τοῦτο.

ele fez, perante mim, a acusação contra você, vamos deliberar em conjunto, eu e você, para onde poderíamos mandá-lo, e através do convívio com quem poderia se tornar um sábio tirano?

DEMÓDOCO [125b]

Sim, por Zeus, Sócrates, vamos deliberar! Suponho que não é medíocre a deliberação necessária a esse respeito.

SÓCRATES

Daqui a pouco, bom homem! Primeiro vamos interrogá-lo o suficiente.

DEMÓDOCO

Interrogue-o então!

SÓCRATES (*voltando-se para Teages*)

Mas então, Teages, e se consultássemos também Eurípides? Pois decerto é Eurípides que diz: "Sábios os tiranos, pelo convívio com os sábios".[24] Pois bem, e se alguém perguntasse a Eurípides: "Eurípides, você diz [125c] que os tiranos são sábios pelo convívio com os sábios em quê?". Por exemplo, se ele tivesse dito, "Sábios os que cultivam a terra, pelo convívio com os sábios", e tivéssemos perguntado, "com os sábios em quê?", o que ele nos teria respondido? Será que alguma outra coisa senão "no cultivo da terra"?

TEAGES

Não, apenas essa.

---

[24] Verso de uma peça perdida, citado também na *República* (568a-b). Eurípides viveu entre 480 e 406 a.C. e vem tradicionalmente associado a Sócrates e aos sofistas.

ΣΩΚΡΑΤΗΣ

τί δὲ; εἰ εἶπε — "σοφοὶ μάγειροι τῶν σοφῶν συνουσίᾳ", εἰ ἠρόμεθα· "τῶν τί σοφῶν;" τί ἂν ἡμῖν ἀπεκρίνατο; οὐχ ὅτι τῶν μαγείρων;

ΘΕΑΓΗΣ

ναί.

ΣΩΚΡΑΤΗΣ

τί δ' εἰ — "σοφοὶ παλαισταὶ τῶν σοφῶν συνουσίᾳ" εἶπεν, εἰ ἠρόμεθα· "τῶν τί σοφῶν;" ἆρα οὐκ ἂν τῶν [125d] παλαίειν ἔφη;

ΘΕΑΓΗΣ

ναί.

ΣΩΚΡΑΤΗΣ

ἐπειδὴ δὲ εἶπε — "σοφοὶ τύραννοι τῶν σοφῶν συνουσίᾳ", ἡμῶν ἐρωτώντων· "τῶν τί σοφῶν λέγεις, ὦ Εὐριπίδη;" τί ἂν φαίη; ποῖα ἂν εἶναι ταῦτα;

ΘΕΑΓΗΣ

ἀλλὰ μὰ Δί' οὐκ οἶδ' ἔγωγε.

ΣΩΚΡΑΤΗΣ

ἀλλὰ βούλει ἐγώ σοι εἴπω;

ΘΕΑΓΗΣ

εἰ σὺ βούλει.

SÓCRATES

Mas então, e se tivesse dito, "Sábios os cozinheiros, pelo convívio com os sábios", e tivéssemos perguntado, "com os sábios em quê?", o que ele nos teria respondido? Não seria "na cozinha"?

TEAGES

Sim.

SÓCRATES

Mas e se tivesse dito, "Sábios os lutadores, pelo convívio com os sábios", e tivéssemos perguntado, "com os sábios em quê?", será que ele não teria [125d] respondido "em lutar"?

TEAGES

Sim.

SÓCRATES

Mas uma vez que disse "Sábios os tiranos, pelo convívio com os sábios", e nós perguntamos, "Eurípides, você quer dizer com os sábios em quê?", o que afirmaria? Em que tipo de coisas...?

TEAGES

Mas, por Zeus, eu mesmo não sei!

SÓCRATES

Mas estaria disposto a ouvir de mim?

TEAGES

Se estiver disposto a falar.

ΣΩΚΡΑΤΗΣ

ταῦτ᾽ ἐστὶν ἅπερ ἔφη Ἀνακρέων τὴν Καλλικρίτην ἐπίστασθαι· ἢ οὐκ οἶσθα τὸ ᾆσμα;

ΘΕΑΓΗΣ

ἔγωγε.

ΣΩΚΡΑΤΗΣ

τί οὖν; τοιαύτης τινὸς καὶ σὺ συνουσίας ἐπιθυμεῖς [125e] ἀνδρὸς ὅστις τυγχάνει ὁμότεχνος ὢν Καλλικρίτῃ τῇ Κυάνης καὶ ἐπίσταται τυραννικά, ὥσπερ ἐκείνην ἔφη ὁ ποιητής, ἵνα καὶ σὺ ἡμῖν τύραννος γένῃ καὶ τῇ πόλει;

ΘΕΑΓΗΣ

πάλαι, ὦ Σώκρατες, σκώπτεις καὶ παίζεις πρός με.

ΣΩΚΡΑΤΗΣ

τί δέ; οὐ ταύτης φῂς τῆς σοφίας ἐπιθυμεῖν ᾗ πάντων ἂν τῶν πολιτῶν ἄρχοις; τοῦτο δὲ ποιῶν ἄλλο τι ἢ τύραννος ἂν εἴης;

ΘΕΑΓΗΣ

εὐξαίμην μὲν ἂν οἶμαι ἔγωγε τύραννος [126a] γενέσθαι, μάλιστα μὲν πάντων ἀνθρώπων, εἰ δὲ μή, ὡς πλείστων· καὶ σύ γ᾽ ἂν οἶμαι καὶ οἱ ἄλλοι πάντες

SÓCRATES

... naquelas coisas que Anacreonte disse que Calicrite conhecia. Ou você não sabe qual é a canção?[25]

TEAGES

Sim!

SÓCRATES

Mas então, é esse tipo de convívio que você também deseja, [125e] com um homem que calhe de exercer a mesma arte que Calicrite, filha de Ciane, e que conheça a tirania tal como o poeta diz que ela conhecia, para assim você também se tornar um tirano para nós e a nossa cidade?

TEAGES

Faz tempo, Sócrates, que você está só zombando e brincando comigo...[26]

SÓCRATES

Mas então, não é essa sabedoria que você diz que deseja, pela qual governaria todos os cidadãos? E ao fazer isso que outra coisa você seria senão um tirano?

TEAGES

Até clamaria, acho eu, por me tornar um tirano, [126a] ainda mais se fosse de todos os seres humanos — ou, se não, do maior número possível. Você também, acho eu, e todos

---

[25] Anacreonte foi um poeta lírico do século VI a.C., nascido em Teos. Teria sido acolhido pelo tirano Polícrates, em Samos, e pelos filhos de Pisístrato, em Atenas. Não temos informação sobre essa ode.

[26] A acusação de que Sócrates "zomba" e "brinca" (verbos *skópto* e *paízo*) é frequentemente dirigida ao filósofo pelos seus interlocutores (ver nota 33 abaixo).

ἄνθρωποι· ἔτι δέ γε ἴσως μᾶλλον θεὸς γενέσθαι· ἀλλ᾽ οὐ τούτου ἔλεγον ἐπιθυμεῖν.

ΣΩΚΡΑΤΗΣ

ἀλλὰ τί δή ἐστί ποτε οὗ ἐπιθυμεῖς; οὐ τῶν πολιτῶν φῂς ἄρχειν ἐπιθυμεῖν;

ΘΕΑΓΗΣ

οὐ βίᾳ γε οὐδ᾽ ὥσπερ οἱ τύραννοι ἀλλ᾽ ἑκόντων, ὥσπερ καὶ οἱ ἄλλοι οἱ ἐν τῇ πόλει ἐλλόγιμοι ἄνδρες.

ΣΩΚΡΑΤΗΣ

ἆρά γε λέγεις ὥσπερ Θεμιστοκλῆς καὶ Περικλῆς καὶ Κίμων καὶ ὅσοι τὰ πολιτικὰ δεινοὶ γεγόνασιν;

ΘΕΑΓΗΣ

νὴ Δία τούτους λέγω.

ΣΩΚΡΑΤΗΣ

τί οὖν εἰ τὰ ἱππικὰ ἐτύγχανες ἐπιθυμῶν σοφὸς [126b] γενέσθαι; παρὰ τίνας ἂν ἀφικόμενος ᾠήθης δεινὸς ἔσεσθαι ἱππεύς; ἢ παρ᾽ ἄλλους τινὰς ἢ τοὺς ἱππικούς;

ΘΕΑΓΗΣ

μὰ Δία οὐκ ἔγωγε.

os demais seres humanos...[27] E talvez mais ainda por me tornar um deus! Mas não era desse desejo que eu falava.

SÓCRATES

Mas o que afinal é isso que você deseja? Você não diz que deseja governar os cidadãos?

TEAGES

Mas não pela força, nem como os tiranos! Mas com a aprovação deles, como fizeram aqueles outros homens elogiados na cidade.

SÓCRATES

Será que você quer dizer como Temístocles, Péricles, Címon e outros tantos que foram hábeis na política?[28]

TEAGES

Sim, por Zeus, quero dizer como esses!

SÓCRATES

Mas então, e se você calhasse de desejar se tornar sábio [126b] na arte equestre? Que pessoas você acha que teria procurado, para vir a ser um hábil cavaleiro? Quaisquer outras, menos os cavaleiros?

TEAGES

Por Zeus, não!

---

[27] Sobre a ambição política nutrida pelos jovens, ver passagem do *Alcibíades Segundo* (141a-b).

[28] Temístocles (524-459 a.C.), Címon (510-450 a.C.) e Péricles (495-429 a.C., citado também no *Alcibíades Segundo*, 143e) foram figuras de destaque no fortalecimento da democracia ateniense e de seu poder ao longo do século V a.C.

ΣΩΚΡΑΤΗΣ

ἀλλὰ παρ᾽ αὐτοὺς αὖ τοὺς δεινοὺς ὄντας ταῦτα, καὶ οἷς εἰσίν τε ἵπποι καὶ χρῶνται ἑκάστοτε καὶ οἰκείοις καὶ ἀλλοτρίοις πολλοῖς;

ΘΕΑΓΗΣ

δῆλον ὅτι.

ΣΩΚΡΑΤΗΣ

τί δὲ εἰ τὰ ἀκοντιστικὰ σοφὸς ἐβούλου γενέσθαι; οὐ παρὰ τοὺς ἀκοντιστικοὺς ᾤου ἂν ἐλθὼν σοφὸς ἔσεσθαι τούτους, οἷς ἔστιν τε ἀκόντια καὶ πολλοῖς καὶ ἀλλοτρίοις καὶ [126c] οἰκείοις ἑκάστοτε χρῶνται ἀκοντίοις;

ΘΕΑΓΗΣ

ἔμοιγε δοκεῖ.

ΣΩΚΡΑΤΗΣ

λέγε δή μοι· ἐπεὶ δὲ δὴ τὰ πολιτικὰ βούλει σοφὸς γενέσθαι, οἴει παρ᾽ ἄλλους τινὰς ἀφικόμενος σοφὸς ἔσεσθαι ἢ τοὺς πολιτικοὺς τούτους, τοὺς αὐτούς τε δεινοὺς ὄντας τὰ πολιτικὰ καὶ χρωμένους ἑκάστοτε τῇ τε αὐτῶν πόλει καὶ ἄλλαις πολλαῖς, καὶ Ἑλληνίσιν προσομιλοῦντας πόλεσιν καὶ βαρβάροις; ἢ δοκεῖς ἄλλοις τισὶν συγγενόμενος σοφὸς ἔσεσθαι ταῦτα ἅπερ οὗτοι, ἀλλ᾽ οὐκ αὐτοῖς τούτοις;

ΘΕΑΓΗΣ [126d]

ἀκήκοα γάρ, ὦ Σώκρατες, οὕς σέ φασιν λέγειν τοὺς λόγους, ὅτι τούτων τῶν πολιτικῶν ἀνδρῶν οἱ ὑεῖς οὐδὲν βελτίους εἰσὶν ἢ οἱ τῶν σκυτοτόμων· καί μοι δοκεῖς ἀληθέστατα λέγειν ἐξ ὧν ἐγὼ δύναμαι αἰσθέσθαι. ἀνόητος ἂν οὖν εἴην εἰ οἰοίμην τινὰ τούτων ἐμοὶ μὲν ἂν παραδοῦναι τὴν

SÓCRATES

Mas sim as que são propriamente hábeis nisso, e que têm cavalos e os usam sempre aos montes, sejam os seus ou os dos outros?

TEAGES

Claro que sim.

SÓCRATES

Mas então, e se você quisesse se tornar sábio no arremesso de dardo? Não acha que teria procurado os arremessadores de dardo para vir a ser sábio — esses que têm dardos e os usam sempre aos montes, [126c] sejam os dos outros ou os seus?

TEAGES

Suponho que sim.

SÓCRATES

Me fale então: já que você quer se tornar sábio em política, você acha que, para vir a ser sábio, vai procurar quaisquer outras pessoas menos esses políticos, que são propriamente sábios em política e a usam sempre, seja nas suas cidades ou em outras, aos montes, e que se relacionam com as cidades helenas e com os povos bárbaros? Você supõe que virá a ser sábio nisso em que eles são entrando em contato com quaisquer outras pessoas, mas não propriamente com eles?

TEAGES [126d]

Pois eu ouvi dizer, Sócrates, em relação aos raciocínios que, segundo dizem por aí, são proferidos por você, que os filhos desses políticos não são em nada melhores do que os dos sapateiros... E suponho, pelo que sou capaz de perceber, que você fala de modo muito verdadeiro. Portanto, eu seria imprudente se achasse que algum desses transmitiria a mim

αὑτοῦ σοφίαν, τὸν δὲ υἱὸν τὸν αὑτοῦ μηδὲν ὠφελῆσαι, εἴ τι οἷός τ᾽ ἦν εἰς ταῦτα ὠφελεῖν ἄλλον ὀντιναοῦν ἀνθρώπων.

ΣΩΚΡΑΤΗΣ

τί οὖν ἄν, ὦ βέλτιστε ἀνδρῶν, χρήσαιο σαυτῷ, εἴ σοι ἐπειδὴ γένοιτο υἱὸς τοιαῦτα πράγματα παρέχοι, καὶ φαίη [126e] μὲν ἂν ἐπιθυμεῖν ἀγαθὸς γενέσθαι ζωγράφος, καὶ μέμφοιτο σοὶ τῷ πατρὶ ὅτι οὐκ ἐθέλεις ἀναλίσκειν εἰς αὐτὸν τούτων αὐτῶν ἕνεκα ἀργύριον, τοὺς δὲ δημιουργοὺς αὐτοῦ τούτου, τοὺς ζωγράφους, ἀτιμάζοι τε καὶ μὴ βούλοιτο παρ᾽ αὐτῶν μανθάνειν; ἢ τοὺς αὐλητάς, βουλόμενος αὐλητὴς γενέσθαι, ἢ τοὺς κιθαριστάς; ἔχοις ἂν αὐτῷ ὅτι χρῷο καὶ ὅποι πέμποις ἄλλοσε μὴ ἐθέλοντα παρὰ τούτων μανθάνειν;

ΘΕΑΓΗΣ

μὰ Δία οὐκ ἔγωγε.

ΣΩΚΡΑΤΗΣ [127a]

νῦν οὖν ταὐτὰ ταῦτα αὐτὸς πρὸς τὸν πατέρα ποιῶν θαυμάζεις, καὶ μέμφῃ εἰ ἀπορεῖ ὅ τι σοι χρήσηται καὶ ὅποι πέμποι; ἐπεὶ Ἀθηναίων γε τῶν καλῶν κἀγαθῶν τὰ πολιτικὰ ὅτῳ ἂν βούλῃ συστήσομέν σε, ὅς σοι προῖκα συνέσται· καὶ ἅμα μὲν ἀργύριον οὐκ ἀναλώσεις, ἅμα δὲ πολὺ μᾶλλον εὐδοκιμήσεις παρὰ τοῖς πολλοῖς ἀνθρώποις ἢ ἄλλῳ τῳ συνών.

a sua própria sabedoria, depois de ele não ter beneficiado em nada — se era mesmo capaz de beneficiar nesse assunto qualquer outro ser humano — o próprio filho![29]

SÓCRATES

Mas então, ótimo homem, como você lidaria com isso se, tendo um filho, ele o importunasse com esse tipo de coisa, [126e] e dissesse desejar se tornar um bom pintor, mas censurasse a você — seu pai — por não querer gastar dinheiro com ele por causa disso propriamente, e ele ainda desvalorizasse os que trabalham propriamente nisso — os pintores —, recusando-se a aprender com eles? Ou os flautistas, caso quisesse se tornar um flautista? Ou os citaristas? Você saberia como lidar com ele e para que outro lugar o mandar, se ele se recusasse a aprender com esses?

TEAGES

Por Zeus, não!

SÓCRATES [127a]

Agora então, ao fazer essas mesmas coisas com seu pai, você se espanta e o censura por estar em aporia em relação a como lidar com você e para onde o mandar?[30] Nós vamos é juntá-lo a qualquer um do seu gosto entre os belos e bons atenienses em política, o qual vai conviver com você de graça! Você não apenas vai deixar de gastar dinheiro, como vai também, ao mesmo tempo, ser para a maior parte dos seres humanos muito mais benquisto do que se convivesse com um outro qualquer.

---

[29] Sobre os filhos de grandes figuras não serem ensinados pelos pais, ver o *Alcibíades Primeiro* (118d-119a), o *Protágoras* (319e) e o *Mênon* (93a-94e).

[30] Sobre a "aporia", ver o *Alcibíades Segundo* (nota 6).

ΘΕΑΓΗΣ

τί οὖν, ὦ Σώκρατες; οὐ καὶ σὺ τῶν καλῶν κἀγαθῶν εἰ ἀνδρῶν; εἰ γὰρ σύ μοι ἐθέλοις συνεῖναι, ἐξαρκεῖ καὶ οὐδένα ἄλλον ζητῶ.

ΣΩΚΡΑΤΗΣ [127b]

τί τοῦτο λέγεις, Θέαγες;

ΔΗΜΟΔΟΚΟΣ

ὦ Σώκρατες, οὐ μέντοι κακῶς λέγει, καὶ ἅμα μὲν ἐμοὶ χαριῇ· ὡς ἐγὼ οὐκ ἔσθ᾽ ὅτι τούτου μεῖζον ἂν ἕρμαιον ἡγησαίμην, ἢ εἰ οὗτός τε ἀρέσκοιτο τῇ σῇ συνουσίᾳ καὶ σὺ ἐθέλοις τούτῳ συνεῖναι. καὶ μέντοι καὶ αἰσχύνομαι λέγειν ὡς σφόδρα βούλομαι. ἀλλ᾽ ἐγὼ ἀμφοτέρων ὑμῶν δέομαι, σέ τ᾽ ἐθέλειν τούτῳ συνεῖναι καὶ σὲ μὴ ζητεῖν ἄλλῳ μηδενὶ συγγενέσθαι ἢ Σωκράτει· καί με πολλῶν καὶ φοβερῶν ἀπαλλάξετε [127c] φροντίδων. ὡς νῦν πάνυ φοβοῦμαι ὑπὲρ τούτου μή τινι ἄλλῳ ἐντύχῃ οἵῳ τοῦτον διαφθεῖραι.

ΘΕΑΓΗΣ

μηκέτι νῦν, ὦ πάτερ, ὑπέρ γ᾽ ἐμοῦ φοβοῦ, εἴπερ οἷός τ᾽ εἶ πεῖσαι τοῦτον τὴν ἐμὴν συνουσίαν προσδέξασθαι.

ΔΗΜΟΔΟΚΟΣ

πάνυ καλῶς λέγεις. ὦ Σώκρατες, πρὸς σὲ δ᾽ ἂν ἤδη εἴη ὁ μετὰ τοῦτο λόγος· ἐγὼ γάρ σοι ἕτοιμός εἰμι, ὡς διὰ βραχέων εἰπεῖν, καὶ ἐμὲ καὶ τὰ ἐμὰ ὡς οἷόν τε οἰκειότατα παρέχειν, ὅτου ἂν δέῃ ἔμβραχυ, ἐὰν Θεάγη τουτονὶ [127d] ἀσπάζῃ τε καὶ εὐεργετῇς ὅτι ἂν οἷός τε ᾖς.

TEAGES

Mas então, Sócrates, você também não é um desses homens belos e bons? Se estiver disposto a conviver comigo, já é o suficiente e não vou procurar mais ninguém...

SÓCRATES [127b]

O que você quer dizer com isso, Teages?

DEMÓDOCO (*intervindo na conversa*)

Sócrates, ele de fato não fala mal e você ao mesmo tempo me deixaria grato. Lance de sorte algum eu consideraria maior do que este — se ele se alegrasse com o seu convívio e você estivesse disposto a conviver com ele! Sinto até vergonha de dizer quão intensamente quero isso! Mas peço a vocês dois — a você (*voltando-se para Sócrates*), que se disponha a conviver com ele, e a você (*voltando-se para Teages*), que não procure entrar em contato com nenhum outro, a não ser com Sócrates. Vocês vão me livrar de muitas e alarmantes [127c] preocupações. Pois como me alarmo agora em demasia por ele — que lhe apareça pela frente um outro qualquer, capaz de corrompê-lo!

TEAGES

Não se alarme agora mais por mim, pai. É só você convencê-lo a aceitar o convívio comigo.

DEMÓDOCO

Você fala muito bem. (*Virando-se para Sócrates*) Sócrates, o raciocínio, a partir daqui, teria de apontar para você... De minha parte estou pronto, falando de modo sucinto, para colocar à sua disposição a mim mesmo e a tudo que me é mais caro — em suma, o que quer que você venha a pedir —, [127d] se você saudar este Teages aqui e for seu benfeitor no que puder.

ΣΩΚΡΑΤΗΣ

ὦ Δημόδοκε, τὸ μὲν ἐσπουδακέναι σε οὐ θαυμάζω, εἴπερ οἴει ὑπ' ἐμοῦ μάλιστ' ἄν σοι τοῦτον ὠφεληθῆναι· οὐ γὰρ οἶδα ὑπὲρ ὅτου ἄν τις νοῦν ἔχων μᾶλλον σπουδάζοι ἢ ὑπὲρ υἱέος αὐτοῦ ὅπως ὡς βέλτιστος ἔσται· ὁπόθεν δὲ ἔδοξέ σοι τοῦτο, ὡς ἐγὼ ἂν μᾶλλον τὸν σὸν υἱὸν οἷός τ' εἴην ὠφελῆσαι πρὸς τὸ πολίτην ἀγαθὸν γενέσθαι ἢ σὺ αὐτός, καὶ ὁπόθεν οὗτος ᾠήθη ἐμὲ μᾶλλον ἢ σὲ αὐτὸν ὠφελήσειν, τοῦτο [127e] πάνυ θαυμάζω. σὺ γὰρ πρῶτον μὲν πρεσβύτερος εἶ ἐμοῦ, ἔπειτα πολλὰς ἤδη ἀρχὰς καὶ τὰς μεγίστας Ἀθηναίοις ἦρξας, καὶ τιμᾷ ὑπὸ Ἀναγυρασίων τε τῶν δημοτῶν πολὺ μάλιστα καὶ ὑπὸ τῆς ἄλλης πόλεως οὐδενὸς ἧττον· ἐμοὶ δὲ τούτων οὐδὲν ἐνορᾷ οὐδέτερος ὑμῶν.

ἔπειτα εἰ ἄρα τῆς μὲν τῶν πολιτικῶν ἀνδρῶν συνουσίας Θεάγης ὅδε καταφρονεῖ, ἄλλους δέ τινας ζητεῖ οἳ παιδεύειν ἐπαγγέλλονται οἷοί τε εἶναι νέους ἀνθρώπους, ἔστιν ἐνταῦθα καὶ Πρόδικος ὁ Κεῖος καὶ Γοργίας [128a] ὁ Λεοντῖνος καὶ Πῶλος ὁ Ἀκραγαντῖνος καὶ ἄλλοι πολλοί, οἳ οὕτω σοφοί εἰσιν ὥστε εἰς τὰς πόλεις ἰόντες πείθουσι τῶν νέων τοὺς γενναιοτάτους τε καὶ πλουσιωτάτους — οἷς ἔξεστιν τῶν πολιτῶν ᾧ ἂν βούλωνται προῖκα συνεῖναι — τούτους πείθουσιν ἀπολείποντας τὰς ἐκείνων συνουσίας αὐτοῖς συνεῖναι, προσκατατιθέντας ἀργύριον πάνυ πολὺ μισθόν, καὶ χάριν πρὸς τούτοις εἰδέναι. τούτων τινὰς εἰκὸς ἦν προαιρεῖσθαι καὶ τὸν ὑόν σου καὶ αὐτὸν σέ, ἐμὲ δ' οὐκ [128b] εἰκός· οὐδὲν γὰρ τούτων ἐπίσταμαι τῶν μακαρίων τε καὶ καλῶν μαθημάτων· ἐπεὶ ἐβουλόμην ἄν· ἀλλὰ καὶ λέγω δήπου ἀεὶ

SÓCRATES

Demódoco, não me espanto com seu empenho, se acha mesmo que ele pode por mim, em especial, ser beneficiado: pois não sei em relação a que alguém poderia ter em mente mais se empenhar do que em relação ao próprio filho, a fim de que seja ótimo! Mas de onde você supôs isso, de que eu seria mais capaz do que você mesmo de beneficiar seu filho no propósito de se tornar um bom cidadão, e de onde ele achou que vou beneficiá-lo mais do que você mesmo [127e] o faria — isso me deixa espantado. Você, para começar, é mais velho que eu, além de já ter ocupado muitos dos mais importantes postos de governo de Atenas, sendo ainda honrado ao máximo por aqueles do demo de Anagirunte, e tido como inferior a homem algum pelo resto da cidade. Nenhum de vocês dois vê nada disso em mim...

Assim, se este Teages aqui despreza o convívio com os políticos e procura outras pessoas, que anunciam ser capazes de instruir jovens seres humanos, há por aí Pródico de Ceos, Górgias [128a] de Leontini, Polo de Ácragas e muitos outros, que são tão sábios a ponto de, indo às cidades, convencer os mais nobres e ricos dentre os jovens — aos quais é possível conviver de graça com os concidadãos seus que quiserem —, de convencê-los a que deixem aquele convívio e com eles convivam, dando-lhes ainda muitíssimo dinheiro como pagamento e, além de tudo, devendo-lhes gratidão![31] O esperado seria que tanto seu filho quanto você escolhessem alguns deles. [128b] A mim é que não seria esperado, pois não conheço nenhum desses belos e venturosos ensinamentos — e, no entanto, como eu gostaria! Sim, eu decerto sempre falo que não calho de conhecer, por assim dizer, nada além de um

[31] A passagem é praticamente idêntica à da *Apologia de Sócrates* (19e-20a). Sobre os sofistas, ver o *Alcibíades Segundo* (nota 33).

ὅτι ἐγὼ τυγχάνω ὡς ἔπος εἰπεῖν οὐδὲν ἐπιστάμενος πλήν γε σμικροῦ τινος μαθήματος, τῶν ἐρωτικῶν. τοῦτο μέντοι τὸ μάθημα παρ᾽ ὁντινοῦν ποιοῦμαι δεινὸς εἶναι καὶ τῶν προγεγονότων ἀνθρώπων καὶ τῶν νῦν.

ΘΕΑΓΗΣ

ὁρᾷς, ὦ πάτερ; ὁ Σωκράτης οὐ πάνυ μοι δοκεῖ τι ἔτι ἐθέλειν ἐμοὶ συνδιατρίβειν· ἐπεὶ τό γ᾽ ἐμὸν ἕτοιμον, [128c] ἐὰν οὗτος ἐθέλῃ· ἀλλὰ ταῦτα παίζων πρὸς ἡμᾶς λέγει. ἐπεὶ ἐγὼ οἶδα τῶν ἐμῶν ἡλικιωτῶν καὶ ὀλίγῳ πρεσβυτέρων οἳ πρὶν μὲν τούτῳ συνεῖναι οὐδενὸς ἄξιοι ἦσαν, ἐπειδὴ δὲ συνεγένοντο τούτῳ, ἐν πάνυ ὀλίγῳ χρόνῳ πάντων βελτίους φαίνονται ὧν πρότερον χείρους.

ΣΩΚΡΑΤΗΣ

οἶσθα οὖν οἷον τοῦτό ἐστιν, ὦ παῖ Δημοδόκου;

ΘΕΑΓΗΣ

ναὶ μὰ Δία ἔγωγε, ὅτι, ἐὰν σὺ βούλῃ, καὶ ἐγὼ οἷός τ᾽ ἔσομαι τοιοῦτος γενέσθαι οἷοίπερ καὶ ἐκεῖνοι.

ΣΩΚΡΑΤΗΣ [128d]

οὔκ, ὠγαθέ, ἀλλά σε λέληθεν οἷον τοῦτ᾽ ἔστιν, ἐγὼ δέ σοι φράσω. ἔστι γάρ τι θείᾳ μοίρᾳ παρεπόμενον ἐμοὶ ἐκ παιδὸς ἀρξάμενον δαιμόνιον. ἔστι δὲ τοῦτο φωνή, ἣ

pequeno ensinamento — relativo às paixões.[32] Nesse ensinamento me apresento sim como sendo mais hábil do que qualquer outro ser humano, seja dos de outrora, seja dos de agora.

TEAGES

Pai, você está vendo? Suponho que Sócrates não está mesmo disposto a se dedicar a mim... Pois de minha parte estou pronto, [128c] caso ele esteja disposto. Mas fala essas coisas para nós brincando.[33] Pois sei que os da minha idade e outros um pouco mais velhos — os quais, antes de conviverem com ele, não valiam nada —, uma vez entrando em contato com ele em muito pouco tempo se mostraram melhores do que todos aqueles em relação aos quais eram antes inferiores.

SÓCRATES

E você sabe o que é isso, filho de Demódoco?

TEAGES

Sim, por Zeus, eu sei! Que, com você querendo, também poderei me tornar um homem assim, como aqueles!

SÓCRATES [128d]

Não, bom homem, você não percebe o que é isso, mas eu vou lhe explicar. Pois há algo numinoso que, por uma porção divina, me acompanha desde menino. Há essa voz que,

---

[32] Procedimento tipicamente socrático de professar sua ignorância. Quanto ao seu conhecimento das questões relativas ao amor (repetido no *Banquete*, 177d-e), postas sempre numa perspectiva sublimada, ver a abordagem do tema nos diálogos *Banquete* e *Fedro*, e o *Alcibíades Segundo* (nota 46).

[33] Nova crítica ao modo jocoso como Sócrates se expressaria (ver nota 26 acima).

ὅταν γένηται ἀεί μοι σημαίνει, ὃ ἂν μέλλω πράττειν, τούτου ἀποτροπήν, προτρέπει δὲ οὐδέποτε· καὶ ἐάν τίς μοι τῶν φίλων ἀνακοινῶται καὶ γένηται ἡ φωνή, ταὐτὸν τοῦτο, ἀποτρέπει καὶ οὐκ ἐᾷ πράττειν. καὶ τούτων ὑμῖν μάρτυρας παρέξομαι. Χαρμίδην γὰρ τουτονὶ γιγνώσκετε τὸν καλὸν [128e] γενόμενον, τὸν Γλαύκωνος· οὗτός ποτε ἐτύγχανε ἐμοὶ ἀνακοινούμενος μέλλων ἀσκήσειν στάδιον εἰς Νεμέαν, καὶ εὐθὺς αὐτοῦ ἀρχομένου λέγειν ὅτι μέλλοι ἀσκεῖν ἐγένετο ἡ φωνή, καὶ ἐγὼ διεκώλυόν τε αὐτὸν καὶ εἶπον ὅτι "λέγοντός σου μεταξὺ γέγονέ μοι ἡ φωνὴ ἡ τοῦ δαιμονίου· ἀλλὰ μὴ ἄσκει". "ἴσως", ἔφη, "σημαίνει σοι ὅτι οὐ νικήσω· ἐγὼ δὲ κἂν μὴ μέλλω νικᾶν, γυμνασάμενός γε τοῦτον τὸν χρόνον ὠφεληθήσομαι."

ταῦτα εἰπὼν ἤσκει· ἄξιον οὖν πυθέσθαι αὐτοῦ [129a] ἃ αὐτῷ συνέβη ἀπὸ ταύτης τῆς ἀσκήσεως. εἰ δὲ βούλεσθε, τὸν Τιμάρχου ἀδελφὸν Κλειτόμαχον ἔρεσθε τί εἶπεν αὐτῷ Τίμαρχος ἡνίκα ἀποθανούμενος ᾔει εὐθὺ τοῦ δαιμονίου, ἐκεῖνός τε καὶ Εὔαθλος ὁ σταδιοδρομῶν ὃς Τίμαρχον ὑπεδέξατο φεύγοντα· ἐρεῖ γὰρ ὑμῖν ὅτι εἶπεν αὐτῷ ταυτί.

ΘΕΑΓΗΣ

τί;

quando vem, sempre me sinaliza pela dissuasão do que estou prestes a fazer (jamais pela persuasão).[34] E se algum dos meus amigos está se comunicando comigo e a voz vem, acontece o mesmo: dissuade e não permite agir. Vou apresentar a vocês testemunhas disso. Vocês conhecem Cármides, esse que se tornou [128e] um belo homem, filho de Glauco. Certa vez ele calhou de se comunicar comigo quando estava prestes a se exercitar para a corrida em Nemeia.[35] Assim que começou a falar que estava prestes a se exercitar, a voz veio e tentei impedi-lo, dizendo: "Enquanto você falava, a voz do sinal numinoso me veio. Não se exercite!". "Talvez", ele disse, "ela sinalize a você que não vou vencer. Mas, ainda que eu não vá vencer, terei me beneficiado com a prática da ginástica durante esse tempo."[36]

Dizendo isso, foi se exercitar. Vale a pena perguntar a ele [129a] as coisas que lhe aconteceram em decorrência desse exercício... Ou, se preferirem, interroguem Clitômaco, irmão de Timarco, sobre o que Timarco lhe falou quando marchava para a morte, diretamente ao encontro do sinal numinoso — tanto ele quanto Evatlo, o velocista, que acolheu Timarco como fugitivo.[37] Pois dirá a vocês que lhe falou isto.

TEAGES

O quê?

---

[34] Mais uma passagem quase idêntica à da *Apologia de Sócrates* (31c-d), onde ele fala sobre seu sinal numinoso.

[35] Localidade do Peloponeso onde ocorriam jogos atléticos.

[36] Cármides é o jovem que conversa com Sócrates no diálogo platônico de mesmo nome. Não sabemos o que aconteceu com ele depois de treinar para a corrida.

[37] Tanto os personagens quanto os acontecimentos citados nos são desconhecidos.

ΣΩΚΡΑΤΗΣ

"ὦ Κλειτόμαχε", ἔφη, "ἐγὼ μέντοι ἔρχομαι ἀποθανούμενος νυνί, διότι Σωκράτει οὐκ ἤθελον πείθεσθαι." τί δὴ οὖν ποτε τοῦτο εἶπεν ὁ Τίμαρχος; ἐγὼ φράσω. ὅτε [129b] ἀνίστατο ἐκ τοῦ συμποσίου ὁ Τίμαρχος καὶ Φιλήμων ὁ Φιλημονίδου ἀποκτενοῦντες Νικίαν τὸν Ἡροσκαμάνδρου, ἠπιστάσθην μὲν αὐτὼ μόνω τὴν ἐπιβουλήν, ὁ δὲ Τίμαρχος ἀνιστάμενος πρὸς ἐμὲ εἶπεν, "τί λέγεις", ἔφη, "ὦ Σώκρατες; ὑμεῖς μὲν πίνετε, ἐμὲ δὲ δεῖ ποι ἐξαναστῆναι· ἥξω δὲ ὀλίγον ὕστερον, ἐὰν τύχω." καί μοι ἐγένετο ἡ φωνή, καὶ εἶπον πρὸς αὐτόν, "μηδαμῶς", ἔφην, "ἀναστῇς· γέγονε γάρ μοι τὸ εἰωθὸς σημεῖον τὸ δαιμόνιον". καὶ ὃς ἐπέσχε. [129c] καὶ διαλιπὼν χρόνον αὖθις ὡρμᾶτο ἰέναι, καὶ ἔφη· "εἶμι δή, Σώκρατες".

αὖθις ἐγένετο ἡ φωνή· αὖθις οὖν αὐτὸν ἠνάγκασα ἐπισχεῖν. τὸ τρίτον, βουλόμενός με λαθεῖν, ἀνέστη οὐκέτι εἰπών μοι οὐδὲν ἀλλὰ λαθών, ἐπιτηρήσας ἄλλοσε τὸν νοῦν ἔχοντα· καὶ οὕτως ᾤχετο ἀπιὼν καὶ διεπράξατο ἐξ ὧν ᾔει ἀποθανούμενος. ὅθεν δὴ τοῦτο εἶπεν πρὸς τὸν ἀδελφὸν ὅπερ νῦν ὑμῖν ἐγώ, ὅτι ἴοι ἀποθανούμενος διὰ τὸ ἐμοὶ ἀπιστῆσαι. ἔτι τοίνυν περὶ τῶν ἐν Σικελίᾳ [129d] πολλῶν ἀκούσεσθον ἃ ἐγὼ ἔλεγον περὶ τῆς διαφθορᾶς τοῦ στρατοπέδου. καὶ τὰ μὲν παρεληλυθότα τῶν εἰδότων ἔστιν ἀκοῦσαι· πεῖραν δ' ἔξεστι νυνὶ λαβεῖν τοῦ σημείου εἰ ἄρα τὶ λέγει. ἐπὶ γὰρ τῇ ἐπὶ στρατείαν ἐξορμῇ Σαννίωνος τοῦ καλοῦ ἐγένετό μοι τὸ σημεῖον, οἴχεται δὲ νῦν μετὰ Θρασύλλου στρατευσόμενος εὐθὺ

SÓCRATES

"Clitômaco", ele disse, "marcho agora para a morte porque não quis dar ouvidos a Sócrates." Mas por que Timarco falou isso? Vou explicar. Quando se levantaram do banquete [129b] Timarco e Filêmon, filho do Filemonida, para assassinar Nícias, filho de Heroscamandro, apenas eles dois tinham conhecimento da conspiração. E Timarco, ao se levantar, falou para mim: "O que você me diz, Sócrates?", ele disse. "Bebam vocês, que eu preciso me levantar e ir a um lugar. Volto daqui a pouco, se calhar..." Então a voz me veio e falei para ele: "Não se levante de jeito nenhum", eu disse, "pois o costumeiro sinal numinoso me veio". E ele se deteve. [129c] Deixou passar um tempo e de novo teve o impulso de sair, e disse: "Estou de saída, Sócrates".

De novo a voz veio. De novo forcei-o a se deter. Da terceira vez, querendo passar despercebido, levantou-se sem me dizer nada, sem eu perceber, depois de esperar que minha atenção se desviasse. Assim partiu e realizou as ações em decorrência das quais marchou para a morte. Daí então ele ter falado para o irmão aquilo que mencionei agora para vocês: que marchava para a morte por não ter acreditado em mim. Além disso, sobre aqueles acontecimentos na Sicília, [129d] vocês dois vão ouvir de muitas pessoas as coisas que eu falava sobre a destruição do exército.[38] Em relação aos fatos passados, pode-se ouvir dos que estão bem informados, mas agora mesmo também é possível pôr o sinal à prova, para ver o que diz. Pois, por ocasião da partida do belo Sânio para uma campanha, o sinal me veio, e agora ele partiu direto pa-

[38] A expedição contra a Sicília, que teve Alcibíades como um de seus comandantes e ocorreu na parte final da Guerra do Peloponeso, entre os anos de 415 e 413 a.C., foi desastrosa para Atenas (ver o *Alcibíades Segundo*, nota 1). É narrada por Tucídides nos Livros 6 e 7 da sua *História da Guerra do Peloponeso*.

Ἐφέσου καὶ Ἰωνίας. ἐγὼ οὖν οἴομαι ἐκεῖνον ἢ ἀποθανεῖσθαι ἢ ὁμοῦ τι τούτῳ γ' ἐλᾶν, καὶ περί γε τῆς στρατιᾶς τῆς ἄλλης πάνυ φοβοῦμαι. [129e]

ταῦτα δὴ πάντα εἴρηκά σοι, ὅτι ἡ δύναμις αὕτη τοῦ δαιμονίου τούτου καὶ εἰς τὰς συνουσίας τῶν μετ' ἐμοῦ συνδιατριβόντων τὸ ἅπαν δύναται. πολλοῖς μὲν γὰρ ἐναντιοῦται, καὶ οὐκ ἔστι τούτοις ὠφεληθῆναι μετ' ἐμοῦ διατρίβουσιν, ὥστε οὐχ οἷόν τέ μοι τούτοις συνδιατρίβειν· πολλοῖς δὲ συνεῖναι μὲν οὐ διακωλύει, ὠφελοῦνται δὲ οὐδὲν συνόντες. οἷς δ' ἂν συλλάβηται τῆς συνουσίας ἡ τοῦ δαιμονίου δύναμις, οὗτοί εἰσιν ὧν καὶ σὺ ᾔσθησαι· ταχὺ γὰρ παραχρῆμα ἐπιδιδόασιν. καὶ τούτων αὖ τῶν ἐπιδιδόντων [130a] οἱ μὲν καὶ βέβαιον ἔχουσι καὶ παραμόνιμον τὴν ὠφελίαν· πολλοὶ δέ, ὅσον ἂν μετ' ἐμοῦ χρόνον ὦσιν, θαυμάσιον ἐπιδιδόασιν, ἐπειδὰν δέ μου ἀπόσχωνται, πάλιν οὐδὲν διαφέρουσιν ὁτουοῦν.

τοῦτό ποτε ἔπαθεν Ἀριστείδης ὁ Λυσιμάχου υἱὸς τοῦ Ἀριστείδου. διατρίβων γὰρ μετ' ἐμοῦ πάμπολυ ἐπεδεδώκει ἐν ὀλίγῳ χρόνῳ· ἔπειτα αὐτῷ στρατεία τις ἐγένετο καὶ ᾤχετο ἐκπλέων, ἥκων δὲ κατελάμβανε μετ' ἐμοῦ διατρίβοντα Θουκυδίδην τὸν Μελησίου υἱὸν τοῦ Θουκυδίδου. [130b] ὁ δὲ

ra Éfeso e a Jônia para lutar ao lado de Trasilo;[39] acho então que ou ele vai morrer ou chegar bem perto disso, e estou muito alarmado pelo resto do exército... [129e]

Disse isso tudo a você porque essa capacidade do sinal divino se exerce por inteiro também no convívio com os que se dedicam a estar comigo. A muitos, efetivamente, ele se contrapõe e a esses não é possível serem beneficiados ao se dedicarem a estar comigo, de modo que não posso me dedicar a eles.[40] Já a muitos outros, não impede que convivam comigo, mas não são beneficiados em nada ao conviverem. Aqueles, no entanto, para cujo convívio a capacidade do sinal numinoso contribui — esses são os que foram notados por você: progridem rápido, de imediato! E, desses que progridem, [130a] uns obtêm um benefício firme e permanente, enquanto muitos outros progridem espantosamente durante o tempo que estão comigo, mas assim que se afastam de mim voltam a não se diferenciar em nada de quem quer que seja.

Foi isso que se passou certa vez com Aristides, filho de Lisímaco e neto de Aristides. Dedicando-se a estar comigo, em pouco tempo tinha progredido muito! Veio então uma campanha e ele partiu, navegando para longe. Ao chegar porém de volta, surpreendeu Tucídides, filho de Melésias e neto de Tucídides,[41] dedicando-se a estar comigo — [130b] e Tu-

---

[39] Expedição ocorrida em 409 a.C. e que terminou com a derrota ateniense. Trasilo foi um estratego de Atenas morto em 406 a.C.

[40] Sobre o sinal se opor, inicialmente, a que ele convivesse com uma figura como Alcibíades, ver o *Alcibíades Primeiro* (103a-b, 105e-106a e 124c).

[41] Figuras da segunda metade do século V a.C., Aristides e Tucídides, como a passagem indica, têm os mesmos nomes dos avós, que foram importantes políticos atenienses da primeira metade do século V a.C. (não confundir esses dois Tucídides com o autor da *História da Guerra do Peloponeso*). Lisímaco e Melésias, os pais de Aristides e Tucídides, estão no diálogo *Laques*, onde logo de início mostram preocupação com a instrução dos filhos e são orientados a conversar com Sócrates (178a-181c).

Θουκυδίδης τῇ προτεραίᾳ μοι δι᾽ ἀπεχθείας ἐν λόγοις τισὶν ἐγεγόνει· ἰδὼν οὖν με ὁ Ἀριστείδης, ἐπειδὴ ἠσπάσατό τε καὶ τἆλλα διελέχθη, "Θουκυδίδην δέ", ἔφη, "ἀκούω, ὦ Σώκρατες, σεμνύνεσθαι ἄττα πρός σε καὶ χαλεπαίνειν ὡς τὶ ὄντα". "ἔστι γάρ", ἔφην ἐγώ, "οὕτως." "τί δέ, οὐκ οἶδεν", ἔφη, "πρὶν σοὶ συγγενέσθαι οἷον ἦν τὸ ἀνδράποδον;" "οὐκ ἔοικέν γε", ἔφην ἐγώ, "νὴ τοὺς θεούς." "ἀλλὰ μὴν καὶ αὐτός γε", ἔφη, "καταγελάστως [130c] ἔχω, ὦ Σώκρατες." "τί μάλιστα;" ἔφην ἐγώ. "ὅτι", ἔφη, "πρὶν μὲν ἐκπλεῖν, ὁτῳοῦν ἀνθρώπῳ οἷός τ᾽ ἦν διαλέγεσθαι καὶ μηδενὸς χείρων φαίνεσθαι ἐν τοῖς λόγοις, ὥστε καὶ ἐδίωκον τὰς συνουσίας τῶν χαριεστάτων ἀνθρώπων, νυνὶ δὲ τοὐναντίον φεύγω ἄν τινα καὶ αἰσθάνωμαι πεπαιδευμένον· οὕτως αἰσχύνομαι ἐπὶ τῇ ἐμαυτοῦ φαυλότητι." "πότερον δέ", ἦν δ᾽ ἐγώ, "ἐξαίφνης σε προύλιπεν αὕτη ἡ δύναμις ἢ κατὰ σμικρόν;" "κατὰ σμικρόν", ἦ δ᾽ ὅς. [130d] "ἡνίκα δέ σοι παρεγένετο", ἦν δ᾽ ἐγώ, "πότερον μαθόντι παρ᾽ ἐμοῦ τι παρεγένετο ἤ τινι ἄλλῳ τρόπῳ;" "ἐγώ σοι ἐρῶ", ἔφη, "ὦ Σώκρατες, ἄπιστον μὲν νὴ τοὺς θεούς, ἀληθὲς δέ. ἐγὼ γὰρ ἔμαθον μὲν παρά σου οὐδὲν πώποτε, ὡς αὐτὸς οἶσθα· ἐπεδίδουν δὲ ὁπότε σοι συνείην, κἂν εἰ ἐν τῇ αὐτῇ μόνον οἰκίᾳ εἴην, μὴ ἐν τῷ αὐτῷ δὲ οἰκήματι, μᾶλλον δὲ ὁπότε ἐν τῷ αὐτῷ οἰκήματι, καὶ ἔμοιγε ἐδόκουν πολὺ μᾶλλον ὁπότε ἐν τῷ αὐτῷ οἰκήματι ὢν λέγοντός σου βλέποιμι πρὸς [130e] σέ, μᾶλλον ἢ ὁπότε ἄλλοσε ὁρῴην, πολὺ δὲ

cídides, no dia anterior, tinha ficado furioso comigo por causa de certos raciocínios.[42] Aristides então, ao me ver, depois de me saudar e dialogar sobre outras coisas, disse: "Ouço que Tucídides, Sócrates, está adquirindo certo ar de superioridade e engrossando para cima de você — como se ele fosse o quê?". "É isso mesmo", eu disse. "Mas então ele não sabe", ele disse, "como era um mero escravo antes de entrar em contato com você?" "Pelos deuses, parece que não", eu disse. "Na realidade, Sócrates", ele disse, "eu próprio estou numa [130c] situação risível." "Qual exatamente?", eu disse. "Porque antes de navegar para longe", ele disse, "eu podia dialogar com o ser humano que fosse e a nenhum eu me mostrava inferior nos raciocínios, de modo que perseguia o convívio até mesmo com os seres humanos mais refinados. Agora, porém, é o contrário: fujo sempre que noto alguém instruído, tão envergonhado estou da minha própria mediocridade." "Mas essa capacidade[43] o abandonou", eu perguntei, "de repente ou pouco a pouco?" "Pouco a pouco", ele respondeu. [130d] "Mas quando ela estava presente em você", eu perguntei, "estava presente por você ter aprendido algo de mim ou por algum outro motivo?" "Pelos deuses, Sócrates", ele disse, "vou lhe dizer algo inacreditável, mas verdadeiro. Eu jamais aprendi coisa alguma de você, como você mesmo sabe. Mas progredia sempre que convivia com você, só de estar na mesma casa, sem que fosse no mesmo aposento — mas mais quando no mesmo aposento. E supunha que muito mais sempre que, estando no mesmo aposento, olhava para você enquanto você falava — [130e] mais do que quando olhava em outra direção. E progredia muitíssimo mais e enormemen-

---

[42] Indicação, de passagem, da irritação que Sócrates podia despertar em seus interlocutores.

[43] "Capacidade", modo como traduzo *dúnamis*, é o mesmo termo aplicado anteriormente em referência ao "sinal numinoso" de Sócrates (129e).

μάλιστα καὶ πλεῖστον ἐπεδίδουν ὁπότε παρ᾽ αὐτόν σε καθοίμην ἐχόμενός σου καὶ ἁπτόμενος· νῦν δέ", ἦ δ᾽ ὅς, "πᾶσα ἐκείνη ἡ ἕξις ἐξερρύηκε."

ἔστιν οὖν, ὦ Θέαγες, τοιαύτη ἡ ἡμετέρα συνουσία· ἐὰν μὲν τῷ θεῷ φίλον ᾖ, πάνυ πολὺ ἐπιδώσεις καὶ ταχύ, εἰ δὲ μή, οὔ. ὅρα οὖν μή σοι ἀσφαλέστερον ᾖ παρ᾽ ἐκείνων τινὶ παιδεύεσθαι οἳ ἐγκρατεῖς αὐτοί εἰσιν τῆς ὠφελίας ἣν ὠφελοῦσιν τοὺς ἀνθρώπους μᾶλλον ἢ παρ᾽ ἐμοῦ ὅ τι ἂν τύχῃ τοῦτο πρᾶξαι.

ΘΕΑΓΗΣ [131a]

ἐμοὶ μὲν τοίνυν δοκεῖ, ὦ Σώκρατες, ἡμᾶς οὑτωσὶ ποιῆσαι, ἀποπειραθῆναι τοῦ δαιμονίου τούτου συνόντας ἀλλήλοις. καὶ ἐὰν μὲν παρείκῃ ἡμῖν, ταῦτα βέλτιστα· εἰ δὲ μή, τότε ἤδη παραχρῆμα βουλευσόμεθα ὅτι δράσομεν, εἴτε ἄλλῳ συνεσόμεθα, εἴτε καὶ αὐτὸ τὸ θεῖον τὸ σοὶ γιγνόμενον πειρασόμεθα παραμυθεῖσθαι εὐχαῖσί τε καὶ θυσίαις καὶ ἄλλῳ ὅτῳ ἂν οἱ μάντεις ἐξηγῶνται.

ΔΗΜΟΔΟΚΟΣ

μηκέτι πρὸς ταῦτα ἀντείπῃς, ὦ Σώκρατες, τῷ μειρακίῳ· εὖ γὰρ λέγει Θεάγης.

ΣΩΚΡΑΤΗΣ

ἀλλ᾽ εἰ δοκεῖ χρῆναι οὕτω ποιεῖν, οὕτω ποιῶμεν.

te sempre que sentava ao seu lado, segurando e tocando em você. Mas agora", ele respondeu, "toda aquela condição se evaporou."[44]

Tal é, Teages, o convívio conosco. Se for caro ao deus, você vai progredir muito mesmo, e rápido; mas se não for, não vai. Veja lá então se não é mais seguro para você ser instruído por algum daqueles — que estão propriamente no domínio do benefício que prestam aos seres humanos — do que por mim, conforme calhar de acontecer...

TEAGES [131a]

Suponho, Sócrates, que devemos fazer assim: conviver um com o outro e pôr à prova esse sinal numinoso. Se nos fizer uma concessão, ótimo. Se não, de imediato então vamos deliberar sobre como agir: se conviveremos com outra pessoa ou se tentaremos aplacar o próprio sinal divino que lhe vem — por meio de clamores, sacrifícios ou qualquer outro expediente que os adivinhos venham a prescrever.

DEMÓDOCO (*intervindo na conversa*)

Sócrates, não contradiga mais o adolescente a esse respeito: pois Teages fala bem.

SÓCRATES

Se você supõe que é necessário fazermos assim, façamos então assim.

---

[44] Essa situação de Aristides, em conexão com o sinal numinoso, é referida também por Sócrates, de passagem, no *Teeteto* (150d-151a). Para outras ocorrências do sinal, ver a *Apologia de Sócrates* (31c-d e 40a-c), o *Fedro* (242b) e o *Eutidemo* (272e).

Ἐρασταί*

ΣΩΚΡΑΤΗΣ [132a]

εἰς Διονυσίου τοῦ γραμματιστοῦ εἰσῆλθον, καὶ εἶδον αὐτόθι τῶν τε νέων τοὺς ἐπιεικεστάτους δοκοῦντας εἶναι τὴν ἰδέαν καὶ πατέρων εὐδοκίμων, καὶ τούτων ἐραστάς. ἐτυγχανέτην οὖν δύο τῶν μειρακίων ἐρίζοντε, περὶ ὅτου δέ, οὐ σφόδρα κατήκουον. ἐφαινέσθην μέντοι ἢ περὶ Ἀναξαγόρου [132b] ἢ περὶ Οἰνοπίδου ἐρίζειν· κύκλους γοῦν γράφειν ἐφαινέσθην καὶ ἐγκλίσεις τινὰς ἐμιμοῦντο τοῖν χεροῖν ἐπικλίνοντε καὶ μάλ' ἐσπουδακότε. κἀγώ — καθήμην γὰρ παρὰ τὸν ἐραστὴν τοῦ ἑτέρου αὐτοῖν — κινήσας οὖν αὐτὸν

---

* Texto grego estabelecido a partir de *Platonis Opera*, t. II, John Burnet (org.), Oxford, Clarendon Press, 1899 (Bibliotheca Oxoniensis), disponível em <www.perseus.tufts.edu>. Nos seguintes casos adotou-se leitura diferente: *mè axioûntes* em vez de *mè axioúnton*, em 135a; e a omissão de *kaì autoì philósophoi eînai*, em 137a.

Dois Homens Apaixonados (Sobre a filosofia)

SÓCRATES [132a]

Adentrei a escola de Dionísio, o gramatista,[1] e lá vi não só os que são pelas feições reputados os mais perfeitos dentre os jovens, filhos de pais benquistos, mas também os apaixonados por eles.[2] Dois dos adolescentes calhavam de estar discutindo, mas eu não conseguia ouvir bem sobre o quê. Pareciam discutir sobre Anaxágoras ou sobre Enopides — ao menos pareciam [132b] rabiscar círculos e representavam certas inclinações com ambas as mãos, os dois se inclinando para a frente e estando muito empenhados nisso.[3] Eu então, como estava sentado ao lado do homem apaixonado por um

---

[1] Diferentemente do "gramático" (*grammatikós*), que correspondia ao "erudito" ou "filólogo", o "gramatista" (*grammatistés*) era o responsável pelo ensino das primeiras letras. Dionísio era um professor popular em Atenas no século V a.C.

[2] "Feição" é como traduzo *idéa*, em geral vertido por "forma". É curioso que num diálogo sobre a filosofia esse termo apareça logo no início em seu sentido primeiro, de "aspecto físico", e dentro do ambiente homoerótico tão central à discussão platônica sobre o conhecimento. Para a associação de Sócrates e da filosofia com a questão amorosa, ver o *Alcibíades Segundo* (nota 46) e o *Teages* (nota 32).

[3] Anaxágoras de Clazomena, na Jônia, teria nascido em 500 a.C. e se mudado para Atenas por volta de 480 a.C., onde se aproximou de Péricles. Partidário da filosofia física, sofreu um processo por impiedade e acabou deixando Atenas. Teria influenciado Sócrates em sua juventude (ver o *Fédon*, 97c-98b, e a *Apologia de Sócrates*, 26d-e). Enopides de Quios foi um astrônomo e geômetra da mesma época.

τῷ ἀγκῶνι ἠρόμην ὅ τι ποτὲ οὕτως ἐσπουδακότε τὼ μειρακίω εἴτην, καὶ εἶπον·

"ἦ που μέγα τι καὶ καλόν ἐστι περὶ ὃ τοσαύτην σπουδὴν πεποιημένω ἐστόν;"

ὁ δ' εἶπε, "ποῖον", ἔφη, "μέγα καὶ καλόν; ἀδολεσχοῦσι μὲν οὖν οὗτοί γε περὶ τῶν μετεώρων καὶ φλυαροῦσι φιλοσοφοῦντες". [132c]

καὶ ἐγὼ θαυμάσας αὐτοῦ τὴν ἀπόκρισιν εἶπον·

"ὦ νεανία, αἰσχρὸν δοκεῖ σοι εἶναι τὸ φιλοσοφεῖν; ἢ τί οὕτως χαλεπῶς λέγεις;"

καὶ ὁ ἕτερος — πλησίον γὰρ καθήμενος ἐτύγχανεν αὐτοῦ, ἀντεραστὴς ὤν — ἀκούσας ἐμοῦ τε ἐρομένου κἀκείνου ἀποκρινομένου, "οὐ πρὸς σοῦ γε", ἔφη, "ὦ Σώκρατες, ποιεῖς τὸ καὶ ἀνερέσθαι τοῦτον εἰ αἰσχρὸν ἡγεῖται φιλοσοφίαν εἶναι. ἢ οὐκ οἶσθα τοῦτον ὅτι τραχηλιζόμενος καὶ ἐμπιμπλάμενος καὶ καθεύδων πάντα τὸν βίον διατετέλεκεν; ὥστε σὺ τί αὐτὸν ᾤου ἀποκρινεῖσθαι ἀλλ' ἢ ὅτι αἰσχρόν ἐστι φιλοσοφία;" [132d]

ἦν δὲ οὗτος μὲν τοῖν ἐρασταῖν περὶ μουσικὴν διατετριφώς, ὁ δ' ἕτερος, ὃν ἐλοιδόρει, περὶ γυμναστικήν. καί μοι ἔδοξε χρῆναι τὸν μὲν ἕτερον ἀφιέναι, τὸν ἐρωτώμενον, ὅτι οὐδ' αὐτὸς προσεποιεῖτο περὶ λόγων ἔμπειρος εἶναι ἀλλὰ περὶ ἔργων, τὸν δὲ σοφώτερον προσποιούμενον εἶναι διερωτῆσαι, ἵνα καὶ εἴ τι δυναίμην παρ' αὐτοῦ ὠφεληθείην. εἶπον οὖν ὅτι "εἰς κοινὸν μὲν τὸ ἐρώτημα

deles, cutucando-o com o cotovelo perguntei no que os dois adolescentes se empenhavam tanto, e falei:

"Decerto é algo grandioso e belo, não, isso em que os dois têm posto tamanho empenho?"

"Como grandioso e belo?", ele disse. "Esses aí estão tagarelando sobre os corpos celestes e filosofando frivolidades..."[4] [132c]

E eu, espantado com a resposta dele, falei:

"Rapaz,[5] você supõe que é vergonhoso filosofar? Por que você fala tão duramente?"

E um segundo rapaz, como calhava de estar sentado perto dele — sendo um apaixonado rival seu —, ouvindo minha pergunta e a resposta do outro, disse: "Você não ganha nada, Sócrates, em perguntar a ele se considera a filosofia vergonhosa. Você não sabe que esse aí passou a vida toda sendo pego pelo pescoço,[6] se empanturrando e indo deitar? Você achava então que ele responderia o quê, a não ser que a filosofia é vergonhosa?". [132d]

Esse segundo dos dois apaixonados tinha se dedicado à arte das Musas, enquanto o primeiro (o que era insultado) à arte da ginástica. E eu supus que devia deixar o primeiro — a quem eu interrogara — para lá, porque ele próprio nem tinha a pretensão de ser experiente nos raciocínios, mas apenas nas ações, e interrogar o que tinha a pretensão de ser mais sábio, para que eu, se possível, fosse beneficiado por ele. Falei então: "Fiz a pergunta para todos. Se você acha que pode

---

[4] Platão parece explorar um jogo sonoro entre *phluaréo*, "dizer frivolidades", e *philosophéo*, "filosofar". No original temos *phluaroûsi philosophoûntes*, literalmente, "dizem frivolidades enquanto filosofam".

[5] Uso "rapaz" em português para traduzir *neanías*, termo usado em referência aos dois homens apaixonados, mais velhos. Para os dois mais novos, que são objeto dessas paixões, Platão usa os termos *meirákion*, "adolescente", e *néos*, "jovem".

[6] Indicação de que se dedicava à luta e à ginástica, como ficará claro a seguir.

ἠρόμην· εἰ δὲ σὺ οἴει τοῦδε κάλλιον ἂν ἀποκρίνασθαι, σὲ ἐρωτῶ τὸ αὐτὸ ὅπερ καὶ τοῦτον, εἰ δοκεῖ σοι τὸ φιλοσοφεῖν καλὸν εἶναι ἢ οὔ". [133a]

σχεδὸν οὖν ταῦτα λεγόντων ἡμῶν ἐπακούσαντε τὼ μειρακίω ἐσιγησάτην, καὶ αὐτὼ παυσαμένω τῆς ἔριδος ἡμῶν ἀκροαταὶ ἐγενέσθην. καὶ ὅ τι μὲν οἱ ἐρασταὶ ἔπαθον οὐκ οἶδα, αὐτὸς δ' οὖν ἐξεπλάγην· ἀεὶ γάρ ποτε ὑπὸ τῶν νέων τε καὶ καλῶν ἐκπλήττομαι. ἐδόκει μέντοι μοι καὶ ὁ ἕτερος οὐχ ἧττον ἐμοῦ ἀγωνιᾶν· οὐ μὴν ἀλλ' ἀπεκρίνατό γέ μοι καὶ μάλα φιλοτίμως. "ὁπότε γάρ τοι", ἔφη, "ὦ Σώκρατες, [133b] τὸ φιλοσοφεῖν αἰσχρὸν ἡγησαίμην εἶναι, οὐδ' ἂν ἄνθρωπον νομίσαιμι ἐμαυτὸν εἶναι, οὐδ' ἄλλον τὸν οὕτω διακείμενον", ἐνδεικνύμενος εἰς τὸν ἀντεραστήν, καὶ λέγων μεγάλῃ τῇ φωνῇ, ἵν' αὐτοῦ κατακούοι τὰ παιδικά.

καὶ ἐγὼ εἶπον, "καλὸν ἄρα δοκεῖ σοι τὸ φιλοσοφεῖν;"

"πάνυ μὲν οὖν", ἔφη.

"τί οὖν", ἐγὼ ἔφην· "ἦ δοκεῖ σοι οἷόν τ' εἶναι εἰδέναι πρᾶγμα ὁτιοῦν εἴτε καλὸν εἴτε αἰσχρόν ἐστιν, ὃ μὴ εἰδείη τις τὴν ἀρχὴν ὅτι ἔστιν;"

οὐκ" ἔφη. [133c]

"οἶσθ' ἄρα", ἦν δ' ἐγώ, "ὅ τι ἔστιν τὸ φιλοσοφεῖν;"

"πάνυ γε", ἔφη.

"τί οὖν ἔστιν;" ἔφην ἐγώ.

"τί δ' ἄλλο γε ἢ κατὰ τὸ Σόλωνος; Σόλων γάρ που εἶπε — 'γηράσκω δ' αἰεὶ πολλὰ διδασκόμενος'. καὶ ἐμοὶ δοκεῖ οὕτως ἀεὶ χρῆναι ἕν γέ τι μανθάνειν τὸν μέλλοντα φιλοσοφήσειν, καὶ

responder de um modo mais belo que ele, eu o interrogo a respeito da mesma coisa sobre a qual interroguei esse aí: se você supõe que filosofar é belo ou não".[7] [133a]

Então os dois adolescentes, que nos escutavam falar mais ou menos essas coisas, fizeram silêncio e, abandonado a própria discussão, tornaram-se nossos ouvintes. Não sei o que os dois apaixonados sentiram, mas eu mesmo fiquei atordoado — é que os belos jovens sempre me atordoam. Supus, no entanto, que o segundo rapaz não estava menos abalado que eu, mas, mesmo assim, me respondeu muito empertigadamente: "Sócrates, [133b] se eu considerasse filosofar vergonhoso, não me julgaria um ser humano, nem a qualquer outro que pensasse assim", ele disse, apontando para o apaixonado rival seu, e falava em voz alta, para que seu menininho escutasse.[8]

E eu falei: "Você supõe então que filosofar é belo?".

"Sim, com certeza", ele disse.

"Mas então", eu disse, "você supõe que é possível saber se é bela ou vergonhosa uma atividade qualquer cujo *princípio não se sabe qual é*?"

Ele disse que não. [133c]

"Você sabe então o que é filosofar?", eu perguntei.

"Com certeza!", ele disse.

"O que é então?", eu disse.

"Que outra coisa senão o que diz o verso de Sólon? Pois foi Sólon decerto que falou, 'Vou envelhecendo sempre muitas coisas aprendendo'.[9] Suponho também que alguém que queira vir a filosofar deve sempre estudar alguma coisa, seja

---

[7] A passagem parece explorar a associação sonora entre *éros* ("paixão") e *erastés* ("apaixonado") com o uso do verbo *erotáo* ("interrogar"), que aparece quatro vezes num curto espaço.

[8] Vocabulário típico da relação homoerótica; ver o *Alcibíades Segundo* (141d).

[9] Fragmento de Sólon, legislador e poeta ateniense da primeira me-

νεώτερον ὄντα καὶ πρεσβύτερον, ἵν᾽ ὡς πλεῖστα ἐν τῷ βίῳ μάθῃ.”

καί μοι τὸ μὲν πρῶτον ἔδοξε τὶ εἰπεῖν, ἔπειτά πως ἐννοήσας ἠρόμην αὐτὸν εἰ τὴν φιλοσοφίαν πολυμαθίαν ἡγοῖτο. [133d]

κἀκεῖνος, “πάνυ”, ἔφη.

“ἡγῇ δὲ δὴ καλὸν εἶναι μόνον τὴν φιλοσοφίαν ἢ καὶ ἀγαθόν;” ἦν δ᾽ ἐγώ.

“καὶ ἀγαθόν”, ἔφη, “πάνυ.”

“πότερον οὖν ἐν φιλοσοφίᾳ τι τοῦτο ἴδιον ἐνορᾷς, ἢ καὶ ἐν τοῖς ἄλλοις οὕτω σοι δοκεῖ ἔχειν; οἷον φιλογυμναστίαν οὐ μόνον ἡγῇ καλὸν εἶναι, ἀλλὰ καὶ ἀγαθόν; ἢ οὔ;”

ὁ δὲ καὶ μάλα εἰρωνικῶς εἶπε δύο·
“πρὸς μὲν τόνδε μοι εἰρήσθω ὅτι οὐδέτερα·
πρὸς μέντοι σέ, ὦ Σώκρατες, [133e] ὁμολογῶ
καὶ καλὸν εἶναι καὶ ἀγαθόν· ἡγοῦμαι γὰρ
ὀρθῶς”.

uma pessoa mais nova, seja uma mais velha, para que tenha na vida o máximo possível de estudo."

E eu primeiro supus que havia algo no que ele falava, mas, refletindo melhor em seguida, perguntei a ele se considerava que a filosofia é multiestudo.[10] [133d]

"Com certeza", ele disse.

"E você considera que a filosofia é apenas bela ou também boa?", eu perguntei.

"Também boa, com certeza", ele disse.

"Mas você vê isso como algo particular à filosofia ou você supõe ser assim também no resto? Por exemplo: você considera que a 'filoginastia'[11] é não apenas bela mas também boa, não?"

Ele, no entanto, disse muito marotamente,[12] de um modo duplo: "Para este aqui (*aponta para o apaixonado rival seu*) devo dizer que nem uma coisa nem outra... Mas para você, Sócrates, [133e] admito que é tanto bela quanto boa — é o que considero correto".

---

tade do século VI a.C. Aparece referido também na *República* (536d) e no *Laques* (189a).

[10] A associação do "multiestudo" (*polimathía*) com uma falsa ideia de conhecimento, algo que seria próprio dos sofistas, vem explorada no *Alcibíades Segundo* (147a). Nos *Diálogos*, a figura mais satirizada por seus múltiplos saberes é Hípias de Élis, nas obras *Hípias Maior* e *Hípias Menor*.

[11] *Philogumnastía*, o "amor pela ginástica", traduzido aqui por "filoginastia", é usado para estabelecer a relação explorada com a *philosophía*, "filosofia" ou o "amor pelo saber". Na sequência Platão usa ainda o particípio do verbo *philogumnastéo* e o substantivo *philogumnastés*; traduzo estes dois por "filoginasta" em português. O paralelo também aparece no *Banquete*, na *República* e no *Protágoras*.

[12] "Marotamente" traduz o advérbio grego *eironikôs*, "ironicamente"; note-se como a ironia, característica tipicamente socrática em Platão, era tomada correntemente por seu caráter dúbio.

ἠρώτησα οὖν ἐγώ, "ἆρ᾽ οὖν καὶ ἐν τοῖς γυμνασίοις τὴν πολυπονίαν φιλογυμναστίαν ἡγῇ εἶναι;"

κἀκεῖνος ἔφη, "πάνυ γε, ὥσπερ γε καὶ ἐν τῷ φιλοσοφεῖν τὴν πολυμαθίαν φιλοσοφίαν ἡγοῦμαι εἶναι".

κἀγὼ εἶπον, "ἡγῇ δὲ δὴ τοὺς φιλογυμναστοῦντας ἄλλου του ἐπιθυμεῖν ἢ τούτου, ὅτι ποιήσει αὐτοὺς εὖ ἔχειν τὸ σῶμα;"

"τούτου", ἔφη.

"ἦ οὖν οἱ πολλοὶ πόνοι τὸ σῶμα", ἦν δ᾽ ἐγώ, "ποιοῦσιν εὖ ἔχειν;" [134a]

"πῶς γὰρ ἄν", ἔφη, "ἀπό γε ὀλίγων πόνων τὸ σῶμά τις εὖ ἔχοι;"

καί μοι ἔδοξεν ἤδη ἐνταῦθα κινητέος εἶναι ὁ φιλογυμναστής, ἵνα μοι βοηθήσῃ διὰ τὴν ἐμπειρίαν τῆς γυμναστικῆς· κἄπειτα ἠρόμην αὐτόν, "σὺ δὲ δὴ τί σιγᾷς ἡμῖν, ὦ λῷστε, τούτου ταῦτα λέγοντος; ἢ καὶ σοὶ δοκοῦσιν οἱ ἄνθρωποι εὖ τὰ σώματα ἔχειν ἀπὸ τῶν πολλῶν πόνων, ἢ ἀπὸ τῶν μετρίων;"

"ἐγὼ μέν, ὦ Σώκρατες", ἔφη, "ᾤμην τὸ λεγόμενον δὴ τοῦτο κἂν ὗν γνῶναι ὅτι οἱ μέτριοι πόνοι εὖ ποιοῦσιν ἔχειν τὰ [134b] σώματα, πόθεν δὴ οὐχὶ ἄνδρα γε ἄγρυπνόν τε καὶ ἄσιτον καὶ ἀτριβῆ τὸν τράχηλον ἔχοντα καὶ λεπτὸν ὑπὸ μεριμνῶν;"

καὶ αὐτοῦ ταῦτα εἰπόντος ἥσθη τὰ μειράκια καὶ ἐπεγέλασεν, ὁ δ᾽ ἕτερος ἠρυθρίασε. καὶ ἐγὼ εἶπον, "τί οὖν; σὺ ἤδη συγχωρεῖς μήτε πολλοὺς μήτε ὀλίγους πόνους εὖ ποιεῖν ἔχειν τὰ σώματα τοὺς ἀνθρώπους, ἀλλὰ τοὺς μετρίους; ἢ διαμάχῃ δυοῖν ὄντοιν νῷν περὶ τοῦ λόγου;" [134c]

κἀκεῖνος, "πρὸς μὲν τοῦτον", ἔφη, "κἂν πάνυ ἡδέως διαγωνισαίμην, καὶ εὖ οἶδ᾽ ὅτι ἱκανὸς ἂν

E interroguei-o então: "Será que você considera que também nos exercícios o multiesforço é 'filoginastia'?".

E ele disse: "Com certeza, assim como também no filosofar considero que o multiestudo é filosofia".

E eu falei: "E você considera que os 'filoginastas' desejam alguma outra coisa que não esta: a que os fará condicionar bem o corpo?".

"Sim, esta", ele disse.

"E os muitos esforços os farão então condicionar bem o corpo?", eu perguntei. [134a]

"Claro", ele disse, "pois como alguém poderia condicionar bem o corpo com poucos esforços?"

Nessa hora supus que já deveria pôr em movimento o "filoginasta", para que me ajudasse com sua experiência de ginasta. Perguntei então a ele: "E você, meu caro, nos diga: por que fica em silêncio com esse aí falando essas coisas? Você também supõe que os seres humanos condicionam bem seus corpos com muitos esforços ou com moderados?".

"Eu mesmo, Sócrates", ele disse, "achava que até um suíno, como se diz por aí, reconheceria isso — que são os esforços comedidos que os fazem condicionar [134b] bem seus corpos —, quanto mais um homem que vive sem dormir e sem comer, sem ser tocado no pescoço e que é magrelo por conta das suas preocupações..."[13]

Os dois adolescentes gostaram do que ele disse e deram risada, enquanto o outro apaixonado enrubesceu. E eu falei para ele: "Mas então, você já concorda que nem muitos nem poucos esforços fazem os seres humanos condicionarem bem os seus corpos, mas comedidos? Ou você vai brigar conosco, que somos em dois, a respeito desse raciocínio?". [134c]

E ele disse: "Contra esse aí eu lutaria com muito prazer e bem sei que eu seria capaz de vir em socorro da proposição

---

[13] Referência aqui à visão caricata do sábio. Sobre o pescoço não-tocado, ver nota 6.

γενοίμην βοηθῆσαι τῇ ὑποθέσει ἣν ὑπεθέμην, καὶ εἰ ταύτης ἔτι φαυλοτέραν ὑπεθέμην· οὐδὲν γάρ ἐστι· πρὸς μέντοι σὲ οὐδὲν δέομαι παρὰ δόξαν φιλονικεῖν, ἀλλ' ὁμολογῶ μὴ τὰ πολλὰ ἀλλὰ τὰ μέτρια γυμνάσια τὴν εὐεξίαν ἐμποιεῖν τοῖς ἀνθρώποις".

"τί δὲ τὰ σιτία; τὰ μέτρια ἢ τὰ πολλά;" ἔφην ἐγώ.

"καὶ τὰ σιτία" ὡμολόγει.

[134d]

ἔτι δὲ κἀγὼ προσηνάγκαζον αὐτὸν ὁμολογεῖν καὶ τἆλλα πάντα τὰ περὶ τὸ σῶμα ὠφελιμώτατα εἶναι τὰ μέτρια ἀλλὰ μὴ τὰ πολλὰ μηδὲ τὰ ὀλίγα· καί μοι ὡμολόγει τὰ μέτρια.

"τί δ'", ἔφην, "τὰ περὶ τὴν ψυχήν; τὰ μέτρια ὠφελεῖ ἢ τὰ ἄμετρα τῶν προσφερομένων;"

"τὰ μέτρια", ἔφη.

"οὐκοῦν ἓν τῶν προσφερομένων ψυχῇ ἐστι καὶ τὰ μαθήματα;"

ὡμολόγει.

"καὶ τούτων ἄρα τὰ μέτρια ὠφελεῖ ἀλλ' οὐ τὰ πολλά;"

συνέφη. [134e]

"τίνα οὖν ἐρόμενοι ἂν δικαίως ἐροίμεθα ὁποῖοι μέτριοι πόνοι καὶ σιτία πρὸς τὸ σῶμά ἐστιν;"

ὡμολογοῦμεν μὲν τρεῖς ὄντες, ὅτι ἰατρὸν ἢ παιδοτρίβην.

"τίνα δ' ἂν περὶ σπερμάτων σπορᾶς ὁπόσον μέτριον;"

καὶ τούτου τὸν γεωργὸν ὡμολογοῦμεν.

"τίνα δὲ περὶ μαθημάτων εἰς ψυχὴν φυτεύσεώς τε καὶ σπορᾶς ἐρωτῶντες δικαίως ἂν ἐροίμεθα ὁπόσα καὶ ὁποῖα μέτρια;" [135a]

que apresentei, mesmo que fosse apresentando uma ainda mais medíocre que ela. Pois ele não é de nada. Mas contra você não tenho nenhuma necessidade de mostrar um inaceitável apreço pela vitória: admito sim que não são os muitos exercícios, mas os comedidos, que produzem o bom condicionamento nos seres humanos".

"Mas então, e em relação aos alimentos: os comedidos ou os muitos?", eu disse.

"O mesmo em relação aos alimentos", ele admitiu. [134d]

E então eu o forcei a admitir ainda que, em relação a tudo o mais que diz respeito ao corpo, são muito benéficas as coisas comedidas — não as muitas, nem as poucas. E ele admitiu para mim que são sim as comedidas.

"Mas então", eu disse, "e em relação ao que diz respeito à alma: entre as coisas que se aplicam a ela, são as comedidas ou as desmedidas que a beneficiam?"

"As comedidas", ele disse.

"Ora, entre as coisas que se aplicam à alma não existe esta: os estudos?"

Ele admitiu que sim.

"Também entre esses então são os comedidos que a beneficiam, mas não os muitos?"

Ele concordou. [134e]

"A quem então perguntaríamos de modo justo, caso perguntássemos sobre quais esforços e alimentos são comedidos para o corpo?"

Admitimos, nós três, que ao médico ou ao treinador.

"E a quem a respeito da semeadura dos grãos, sobre o quanto é comedido?"

E a esse respeito admitimos que a quem cultiva a terra.

"E a quem perguntaríamos de modo justo, caso interrogássemos a respeito do plantio e da semeadura dos estudos na alma, sobre quantos e quais são comedidos?" [135a]

τοὐντεῦθεν ἤδη ἀπορίας μεστοὶ ἦμεν ἅπαντες· κἀγὼ προσπαίζων αὐτοὺς ἠρόμην, "βούλεσθε", ἔφην, "ἐπειδὴ ἡμεῖς ἐν ἀπορίᾳ ἐσμέν, ἐρώμεθα ταυτὶ τὰ μειράκια; ἢ ἴσως αἰσχυνόμεθα, ὥσπερ ἔφη τοὺς μνηστῆρας Ὅμηρος, μὴ ἀξιούντων εἶναί τινα ἄλλον ὅστις ἐντενεῖ τὸ τόξον;"

ἐπειδὴ οὖν μοι ἐδόκουν ἀθυμεῖν πρὸς τὸν λόγον, ἄλλῃ ἐπειρώμην σκοπεῖν, καὶ εἶπον, "ποῖα δὲ μάλιστα ἄττα τοπάζομεν εἶναι τῶν μαθημάτων ἃ δεῖ τὸν φιλοσοφοῦντα μανθάνειν, ἐπειδὴ οὐχὶ πάντα οὐδὲ πολλά;" [135b]

ὑπολαβὼν οὖν ὁ σοφώτερος εἶπεν ὅτι "κάλλιστα ταῦτ᾽ εἴη τῶν μαθημάτων καὶ προσήκοντα ἀφ᾽ ὧν ἂν πλείστην δόξαν ἔχοι τις εἰς φιλοσοφίαν· πλείστην δ᾽ ἂν ἔχοι δόξαν, εἰ δοκοίη τῶν τεχνῶν ἔμπειρος εἶναι πασῶν, εἰ δὲ μή, ὡς πλείστων γε καὶ μάλιστα τῶν ἀξιολόγων, μαθὼν αὐτῶν ταῦτα ἃ προσήκει τοῖς ἐλευθέροις μαθεῖν, ὅσα συνέσεως ἔχεται, μὴ ὅσα χειρουργίας".

"ἆρ᾽ οὖν οὕτω λέγεις", ἔφην ἐγώ, "ὥσπερ ἐν τῇ τεκτονικῇ; [135c] καὶ γὰρ ἐκεῖ τέκτονα μὲν ἂν πρίαιο πέντε ἢ ἓξ μνῶν, ἄκρον ἀρχιτέκτονα δὲ οὐδ᾽ ἂν μυρίων δραχμῶν· ὀλίγοι γε μὴν κἂν ἐν πᾶσι τοῖς Ἕλλησι γίγνοιντο. ἆρα μή τι

A partir daí ficamos todos já cheios de aporia. E eu, brincando com eles, perguntei: "Já que estamos em aporia", eu disse, "vocês gostariam que perguntássemos a estes adolescentes aqui (*apontando para os dois*)? Ou talvez fiquemos com vergonha, como Homero disse dos pretendentes, por não acharem certo que fosse um outro qualquer a esticar o arco...?".[14]

Porém, supondo que desanimavam com tal raciocínio, tentei examinar de um outro modo e disse: "Quais imaginamos que são, dos estudos, aqueles a que mais se deve dedicar quem filosofa, já que não a todos nem a muitos?". [135b]

E, tomando a palavra, o mais sábio falou: "Dos estudos, que sejam estes os mais belos e adequados: aqueles com os quais alguém possa obter a maior reputação em filosofia. E alguém poderia obter a maior reputação caso o reputassem experiente em todas as artes,[15] ou, se não, no maior número delas e nas mais consideradas, estudando, delas, o que é adequado ao homem livre estudar — tudo que pertence ao entendimento, e não ao trabalho manual".

"Será que você quer dizer tal como no caso da arte da construção?", eu disse. [135c] "Pois você poderia adquirir por aí um construtor por cinco ou seis minas, mas um construtor-chefe de ponta, nem por dez mil dracmas — existiriam na realidade poucos em toda a Hélade.[16] Será que você não

---

[14] Referência a uma fala do Canto 21 da *Odisseia* (vv. 321-329): depois de os pretendentes de Penélope falharem na tentativa de armar o arco de Odisseu, e de este, disfarçado de pedinte, se oferecer para tentar, Eurímaco diz que eles todos ficariam envergonhados caso fossem superados por um mendigo.

[15] Usos do verbo *dokéo* e do substantivo *dóxa* em que se destacam as ideias de "fama", "reputação". Ver o *Alcibíades Segundo* (nota 27).

[16] Uma mina era equivalente a cem dracmas. Há um jogo no original entre *tékton* ("carpinteiro", "construtor" ou "peão de obra") e *arkhitékton* ("arquiteto", "construtor-chefe" ou "mestre de obras"). "De pon-

τοιοῦτον λέγεις;" καὶ ὃς ἀκούσας μου συνεχώρει καὶ αὐτὸς λέγειν τοιοῦτον.

ἠρόμην δ' αὐτὸν εἰ οὐκ ἀδύνατον εἴη δύο μόνας τέχνας οὕτω μαθεῖν τὸν αὐτόν, μὴ ὅτι πολλὰς καὶ μεγάλας· ὁ δέ, "μὴ οὕτως μου", ἔφη, "ὑπολάβῃς, ὦ Σώκρατες, ὡς λέγοντος ὅτι δεῖ ἑκάστην τῶν τεχνῶν τὸν φιλοσοφοῦντα ἐπίστασθαι [135d] ἀκριβῶς ὥσπερ αὐτὸν τὸν τὴν τέχνην ἔχοντα, ἀλλ' ὡς εἰκὸς ἄνδρα ἐλεύθερόν τε καὶ πεπαιδευμένον, ἐπακολουθῆσαί τε τοῖς λεγομένοις ὑπὸ τοῦ δημιουργοῦ οἷόν τ' εἶναι διαφερόντως τῶν παρόντων, καὶ αὐτὸν ξυμβάλλεσθαι γνώμην, ὥστε δοκεῖν χαριέστατον εἶναι καὶ σοφώτατον τῶν ἀεὶ παρόντων ἐν τοῖς λεγομένοις τε καὶ πραττομένοις περὶ τὰς τέχνας".

κἀγώ, ἔτι γὰρ αὐτοῦ ἠμφεγνόουν τὸν λόγον ὅ τι ἐβούλετο, [135e] "ἆρ' ἐννοῶ", ἔφην, "οἷον λέγεις τὸν φιλόσοφον ἄνδρα; δοκεῖς γάρ μοι λέγειν οἷοι ἐν τῇ ἀγωνίᾳ εἰσὶν οἱ πένταθλοι πρὸς τοὺς δρομέας ἢ τοὺς παλαιστάς. καὶ γὰρ ἐκεῖνοι τούτων μὲν λείπονται κατὰ τὰ τούτων ἆθλα καὶ δεύτεροί εἰσι πρὸς τούτους, τῶν δ' ἄλλων ἀθλητῶν πρῶτοι καὶ νικῶσιν αὐτούς. τάχ' ἂν ἴσως τοιοῦτόν τι λέγοις καὶ τὸ φιλοσοφεῖν ἀπεργάζεσθαι τοὺς ἐπιτηδεύοντας τοῦτο τὸ ἐπιτήδευμα· τῶν μὲν [136a] πρώτων εἰς σύνεσιν περὶ τὰς τέχνας ἐλλείπεσθαι, τὰ δευτερεῖα δ' ἔχοντας τῶν ἄλλων περιεῖναι, καὶ οὕτως γίγνεσθαι περὶ πάντα ὕπακρόν τινα ἄνδρα τὸν πεφιλοσοφηκότα· τοιοῦτόν τινά μοι δοκεῖς ἐνδείκνυσθαι".

está querendo dizer algo assim?" E ele concordou, depois de me ouvir, que estava mesmo querendo dizer algo assim.

Perguntei então a ele se já não era impossível, para uma só pessoa, estudar desse jeito duas artes apenas, quanto mais muitas e grandiosas... "Não me tome desse jeito, Sócrates", ele disse, "como se eu estivesse querendo dizer que quem filosofa deve conhecer com precisão [135d] cada uma das artes, tal como o próprio detentor de uma arte. Falo apenas do que se espera de um homem livre e instruído — ser capaz de acompanhar as coisas ditas pelo trabalhador de uma forma diferenciada em comparação aos demais circunstantes, e poder contribuir ele mesmo com a sua opinião, de modo que o reputem o mais refinado e o mais sábio dentre os circunstantes nas coisas ditas e praticadas relativas às artes."

Mas eu, como ainda estava hesitante em relação ao que ele queria com esse raciocínio, [135e] disse: "Será que estou percebendo que tipo de homem você diz ser o filósofo? Suponho que você esteja dizendo que ele é como o atleta do pentatlo na disputa contra os corredores e lutadores.[17] Pois nas provas desses ele é deixado para trás e fica em segundo lugar, mas fica em primeiro em relação aos demais atletas e os vence. Talvez você esteja dizendo que a filosofia também produz um efeito desse tipo nos que se ocupam dela: [136a] são deixados para trás pelos primeiros no entendimento relativo às artes, mas, porque detêm o segundo lugar, superam os demais, e assim o homem que estudou filosofia vem, em tudo, logo abaixo do que é de ponta.[18] Suponho que você esteja apontando para alguém disse tipo".

---

ta" é como traduzo o adjetivo *ákros*, que vai ser explorado algumas vezes na sequência.

[17] O atleta do pentatlo, como o nome diz, praticava cinco modalidades: salto, corrida, luta, arremesso de disco e pugilato.

[18] Para o primeiro uso de *ákros*, "de ponta", ver nota 16.

"καλῶς γέ μοι", ἔφη, "ὦ Σώκρατες, φαίνῃ ὑπολαμβάνειν τὰ περὶ τοῦ φιλοσόφου, ἀπεικάσας αὐτὸν τῷ πεντάθλῳ. ἔστιν γὰρ ἀτεχνῶς τοιοῦτος οἷος μὴ δουλεύειν μηδενὶ πράγματι, μηδ' εἰς τὴν ἀκρίβειαν μηδὲν διαπεπονηκέναι, ὥστε διὰ τὴν τοῦ ἑνὸς τούτου ἐπιμέλειαν τῶν ἄλλων ἁπάντων [136b] ἀπολελεῖφθαι, ὥσπερ οἱ δημιουργοί, ἀλλὰ πάντων μετρίως ἐφῆφθαι."

μετὰ ταύτην δὴ τὴν ἀπόκρισιν ἐγὼ προθυμούμενος σαφῶς εἰδέναι ὅ τι λέγοι, ἐπυνθανόμην αὐτοῦ τοὺς ἀγαθοὺς πότερον χρησίμους ἢ ἀχρήστους εἶναι ὑπολαμβάνοι.

"χρησίμους δήπου, ὦ Σώκρατες", ἔφη.

"ἆρ' οὖν, εἴπερ οἱ ἀγαθοὶ χρήσιμοι, οἱ πονηροὶ ἄχρηστοι;"

ὡμολόγει.

"τί δέ; τοὺς φιλοσόφους ἄνδρας χρησίμους ἡγῇ ἢ οὔ;" [136c]

ὁ δὲ ὡμολόγει χρησίμους, καὶ πρός γε ἔφη χρησιμωτάτους εἶναι ἡγεῖσθαι.

"φέρε δὴ γνῶμεν, εἰ σὺ ἀληθῆ λέγεις, ποῦ καὶ χρήσιμοι ἡμῖν εἰσιν οἱ ὕπακροι οὗτοι; δῆλον γὰρ ὅτι ἑκάστου γε τῶν τὰς τέχνας ἐχόντων φαυλότερός ἐστιν ὁ φιλόσοφος."

ὡμολόγει.

"φέρε δὴ σύ", ἦν δ' ἐγώ, "εἰ τύχοις ἢ αὐτὸς ἀσθενήσας ἢ τῶν φίλων τις τῶν σῶν περὶ ὧν σὺ σπουδὴν μεγάλην ἔχεις, πότερον ὑγείαν

"Você mostra, Sócrates", ele disse, "ter captado belamente isso que se relaciona ao filósofo, ao compará-lo ao atleta do pentatlo. Pois ele é simplesmente alguém desse tipo: que não se deixa escravizar por nenhuma atividade e que não despende esforço nenhum em busca da precisão — para não ficar, por causa da militância[19] por uma coisa só, [136b] para trás de todos os demais, tal como acontece com os trabalhadores —, mas antes tem contato com todas, comedidamente."

Depois dessa resposta, desejando saber com clareza o que ele estava querendo dizer, perguntei se ele tomava os bons como prestimosos ou como imprestáveis.[20]

"Como prestimosos, Sócrates, decerto", ele disse.

"E, se os bons são prestimosos, será que os perversos são imprestáveis?"

Ele admitiu que sim.

"Mas então, você considera os filósofos homens prestimosos ou não?" [136c]

Ele admitiu que prestimosos, e mais: disse que os considerava prestimosíssimos!

"Vamos então! Reconheçamos — caso seja verdade o que você está dizendo — onde são também prestimosos para nós esses que vêm logo abaixo do que é de ponta. Pois está claro que o filósofo é mais medíocre do que cada um dos que detêm sua própria arte."

Ele admitiu que sim.

"Vamos então! Se você mesmo calhasse", eu perguntei, "de ficar debilitado, ou algum dos seus amigos por quem você demonstra grande empenho, você nesse caso, querendo

---

[19] "Militância" é como traduzo *epiméleia* (ver também o *Clitofonte*, 407e e nota 6). Para uso do verbo cognato *epimeloûmai*, ver o *Teages* (nota 5).

[20] *Khrésimos*, "prestimoso", e *ákhrestos*, "imprestável", são variantes para as ideias de "bom" e "mau".

βουλόμενος κτήσασθαι τὸν ὕπακρον ἐκεῖνον τὸν φιλόσοφον εἰσάγοις ἂν εἰς τὴν οἰκίαν ἢ τὸν ἰατρὸν λάβοις;” [136d]

“ἀμφοτέρους ἔγωγ᾿ ἄν”, ἔφη.

“μή μοι”, εἶπον ἐγώ, “ἀμφοτέρους λέγε, ἀλλ᾿ ὁπότερον μᾶλλόν τε καὶ πρότερον.”

“οὐδεὶς ἄν”, ἔφη, “τοῦτό γε ἀμφισβητήσειεν, ὡς οὐχὶ τὸν ἰατρὸν καὶ μᾶλλον καὶ πρότερον.”

“τί δ᾿; ἐν νηὶ χειμαζομένῃ ποτέρῳ ἂν μᾶλλον ἐπιτρέποις σαυτόν τε καὶ τὰ σεαυτοῦ, τῷ κυβερνήτῃ ἢ τῷ φιλοσόφῳ;”

“τῷ κυβερνήτῃ ἔγωγε.”

“οὐκοῦν καὶ τἆλλα πάνθ᾿ οὕτως, ἕως ἄν τις δημιουργὸς ᾖ, οὐ χρήσιμός ἐστιν ὁ φιλόσοφος;”

“φαίνεται”, ἔφη. [136e]

“οὐκοῦν νῦν ἄχρηστός τις ἡμῖν ἐστιν ὁ φιλόσοφος; εἰσὶ γὰρ ἡμῖν ἀεί που δημιουργοί· ὡμολογήσαμεν δὲ τοὺς μὲν ἀγαθοὺς χρησίμους εἶναι, τοὺς δὲ μοχθηροὺς ἀχρήστους.”

ἠναγκάζετο ὁμολογεῖν.

“τί οὖν μετὰ τοῦτο; ἔρωμαί σε ἢ ἀγροικότερόν ἐστιν ἐρέσθαι;”

“ἐροῦ ὅ τι βούλει.”

“οὐδὲν δή”, ἔφην ἐγώ, “ζητῶ ἄλλο ἢ ἀνομολογήσασθαι τὰ [137a] εἰρημένα. ἔχει δέ πως ὡδί. ὡμολογήσαμεν καλὸν εἶναι τὴν φιλοσοφίαν καὶ αὐτοὶ φιλόσοφοι εἶναι, τοὺς δὲ φιλοσόφους ἀγαθούς, τοὺς δὲ ἀγαθοὺς χρησίμους, τοὺς δὲ πονηροὺς ἀχρήστους· αὖθις δ᾿ αὖ τοὺς φιλοσόφους ὡμολογήσαμεν, ἕως ἂν οἱ δημιουργοὶ ὦσιν, ἀχρήστους εἶναι, δημιουργοὺς δὲ ἀεὶ εἶναι. οὐ γὰρ ταῦτα ὡμολόγηται;”

“πάνυ γε”, ἦ δ᾿ ὅς.

“ὁμολογοῦμεν ἄρα, ὡς ἔοικε, κατά γε τὸν σὸν λόγον, εἴπερ τὸ φιλοσοφεῖν ἐστι περὶ τὰς τέχνας ἐπιστήμονας εἶναι ὃν σὺ λέγεις τὸν τρόπον, πονηροὺς

recuperar a saúde, levaria para casa aquele grande filósofo que vem logo abaixo do que é de ponta, ou pegaria um médico?" [136d]

"Levaria os dois", ele disse.

"Não diga 'os dois'", eu falei, "mas qual deles, de preferência e em primeiro."

"Ninguém discutiria", ele disse, "a esse respeito: o médico, de preferência e em primeiro."

"Mas então, e em uma nau sacudida pela tempestade, você se colocaria de preferência — a você e aos seus — nas mãos do piloto ou do filósofo?"

"Do piloto!"

"Ora, não é assim também em todas as demais coisas: enquanto houver um trabalhador, o filósofo não será prestimoso?"

"Parece que sim", ele disse. [136e]

"Ora, o filósofo não é agora então alguém imprestável para nós? Pois nós decerto temos, sempre, trabalhadores. E admitimos que os bons são prestimosos, e os viciosos, imprestáveis."

Ele foi forçado a admitir que sim.

"O que vem depois disso? Devo perguntar a você ou seria muito grosseiro perguntar?"

"Pergunte o que quiser."

"Nada mais almejo", eu disse, "senão retomar o que [137a] admitimos. A situação é mais ou menos esta. Admitimos que a filosofia é bela e os filósofos são bons, e que os bons são prestimosos e os perversos imprestáveis. Mas admitimos, por outro lado, que os filósofos, enquanto houver trabalhadores, são imprestáveis, e que sempre há trabalhadores. Não foram essas as coisas que admitimos?"

"Com certeza!", ele respondeu.

"Ao que parece, admitimos então, ao menos segundo o seu raciocínio, que, se filosofar é ter conhecimento a respeito das artes da forma que você diz, eles serão, enquanto houver

αὐτοὺς εἶναι καὶ [137b] ἀχρήστους, ἕως ἂν ἐν ἀνθρώποις τέχναι ὦσιν. ἀλλὰ μὴ οὐχ οὕτως, ὦ φίλε, ἔχωσι, μηδ᾽ ᾖ τοῦτο φιλοσοφεῖν, περὶ τὰς τέχνας ἐσπουδακέναι, οὐδὲ πολυπραγμονοῦντα κυπτάζοντα ζῆν οὐδὲ πολυμαθοῦντα, ἀλλ᾽ ἄλλο τι, ἐπεὶ ἐγὼ ᾤμην καὶ ὄνειδος εἶναι τοῦτο καὶ βαναύσους καλεῖσθαι τοὺς περὶ τὰς τέχνας ἐσπουδακότας. ὧδε δὲ σαφέστερον εἰσόμεθα εἰ ἄρα ἀληθῆ λέγω, ἐὰν τοῦτο ἀποκρίνῃ· τίνες ἵππους ἐπίστανται [137c] κολάζειν ὀρθῶς; πότερον οἵπερ βελτίστους ποιοῦσιν ἢ ἄλλοι;"

"οἵπερ βελτίστους."

"τί δέ; κύνας οὐχ οἳ βελτίστους ἐπίστανται ποιεῖν, οὗτοι καὶ κολάζειν ὀρθῶς ἐπίστανται;"

"ναί."

"ἡ αὐτὴ ἄρα τέχνη βελτίστους τε ποιεῖ καὶ κολάζει ὀρθῶς;"

"φαίνεταί μοι", ἦ δ᾽ ὅς.

"τί δέ; πότερον ἥπερ βελτίστους τε ποιεῖ καὶ κολάζει ὀρθῶς, ἡ αὐτὴ δὲ καὶ γιγνώσκει τοὺς χρηστοὺς καὶ τοὺς μοχθηρούς, ἢ ἑτέρα τις;"

"ἡ αὐτή", ἔφη.

"ἐθελήσεις οὖν καὶ κατ᾽ ἀνθρώπους τοῦτο ὁμολογεῖν, [137d] ἥπερ βελτίστους ἀνθρώπους ποιεῖ, ταύτην εἶναι καὶ τὴν κολάζουσαν ὀρθῶς καὶ διαγιγνώσκουσαν τοὺς χρηστούς τε καὶ μοχθηρούς;"

"πάνυ γε", ἔφη.

"οὐκοῦν καὶ ἥτις ἕνα, καὶ πολλούς, καὶ ἥτις πολλούς, καὶ ἕνα;"

"ναί."

"καὶ καθ᾽ ἵππων δὴ καὶ τῶν ἄλλων ἁπάντων οὕτως;"

"φημί."

artes entre os seres humanos, [137b] perversos e imprestáveis. Mas receio, meu caro, que eles não sejam assim, tampouco que filosofar seja isso — empenhar-se a respeito das artes ou viver sob o peso da multiocupação e do multiestudo —, mas sim uma outra coisa, uma vez que sempre achei isso vergonhoso, e que são chamados de vulgares aqueles que se empenharam a respeito das artes. Mas deste jeito saberemos com mais clareza se falo a verdade, caso você me responda isto: que pessoas conhecem como [137c] castigar corretamente os cavalos? As que os tornam ótimos[21] ou outras?"

"As que os tornam ótimos."

"Mas então, com os cães, não são as que conhecem como os tornar ótimos que também conhecem como os castigar corretamente?"

"Sim."

"A mesma arte então os torna ótimos e os castiga corretamente?"

"Parece que sim", ele respondeu.

"Mas então, a que os torna ótimos e os castiga corretamente é a mesma também que reconhece os prestimosos e os viciosos, ou é uma diferente?"

"A mesma", ele disse.

"Você estaria disposto então a admitir isso também em relação aos seres humanos, [137d] que é essa — a que torna os seres humanos ótimos — que também os castiga corretamente e reconhece os prestimosos e os viciosos?"

"Com certeza!", ele disse.

"Ora, a que torna um não torna muitos e a que torna muitos não torna também um?"

"Sim."

"E é assim com os cavalos e com tudo o mais?"

"Concordo."

---

[21] Para a importância do superlativo *béltistos*, ver o *Alcibíades Segundo* (nota 25).

"τίς οὖν ἐστιν ἡ ἐπιστήμη, ἥτις τοὺς ἐν ταῖς πόλεσιν ἀκολασταίνοντας καὶ παρανομοῦντας ὀρθῶς κολάζει; οὐχ ἡ δικαστική;"

"ναί."

"ἢ ἄλλην οὖν τινα καλεῖς καὶ δικαιοσύνην ἢ ταύτην;"

"οὐκ, ἀλλὰ ταύτην." [137e]

"οὐκοῦν ᾗπερ κολάζουσιν ὀρθῶς, ταύτῃ καὶ γιγνώσκουσι τοὺς χρηστοὺς καὶ μοχθηρούς;"

"ταύτῃ."

"ὅστις δὲ ἕνα γιγνώσκει, καὶ πολλοὺς γνώσεται;"

"ναί."

"καὶ ὅστις γε πολλοὺς ἀγνοεῖ, καὶ ἕνα;"

"φημί."

"εἰ ἄρα ἵππος ὢν ἀγνοοῖ τοὺς χρηστοὺς καὶ πονηροὺς ἵππους, κἂν ἑαυτὸν ἀγνοοῖ ποῖός τίς ἐστιν;"

"φημί."

"καὶ εἰ βοῦς ὢν ἀγνοοῖ τοὺς πονηροὺς καὶ χρηστοὺς βοῦς, κἂν αὑτὸν ἀγνοοῖ ποῖός τίς ἐστιν;"

"ναί", ἔφη.

"οὕτω δὴ καὶ εἰ κύων;"

ὡμολόγει. [138a]

"τί δ'; ἐπειδὰν ἄνθρωπός τις ὢν ἀγνοῇ τοὺς χρηστοὺς καὶ μοχθηροὺς ἀνθρώπους, ἆρ' οὐχ αὑτὸν ἀγνοεῖ πότερον χρηστός ἐστιν ἢ πονηρός, ἐπειδὴ καὶ αὐτὸς ἄνθρωπός ἐστιν;"

συνεχώρει.

"τὸ δὲ αὑτὸν ἀγνοεῖν σωφρονεῖν ἐστιν ἢ μὴ σωφρονεῖν;"

"μὴ σωφρονεῖν."

"Qual é então a área do conhecimento que, nas cidades, castiga corretamente os indisciplinados e os transgressores? Não é a judiciária?"

"Sim."

"Você chama alguma outra além dela de 'justiça'?"

"Não, só ela." [137e]

"Ora, não é por ela — com a qual castigam corretamente — que também reconhecem os prestimosos e os viciosos?"

"Por ela."

"E quem reconhece um também reconhecerá muitos?"

"Sim."

"E quem ignora muitos também ignorará um?"

"Concordo."

"E se alguém então, sendo um cavalo, ignorasse os cavalos prestimosos e os perversos, ignoraria também a si mesmo, sobre quem ele próprio é?"

"Concordo."

"E se, sendo um boi, ignorasse os perversos e os prestimosos, ignoraria também a si, sobre quem ele próprio é?"

"Sim", ele disse.

"E seria assim também se fosse um cão?"

Ele admitiu que sim. [138a]

"Mas então, quando, sendo um ser humano, alguém ignora os seres humanos prestimosos e os viciosos, será que não ignora a si — se ele próprio é prestimoso ou perverso —, já que ele mesmo é um ser humano?"

Ele concordou.

"E ignorar a si mesmo é ter temperança ou não ter temperança?"[22]

"Não ter temperança."

---

[22] "Ter temperança" é como traduzo o verbo *sophronéo*. A "temperança" (*sophrosúne*, com o sentido de "moderação", "equilíbrio") é o tema central do diálogo *Cármides*, onde a conexão com a inscrição délfica também é explorada (164d-165b).

"τὸ ἑαυτὸν ἄρα γιγνώσκειν ἐστὶ σωφρονεῖν;"

"φημί", ἔφη.

"τοῦτ᾽ ἄρα, ὡς ἔοικε, τὸ ἐν Δελφοῖς γράμμα παρακελεύεται, σωφροσύνην ἀσκεῖν καὶ δικαιοσύνην."

"ἔοικεν."

"τῇ αὐτῇ δὲ ταύτῃ καὶ κολάζειν ὀρθῶς ἐπιστάμεθα;"

"ναί." [138b]

"οὐκοῦν ᾗ μὲν κολάζειν ὀρθῶς ἐπιστάμεθα, δικαιοσύνη αὕτη ἐστίν, ᾗ δὲ διαγιγνώσκειν καὶ ἑαυτὸν καὶ ἄλλους, σωφροσύνη;"

"ἔοικεν", ἔφη.

"ταὐτὸν ἄρα ἐστὶ καὶ δικαιοσύνη καὶ σωφροσύνη;"

"φαίνεται."

"καὶ μὴν οὕτω γε καὶ αἱ πόλεις εὖ οἰκοῦνται, ὅταν οἱ ἀδικοῦντες δίκην διδῶσιν."

"ἀληθῆ λέγεις", ἔφη.

"καὶ πολιτικὴ ἄρα αὐτή ἐστιν."

συνεδόκει.

"τί δὲ ὅταν εἷς ἀνὴρ ὀρθῶς πόλιν διοικῇ, ὄνομά γε τούτῳ οὐ τύραννός τε καὶ βασιλεύς;"

"φημί."

"Então *reconhecer a si mesmo* é ter temperança?"[23]

"Concordo", ele disse.

"É a isso então, ao que parece, que a inscrição em Delfos exorta: a exercitar a temperança e a justiça."

"É o que parece."

"E é por essa mesma que conhecemos também como castigar corretamente?"

"Sim." [138b]

"Ora, aquela pela qual conhecemos como castigar corretamente, essa não é a justiça? E aquela pela qual como reconhecer por inteiro tanto a si mesmo quanto aos outros, a temperança?"

"É o que parece", ele disse.

"Então tanto a justiça quanto a temperança são a mesma coisa?"

"Parece que sim."

"Na realidade, é deste jeito que as cidades são bem governadas: quando os malfeitores recebem uma punição."

"Você está falando a verdade", ele disse.

"Essa é então também a arte da política."

Ele concordou.

"Mas então, quando um só homem administra corretamente a cidade, seu nome não é 'tirano' ou 'rei'?"

"Concordo."

---

[23] Veja-se a referência a essa máxima délfica, "Conhece-te a ti mesmo" (*gnôthi sautón*), também no *Alcibíades Primeiro* (124b e 129a); mais uma vez a relação da inscrição com a ideia de "temperança" é explorada (130e e 132c-133d). A máxima é citada ainda, por exemplo, no *Fedro* (230a), no *Filebo* (48c) e no *Protágoras* (343b). Na tradução consagrada em português, empregamos o verbo "conhecer", mas, como aqui Platão explora o contraste com o verbo "ignorar", *agnoéo*, preferi usar a forma "reconhecer" para *gignósko*, reservando "conhecer" para traduzir outro verbo importante nos *Diálogos*, *epístamai*. Para essa oposição entre "ignorar" e "reconhecer", ver o *Alcibíades Segundo* (143a-144c).

“οὐκοῦν βασιλικῇ τε καὶ τυραννικῇ τέχνῃ διοικεῖ;”

“οὕτως.”

“καὶ αὗται ἄρ᾽ αἱ αὐταὶ τέχναι εἰσὶν ἐκείναις;”

“φαίνονται.” [138c]

“τί δ᾽ ὅταν εἷς ὢν ἀνὴρ οἰκίαν διοικῇ ὀρθῶς, τί ὄνομα τούτῳ ἐστίν; οὐκ οἰκονόμος τε καὶ δεσπότης;”

“ναί.”

“πότερον οὖν καὶ οὗτος δικαιοσύνῃ εὖ ἂν τὴν οἰκίαν διοικοῖ ἢ κἄλλῃ τινὶ τέχνῃ;”

“δικαιοσύνῃ.”

“ἔστιν ἄρα ταὐτόν, ὡς ἔοικε, βασιλεύς, τύραννος, πολιτικός, οἰκονόμος, δεσπότης, σώφρων, δίκαιος. καὶ μία τέχνη ἐστὶν βασιλική, τυραννική, πολιτική, δεσποτική, οἰκονομική, δικαιοσύνη, σωφροσύνη.”

“φαίνεται”, ἔφη, “οὕτως.” [138d]

“πότερον οὖν τῷ φιλοσόφῳ, ὅταν μὲν ἰατρὸς περὶ τῶν καμνόντων τι λέγῃ, αἰσχρὸν μήθ᾽ ἕπεσθαι τοῖς λεγομένοις δύνασθαι μήτε συμβάλλεσθαι μηδὲν περὶ τῶν λεγομένων ἢ πραττομένων, καὶ ὁπόταν ἄλλος τις τῶν δημιουργῶν, ὡσαύτως· ὅταν δὲ δικαστὴς ἢ βασιλεὺς ἢ ἄλλος τις ὧν νυνδὴ διεληλύθαμεν, οὐκ αἰσχρὸν περὶ τούτων μήτε ἕπεσθαι δύνασθαι μήτε συμβάλλεσθαι περὶ αὐτῶν;”

“πῶς δ᾽ οὐκ αἰσχρόν, ὦ Σώκρατες, περί γε τοσούτων πραγμάτων μηδὲν ἔχειν συμβάλλεσθαι;” [138e]

“πότερον οὖν καὶ περὶ ταῦτα λέγωμεν”, ἔφην, “πένταθλον αὐτὸν δεῖν εἶναι καὶ ὕπακρον, καὶ ταύτης μὲν τὰ δευτερεῖα ἔχοντα πάντων τὸν φιλόσοφον, καὶ ἀχρεῖον εἶναι ἕως ἂν τούτων τις ᾖ, ἢ πρῶτον μὲν τὴν αὐτοῦ οἰκίαν οὐκ ἄλλῳ ἐπιτρεπτέον οὐδὲ τὰ δευτερεῖα ἐν τούτῳ ἑκτέον, ἀλλ᾽ αὐτὸν κολαστέον δικάζοντα ὀρθῶς, εἰ μέλλει εὖ οἰκεῖσθαι αὐτοῦ ἡ οἰκία;”

"Ora, ele não administra tanto pela arte da realeza quanto da tirania?"

"Assim é."

"E essas artes são as mesmas que aquelas?"

"Parece que sim." [138c]

"Mas então, quando um homem, sendo um só, administra a casa corretamente, qual o seu nome? Não é 'administrador' ou 'senhor'?"

"Sim."

"É pela justiça que ele também administraria bem a casa, ou por alguma outra arte?"

"Pela justiça."

"São então a mesma coisa, ao que parece, 'rei', 'tirano', 'político', 'administrador', 'senhor', 'temperante', 'justo'. E são uma só arte a da realeza, da tirania, da política, do senhorio, da administração, a justiça, a temperança."

"Parece que é isso", ele disse. [138d]

"Se já é então vergonhoso para o filósofo não ser capaz, quando um médico fala algo sobre os enfermos, nem de seguir as suas palavras nem de contribuir em nada com o que é dito e praticado (ou quando, igualmente, fala qualquer outro dos trabalhadores), não será vergonhoso, quando for um juiz, um rei ou qualquer outro dos que elencamos agora há pouco, ele não ser capaz nem de seguir tais coisas nem de contribuir com elas?"

"Como não será vergonhoso, Sócrates, ele não poder contribuir em nada com atividades tamanhas?" [138e]

"Devemos então afirmar", eu disse, "que também nelas ele deve ser um atleta do pentatlo e vir logo abaixo do que é de ponta? E que, ficando em segundo lugar o filósofo em tudo que diz respeito a essa arte, deve ser inútil enquanto houver algum daqueles? Ou, primeiro, que não deve dar a outro a incumbência da própria casa, nem nela ficar em segundo lugar, mas que ele mesmo deve, julgando corretamente, castigar, se quer administrar bem a sua casa?"

συνεχώρει δή μοι.

"ἔπειτά γε δήπου ἐάν τε οἱ φίλοι αὐτῷ διαίτας ἐπιτρέπωσιν, ἐάν τε ἡ πόλις τι προστάττῃ διακρίνειν ἢ δικάζειν, [139a] αἰσχρὸν ἐν τούτοις, ὦ ἑταῖρε, δεύτερον φαίνεσθαι ἢ τρίτον καὶ μὴ οὐχ ἡγεῖσθαι;"

"δοκεῖ μοι."

"πολλοῦ ἄρα δεῖ ἡμῖν, ὦ βέλτιστε, τὸ φιλοσοφεῖν πολυμαθία τε εἶναι καὶ ἡ περὶ τὰς τέχνας πραγματεία."

εἰπόντος δ' ἐμοῦ ταῦτα ὁ μὲν σοφὸς αἰσχυνθεὶς τοῖς προειρημένοις ἐσίγησεν, ὁ δὲ ἀμαθὴς ἔφη ἐκείνως εἶναι· καὶ οἱ ἄλλοι ἐπῄνεσαν τὰ εἰρημένα.

Ele concordou comigo.

"E, em seguida, que é decerto vergonhoso, quer os amigos o incumbam de uma arbitragem, quer a cidade o encarregue de decidir ou julgar algo, [139a] nisso ele aparecer, meu amigo, em segundo ou terceiro, e não liderar?"

"Suponho que sim."

"Falta muito então, ótimo homem, para que filosofar seja, para nós, multiestudo e ocupação com as artes..."

Depois que eu disse isso, o que era sábio, envergonhado com as suas afirmações anteriores, ficou em silêncio, enquanto o que era sem estudo disse que era assim mesmo. E os demais louvaram as coisas ditas.

Κλειτόφων*

ΣΩΚΡΑΤΗΣ [406]

Κλειτοφῶντα τὸν Ἀριστωνύμου τις ἡμῖν διηγεῖτο ἔναγχος, ὅτι Λυσίᾳ διαλεγόμενος τὰς μὲν μετὰ Σωκράτους διατριβὰς ψέγοι, τὴν Θρασυμάχου δὲ συνουσίαν ὑπερεπαινοῖ.

ΚΛΕΙΤΟΦΩΝ

ὅστις, ὦ Σώκρατες, οὐκ ὀρθῶς ἀπεμνημόνευέ σοι τοὺς ἐμοὶ περὶ σοῦ γενομένους λόγους πρὸς Λυσίαν· τὰ μὲν γὰρ ἔγωγε οὐκ ἐπῄνουν σε, τὰ δὲ καὶ ἐπῄνουν. ἐπεὶ δὲ δῆλος εἶ μεμφόμενος μέν μοι,

---

* Texto grego estabelecido a partir de *Platonis Opera*, t. IV, John Burnet (org.), Oxford, Clarendon Press, 1905 (Bibliotheca Oxoniensis), disponível em <www.perseus.tufts.edu>. Nos seguintes casos adotou-se leitura diferente: *humnoîs* em vez de *húmneis*, em 407b; *ouk òn tôi prágmati* em vez de *ouk éni tôi prágmati*, em 408d; e *hos kaì nundè* em vez de *hà kaì nundè*, em 410e.

Clitofonte (Uma crítica a Sócrates)

SÓCRATES [406]

Eis Clitofonte, filho de Aristônimo,[1] o qual, segundo alguém nos relatava outro dia, ao dialogar com Lísias criticou a dedicação a Sócrates, mas louvou bastante o convívio com Trasímaco...[2]

CLITOFONTE

Alguém, Sócrates, que não recordava corretamente para você os raciocínios meus a seu respeito junto a Lísias... Pois em alguns pontos eu de fato não o louvava, mas em outros o louvava sim. Mas como está claro que você me censura — ainda que finja não se preocupar nem um pouco —, eu teria

---

[1] Clitofonte, sobre quem não temos muitos detalhes, aparece no Livro 1 da *República* (328b) como um dos presentes à conversa reportada por Sócrates e lá se manifesta, rapidamente (340a-b), em apoio a Trasímaco. Sócrates, apesar de estar aqui sozinho com Clitofonte, abre o diálogo referindo-se ao interlocutor na terceira pessoa, com seu nome em posição de destaque. Para falar de si mesmo, Sócrates usa, além da terceira pessoa, o plural majestático ("nos relatava"), comum no grego antigo.

[2] Lísias (458-380 a.C.) foi um orador que se estabeleceu com destaque em Atenas; é parodiado e criticado por Platão no *Fedro*. Trasímaco da Calcedônia foi um dos mais importantes sofistas e retóricos a atuar em Atenas no final do século V a.C. e é o interlocutor principal de Sócrates no Livro 1 da *República*. "Dedicação" (*diatribé*) e "convívio" (*sunousía*) são termos próprios do vocabulário filosófico, aqui usados praticamente como sinônimos; aparecem com frequência no *Teages* (ver nota 10).

προσποιούμενος δὲ μηδὲν φροντίζειν, ἥδιστ' ἄν σοι διεξέλθοιμι αὐτοὺς αὐτός, ἐπειδὴ καὶ μόνω τυγχάνομεν ὄντε, ἵνα ἧττόν με ἡγῇ πρὸς σὲ φαύλως ἔχειν. νῦν γὰρ ἴσως οὐκ ὀρθῶς ἀκήκοας, ὥστε φαίνῃ πρὸς ἐμὲ ἔχειν τραχυτέρως τοῦ δέοντος· εἰ δέ μοι δίδως παρρησίαν, ἥδιστα ἂν δεξαίμην καὶ ἐθέλω λέγειν.

ΣΩΚΡΑΤΗΣ [407a]

ἀλλ' αἰσχρὸν μὴν σοῦ γε ὠφελεῖν με προθυμουμένου μὴ ὑπομένειν· δῆλον γὰρ ὡς γνοὺς ὅπῃ χείρων εἰμὶ καὶ βελτίων, τὰ μὲν ἀσκήσω καὶ διώξομαι, τὰ δὲ φεύξομαι κατὰ κράτος.

ΚΛΕΙΤΟΦΩΝ

ἀκούοις ἄν. ἐγὼ γάρ, ὦ Σώκρατες, σοὶ συγγιγνόμενος πολλάκις ἐξεπληττόμην ἀκούων, καί μοι ἐδόκεις παρὰ τοὺς ἄλλους ἀνθρώπους κάλλιστα λέγειν, ὁπότε ἐπιτιμῶν τοῖς ἀνθρώποις, ὥσπερ [407b] ἐπὶ μηχανῆς τραγικῆς θεός, ὕμνεις λέγων·

"ποῖ φέρεσθε, ὤνθρωποι; καὶ ἀγνοεῖτε οὐδὲν τῶν δεόντων πράττοντες, οἵτινες χρημάτων μὲν πέρι τὴν πᾶσαν σπουδὴν ἔχετε ὅπως ὑμῖν ἔσται, τῶν δ' ὑέων οἷς ταῦτα παραδώσετε ὅπως ἐπιστήσονται χρῆσθαι δικαίως τούτοις, οὔτε διδασκάλους αὐτοῖς εὑρίσκετε τῆς δικαιοσύνης,

o maior prazer em abordá-los pessoalmente para você, ainda mais porque calhamos de estar só nós dois. E assim não vai considerar que me porto de um modo medíocre em relação a você. Talvez agora você não esteja corretamente informado, de forma que parece se portar em relação a mim com uma aspereza maior do que se deve. No entanto, se me permitir o uso da franqueza, é com o maior prazer que a acolheria e quero falar!

SÓCRATES [407a]

Mas seria vergonhoso se eu não consentisse, com você assim animado em me beneficiar! Pois está claro que, reconhecendo onde sou pior e onde melhor, nisto vou me exercitar e me empenhar, enquanto daquilo vou fugir com toda a força!

CLITOFONTE

Faça o favor então de ouvir. Da minha parte, Sócrates, quando entrava em contato com você, eu muitas vezes ficava atordoado de ouvi-lo e supunha que você falava de um modo belíssimo, acima dos demais seres humanos, sempre que, condenando-os [407b] como um deus no maquinário trágico,[3] você falava, entoando seu hino:

"Para onde vocês se lançam, seres humanos? Será que ignoram que não praticam nada do que se deve? Vocês que em torno do dinheiro mostram todo o empenho — a fim de possuí-lo —, mas que em torno dos filhos para os quais vão legá-lo — a fim de que conheçam seu uso justo —, professores da justiça para eles não encontram, se é que ela pode

[3] Referência ao chamado *deus ex machina*, quando uma figura divina surgia no final da tragédia para dar fecho à ação. A expressão se refere ao fato de que o ator que representava o deus falava, nesse ponto da encenação, a partir de uma engenhoca que o deixava numa posição mais alta, para destacar sua autoridade e condição superior. A imagem abre a caricatura risonha de Sócrates que vem a seguir.

εἴπερ μαθητόν, εἰ δὲ μελετητόν τε καὶ ἀσκητόν, οἵτινες ἐξασκήσουσιν καὶ ἐκμελετήσουσιν ἱκανῶς, οὐδέ γ' ἔτι πρότερον [407c] ὑμᾶς αὐτοὺς οὕτως ἐθεραπεύσατε. ἀλλ' ὁρῶντες γράμματα καὶ μουσικὴν καὶ γυμναστικὴν ὑμᾶς τε αὐτοὺς καὶ τοὺς παῖδας ὑμῶν ἱκανῶς μεμαθηκότας, ἃ δὴ παιδείαν ἀρετῆς εἶναι τελέαν ἡγεῖσθε, κἄπειτα οὐδὲν ἧττον κακοὺς γιγνομένους περὶ τὰ χρήματα, πῶς οὐ καταφρονεῖτε τῆς νῦν παιδεύσεως οὐδὲ ζητεῖτε οἵτινες ὑμᾶς παύσουσι ταύτης τῆς ἀμουσίας; καίτοι διά γε ταύτην τὴν πλημμέλειαν καὶ ῥᾳθυμίαν, ἀλλ' οὐ διὰ τὴν ἐν τῷ ποδὶ πρὸς τὴν λύραν ἀμετρίαν, καὶ ἀδελφὸς ἀδελφῷ καὶ πόλεις πόλεσιν ἀμέτρως καὶ [407d] ἀναρμόστως προσφερόμεναι στασιάζουσι καὶ πολεμοῦντες τὰ ἔσχατα δρῶσιν καὶ πάσχουσιν. ὑμεῖς δέ φατε οὐ δι' ἀπαιδευσίαν οὐδὲ δι' ἄγνοιαν ἀλλ' ἑκόντας τοὺς ἀδίκους ἀδίκους εἶναι, πάλιν δ' αὖ τολμᾶτε λέγειν ὡς αἰσχρὸν καὶ θεομισὲς ἡ ἀδικία· πῶς οὖν δή τις τό γε τοιοῦτον κακὸν ἑκὼν αἱροῖτ' ἄν; Ἥττων ὃς ἂν ᾖ, φατέ, τῶν ἡδονῶν. οὐκοῦν καὶ τοῦτο ἀκούσιον, εἴπερ τὸ νικᾶν ἑκούσιον; ὥστε ἐκ παντὸς τρόπου τό γε ἀδικεῖν ἀκούσιον ὁ λόγος αἱρεῖ, καὶ δεῖν ἐπιμέλειαν τῆς [407e] νῦν πλείω ποιεῖσθαι πάντ' ἄνδρα ἰδίᾳ θ' ἅμα καὶ δημοσίᾳ συμπάσας τὰς πόλεις."

ser aprendida... Ou, se for passível de aplicação e exercício, quem nela os faça se exercitar e aplicar o suficiente. Vocês que nem mesmo antes [407c] cuidaram assim de si próprios! Vendo, porém, que estudaram suficientemente — tanto vocês quanto os seus filhos — a escrita, a arte das Musas e a arte da ginástica (aquilo que vocês consideram uma instrução completa na virtude), mas que ainda assim continuam a ser péssimos em relação ao dinheiro, como então não sentir desprezo pela forma atual de instrução e não procurar aqueles que farão com que vocês ponham fim a essa ausência de arte?[4] Na verdade, é por causa dessa dissonância e lassidão — e não por causa do descompasso do pé em relação à lira — que irmão contra irmão e cidades contra cidades [407d], avançando descompassada e desarmonicamente, entram em choque, e guerreando cometem e sofrem as ações mais extremas! Vocês afirmam que não é por falta de instrução ou por ignorância que os injustos são injustos, e sim voluntariamente. Mas, por outro lado, vocês ousam falar que a injustiça é vergonhosa e odiosa aos deuses: como então alguém escolheria *voluntariamente* um mal desse tipo? Ao sucumbir aos prazeres, vocês afirmam. Ora, isso também não é algo involuntário, uma vez que vencê-los é algo voluntário? De modo que, de todas as formas, o raciocínio evidencia que cometer injustiça é algo involuntário;[5] e que cada homem, privadamente, [407e] junto com cada uma das cidades, publicamente, deve ter uma militância maior que a atual."[6]

---

[4] Sobre a instrução (*paideía* e *paídeusis*), ver também o *Teages* (nota 9). "Ausência de arte" é como traduzo *amousía*, literalmente, "ausência de Musas".

[5] As ideias de que o mal provém da ignorância e, por isso, não pode ser cometido intencionalmente, e de que, inversamente, a virtude tem relação direta com o conhecimento, constituem pilares da visão socrática exposta em Platão.

[6] Sobre a ideia de "militância" (*epiméleia*), com o sentido de "aten-

ταῦτ᾽ οὖν, ὦ Σώκρατες, ἐγὼ ὅταν ἀκούω σοῦ θαμὰ λέγοντος, καὶ μάλα ἄγαμαι καὶ θαυμαστῶς ὡς ἐπαινῶ. καὶ ὁπόταν αὖ φῇς τὸ ἐφεξῆς τούτῳ, τοὺς ἀσκοῦντας μὲν τὰ σώματα, τῆς δὲ ψυχῆς ἠμεληκότας ἕτερόν τι πράττειν τοιοῦτον, τοῦ μὲν ἄρξοντος ἀμελεῖν, περὶ δὲ τὸ ἀρξόμενον ἐσπουδακέναι. καὶ ὅταν λέγῃς ὡς ὅτῳ τις μὴ ἐπίσταται χρῆσθαι, κρεῖττον ἐᾶν τὴν τούτου χρῆσιν· εἰ δή τις μὴ ἐπίσταται ὀφθαλμοῖς χρῆσθαι μηδὲ ὠσὶν μηδὲ σύμπαντι τῷ σώματι, τούτῳ μήτε ἀκούειν μήθ᾽ ὁρᾶν μήτ᾽ ἄλλην χρείαν μηδεμίαν χρῆσθαι τῷ σώματι κρεῖττον ἢ ὁπῃοῦν χρῆσθαι. [408a] καὶ δὴ καὶ περὶ τέχνην ὡσαύτως· ὅστις γὰρ δὴ μὴ ἐπίσταται τῇ ἑαυτοῦ λύρᾳ χρῆσθαι, δῆλον ὡς οὐδὲ τῇ τοῦ γείτονος, οὐδὲ ὅστις μὴ τῇ τῶν ἄλλων, οὐδὲ τῇ ἑαυτοῦ, οὐδ᾽ ἄλλῳ τῶν ὀργάνων οὐδὲ κτημάτων οὐδενί. καὶ τελευτᾷ δὴ καλῶς ὁ λόγος οὗτός σοι, ὡς ὅστις ψυχῇ μὴ ἐπίσταται χρῆσθαι, τούτῳ τὸ ἄγειν ἡσυχίαν τῇ ψυχῇ καὶ μὴ ζῆν κρεῖττον ἢ ζῆν πράττοντι καθ᾽ αὑτόν· εἰ δέ τις ἀνάγκη ζῆν εἴη, δούλῳ ἄμεινον [408b] ἢ ἐλευθέρῳ διάγειν τῷ τοιούτῳ τὸν βίον ἐστὶν ἄρα, καθάπερ πλοίου παραδόντι τὰ πηδάλια τῆς διανοίας ἄλλῳ, τῷ

Essas coisas, Sócrates, sobre as quais o ouço falar com frequência, me deixam estupefato e, cheio de espanto, como as louvo! E também quando você diz, na sequência, que os que se exercitam em relação ao corpo, mas negligenciam a alma, praticam algo similar — negligenciam quem vai governar, mas se empenham em relação a quem vai ser governado. E quando você fala que algo cujo uso não se conhece — melhor não usar. Se alguém não conhece o uso dos olhos, nem dos ouvidos, nem do corpo todo — para essa pessoa, não ouvir, não ver e não fazer uso algum do corpo é melhor do que usá-lo de qualquer jeito. [408a] E é desse mesmo jeito com qualquer arte: pois aquele que não conhece o uso da própria lira, está claro que também não conhece o uso da do vizinho, assim como aquele que não conhece o uso da dos outros, nem o da sua própria conhece — tampouco o uso de outro instrumento ou coisa que tenha adquirido. E esse seu raciocínio tem ainda um belo final. Pois aquele que não conhece o uso da alma — para essa pessoa, conduzir-se sossegadamente no que diz respeito à sua, e até mesmo morrer, é melhor do que viver por conta própria.[7] Mas em havendo uma necessidade de que viva, para alguém assim [408b] levar a vida como escravo é melhor do que como homem livre, deixando, tal qual numa embarcação, o leme do pensamento

ção a" ou "cuidado de" si mesmo, desenvolvida mais abaixo, ver os *Dois Homens Apaixonados* (136a) e o *Teages* (nota 5), além do *Alcibíades Primeiro* (118b-119b), o *Eutidemo* (278d-282d) e a *Apologia de Sócrates* (29d-31e e 36c-d): essa ideia está no centro da "instigação" socrática de que fala o *Clitofonte* (ver especialmente nota 10 abaixo).

[7] "Conduzir-se sossegadamente" equivale aqui a abandonar a reflexão e, pela construção do texto, parece se contrapor a "viver por conta própria". Na *Apologia de Sócrates* (37e-38a), Sócrates fala de como não era possível para ele "conduzir-se sossegadamente" em sua vida investigativa.

μαθόντι τὴν τῶν ἀνθρώπων κυβερνητικήν, ἣν δὴ σὺ πολιτικήν, ὦ Σώκρατες, ἐπονομάζεις πολλάκις, τὴν αὐτὴν δὴ ταύτην δικαστικήν τε καὶ δικαιοσύνην ὡς ἔστιν λέγων.

τούτοις δὴ τοῖς λόγοις καὶ ἑτέροις τοιούτοις παμπόλλοις καὶ παγκάλως λεγομένοις, ὡς διδακτὸν ἀρετὴ καὶ πάντων ἑαυτοῦ δεῖ μάλιστα [408c] ἐπιμελεῖσθαι, σχεδὸν οὔτ᾽ ἀντεῖπον πώποτε οὔτ᾽ οἶμαι μήποτε ὕστερον ἀντείπω, προτρεπτικωτάτους τε ἡγοῦμαι καὶ ὠφελιμωτάτους, καὶ ἀτεχνῶς ὥσπερ καθεύδοντας ἐπεγείρειν ἡμᾶς. προσεῖχον δὴ τὸν νοῦν τὸ μετὰ ταῦτα ὡς ἀκουσόμενος, ἐπανερωτῶν οὔ τι σὲ τὸ πρῶτον, ὦ Σώκρατες, ἀλλὰ τῶν ἡλικιωτῶν τε καὶ συνεπιθυμητῶν ἢ ἑταίρων σῶν, ἢ ὅπως δεῖ πρὸς σὲ περὶ αὐτῶν τὸ τοιοῦτον ὀνομάζειν. τούτων γὰρ τοὺς τὶ μάλιστα εἶναι δοξαζομένους ὑπὸ σοῦ πρώτους ἐπανηρώτων, πυνθανόμενος τίς ὁ μετὰ ταῦτ᾽ εἴη λόγος, καὶ [408d] κατὰ σὲ τρόπον τινὰ ὑποτείνων αὐτοῖς,

para outro que tenha aprendido a arte da pilotagem dos seres humanos — essa que você, Sócrates, chama muitas vezes de arte da política, dizendo ser, precisamente, a arte judiciária e a própria justiça.[8]

Contra esses raciocínios e a tantos e tantos outros desse tipo, tão belamente enunciados — de que a virtude pode ser ensinada[9] e de que é preciso, dentre todas as coisas, mais que tudo militar em favor de si próprio —, [408c] contra eles praticamente nunca falei, nem jamais, acho eu, devo falar contra no futuro. Eu os considero instigantíssimos e extremamente benéficos, como se simplesmente nos despertassem do nosso sono![10] E eu então prestava atenção para ouvir o que viria a seguir, interrogando primeiro não a você, Sócrates, mas a uns da sua idade, seus "codesejantes" ou companheiros (ou como quer que se deva chamar a relação do tipo que eles têm com você).[11] Desses, fui interrogando os que você reputa estarem bem à frente, buscando me informar sobre qual raciocínio viria a seguir [408d]. E numa forma de ser parecida com a sua,[12] formulando questões para eles, eu disse:

---

[8] Sobre essa identificação da justiça com a política, ver o *Teages* (123c-126c) e os *Dois Homens Apaixonados* (137c-138c).

[9] Tema de um dos diálogos mais importantes de Platão, o *Mênon*.

[10] "Instigantíssimos" é como traduzo o superlativo *protreptikotátous*. O adjetivo *protreptikós*, "instigante", é da mesma raiz do verbo *protrépo*, que significa "voltar/virar/impelir (alguém) para/na direção de/adiante". O discurso ou raciocínio de instigação (*lógos protreptikós*), que apenas estimula o interlocutor sem se preocupar com o passo seguinte, é o principal objeto de crítica no diálogo.

[11] "Codesejante" tenta reproduzir o aparente neologismo forjado por Clitofonte (*sunepithumetés*); a referência nessa passagem é à habitual recusa de Sócrates em chamar seus seguidores de "alunos" e a si próprio de "professor", como vemos na *Apologia de Sócrates* (33a); ver ainda o *Alcibíades Segundo* (150d e nota 42) e toda a cena do *Teages*.

[12] A analogia com outras áreas e o questionamento indutivo, pre-

"ὦ βέλτιστοι", ἔφην, "ὑμεῖς, πῶς ποτέ νῦν ἀποδεχόμεθα τὴν Σωκράτους προτροπὴν ἡμῶν ἐπ' ἀρετήν; ὡς ὄντος μόνου τούτου, ἐπεξελθεῖν δὲ οὐκ ἔνι τῷ πράγματι καὶ λαβεῖν αὐτὸ τελέως, ἀλλ' ἡμῖν παρὰ πάντα δὴ τὸν βίον ἔργον τοῦτ' ἔσται, τοὺς μήπω προτετραμμένους προτρέπειν, καὶ ἐκείνους αὖ ἑτέρους; ἢ δεῖ τὸν Σωκράτη καὶ ἀλλήλους ἡμᾶς τὸ μετὰ τοῦτ' ἐπανερωτᾶν, [408e] ὁμολογήσαντας τοῦτ' αὐτὸ ἀνθρώπῳ πρακτέον εἶναι, τί τοὐντεῦθεν; πῶς ἄρχεσθαι δεῖν φαμεν δικαιοσύνης πέρι μαθήσεως; ὥσπερ ἂν εἴ τις ἡμᾶς προύτρεπεν τοῦ σώματος ἐπιμέλειαν ποιεῖσθαι, μηδὲν προνοοῦντας ὁρῶν καθάπερ παῖδας ὡς ἔστιν τις γυμναστικὴ καὶ ἰατρική, κᾄπειτα ὠνείδιζεν, λέγων ὡς αἰσχρὸν πυρῶν μὲν καὶ κριθῶν καὶ ἀμπέλων ἐπιμέλειαν πᾶσαν ποιεῖσθαι, καὶ ὅσα τοῦ σώματος ἕνεκα διαπονούμεθά τε καὶ κτώμεθα, τούτου δ' αὐτοῦ μηδεμίαν τέχνην μηδὲ μηχανήν, ὅπως ὡς βέλτιστον ἔσται τὸ σῶμα, ἐξευρίσκειν, καὶ ταῦτα οὖσαν. εἰ δ' ἐπανηρόμεθα τὸν ταῦθ' [409a] ἡμᾶς προτρέποντα· 'λέγεις δὲ εἶναι τίνας ταύτας τὰς τέχνας;' εἶπεν ἂν ἴσως, 'ὅτι γυμναστικὴ καὶ ἰατρική.' καὶ νῦν δὴ τίνα φαμὲν εἶναι τὴν ἐπὶ τῇ τῆς ψυχῆς ἀρετῇ τέχνην; λεγέσθω."

ὁ δὴ δοκῶν αὐτῶν ἐρρωμενέστατος εἶναι πρὸς ταῦτα ἀποκρινόμενος εἶπέν μοι "ταύτην τὴν τέχνην εἶναι ἥνπερ ἀκούεις σὺ λέγοντος", ἔφη, "Σωκράτους, οὐκ ἄλλην ἢ δικαιοσύνην". εἰπόντος δ' ἐμοῦ "μή μοι τὸ ὄνομα μόνον εἴπῃς, ἀλλὰ ὧδε. [409b] ἰατρική πού τις λέγεται τέχνη· ταύτης δ' ἐστὶν διττὰ τὰ ἀποτελούμενα, τὸ μὲν ἰατροὺς ἀεὶ πρὸς τοῖς οὖσιν ἑτέρους ἐξεργάζεσθαι, τὸ δὲ ὑγίειαν· ἔστιν δὲ τούτων θάτερον οὐκέτι τέχνη,

"Ótimos homens, me digam vocês: como acolher agora a instigação que Sócrates nos faz rumo à virtude? Como se fosse só isso, sendo impossível avançar na questão e apreendê-la completamente, e que por toda a vida nossa tarefa será essa, instigar os ainda não instigados, e eles, por sua vez, a outros? Ou será que a seguir nós não devemos, admitindo que é precisamente isso que deve ser praticado pelo ser humano, [408e] interrogar tanto Sócrates quanto uns aos outros: 'e disso decorre o quê?'. Como então afirmamos que deve ter início o aprendizado da justiça? Pensem em alguém que nos instigasse a militar em favor do corpo e vendo que nós, como crianças, nem suspeitávamos existir uma arte da ginástica e da medicina, nos reprovasse dizendo quão vergonhoso era militarmos inteiramente em favor do cultivo do trigo, do centeio e da uva e de tudo que penamos em adquirir por causa do corpo, mas não encontrarmos nenhuma arte ou artimanha precisamente para isso — a fim de que o corpo seja o melhor possível —, mesmo com elas existindo. E se nós perguntássemos a esse, [409a] que nos instiga assim, 'Você afirma que essas artes são quais?', talvez ele dissesse, 'A da ginástica e a da medicina'. Pois bem, e agora: qual afirmamos ser a arte relativa à virtude da alma? Que alguém fale."

E então aquele dentre eles que tinha a reputação de ser o mais vigoroso em resposta a isso me disse: "É essa arte da qual você ouve Sócrates falar: nenhuma outra senão a justiça". E eu disse: "Não mencione para mim somente o seu nome, mas faça do seguinte modo. [409b] Há decerto uma arte chamada da medicina e dela são duas as finalidades: por um lado produzir sempre novos médicos além dos já existentes, e por outro, a saúde. Mas, dessas, a segunda não chega a ser uma arte e sim *produto* da arte que se ensina e é ensinada, o

---

sentes na sequência, são alguns dos elementos que revelam como Clitofonte estava de fato imitando Sócrates.

τῆς τέχνης δὲ τῆς διδασκούσης τε καὶ διδασκομένης ἔργον, ὃ δὴ λέγομεν ὑγίειαν. καὶ τεκτονικῆς δὲ κατὰ ταὐτὰ οἰκία τε καὶ τεκτονικὴ τὸ μὲν ἔργον, τὸ δὲ δίδαγμα. τῆς δὴ δικαιοσύνης ὡσαύτως τὸ μὲν δικαίους ἔστω ποιεῖν, καθάπερ ἐκεῖ τοὺς τεχνίτας ἑκάστους· τὸ δ' ἕτερον, ὃ δύναται ποιεῖν [409c] ἡμῖν ἔργον ὁ δίκαιος, τί τοῦτό φαμεν; εἰπέ".

οὗτος μέν, ὡς οἶμαι, τὸ συμφέρον ἀπεκρίνατο, ἄλλος δὲ τὸ δέον, ἕτερος δὲ τὸ ὠφέλιμον, ὁ δὲ τὸ λυσιτελοῦν. ἐπανῄειν δὴ ἐγὼ λέγων ὅτι "κἀκεῖ τά γε ὀνόματα ταῦτ' ἐστὶν ἐν ἑκάστῃ τῶν τεχνῶν, ὀρθῶς πράττειν, λυσιτελοῦντα, ὠφέλιμα καὶ τἆλλα τὰ τοιαῦτα· ἀλλὰ πρὸς ὅτι ταῦτα πάντα τείνει, ἐρεῖ τὸ ἴδιον ἑκάστη ἡ τέχνη, οἷον ἡ τεκτονικὴ τὸ εὖ, τὸ καλῶς, τὸ δεόντως, ὥστε [409d] τὰ ξύλινα, φήσει, σκεύη γίγνεσθαι, ἃ δὴ οὐκ ἔστιν τέχνη. λεγέσθω δὴ καὶ τὸ τῆς δικαιοσύνης ὡσαύτως".

τελευτῶν ἀπεκρίνατό τις ὦ Σώκρατές μοι τῶν σῶν ἑταίρων, ὃς δὴ κομψότατα ἔδοξεν εἰπεῖν, ὅτι τοῦτ' εἴη τὸ τῆς δικαιοσύνης ἴδιον ἔργον, ὃ τῶν ἄλλων οὐδεμιᾶς, φιλίαν ἐν ταῖς πόλεσιν ποιεῖν. οὗτος δ' αὖ ἐρωτώμενος τὴν φιλίαν ἀγαθόν τ' ἔφη εἶναι καὶ οὐδέποτε κακόν, τὰς δὲ τῶν παίδων φιλίας καὶ τὰς

que chamamos de saúde.[13] Também com a arte da construção acontece o mesmo: a casa e a arte — o produto por um lado, e o ensinamento por outro. Que seja então com a justiça também desse mesmo jeito: por um lado criar pessoas justas, tal como, lá, com os profissionais de cada uma das artes. Mas por outro, a segunda coisa, [409c] o *produto* que o justo é capaz de criar para nós, isso afirmamos ser o quê? Fale".

Ele respondeu, acho eu, "o conveniente"; um outro, "o devido"; um terceiro, "o benéfico"; e um outro ainda, "o vantajoso". E eu, retomando, falei: "Mas também lá, em cada uma das artes, existem esses termos — o fazer 'correto', 'vantajoso', 'benéfico' e outros do tipo. Mas a que todos se referem, só cada arte em particular irá dizer. Por exemplo, a arte da construção: 'bom', 'belo' e 'devido' [409d] se referem (é o que ela irá afirmar) à criação de objetos de madeira, que não se confundem com a própria arte. Que alguém então fale desse mesmo jeito da justiça".

Por fim, Sócrates, um dos seus companheiros me respondeu (o qual supunha falar de um modo muito refinado)[14] que era esse o produto da justiça em particular, e de nenhuma outra arte: criar amizade[15] nas cidades. E ao ser interrogado ele afirmou que a justiça não só era um bem, como jamais era um mal. Mas as amizades das crianças e dos animais,[16]

[13] "Produto" é como traduzo *érgon*, que tem o sentido de "resultado", "obra".

[14] O termo grego que traduzo por "de um modo muito refinado" (*kompsótata*) traz a ideia de "elegância", mas aqui parece adicionalmente significar "de um modo muito pedante", "muito afetado".

[15] Aqui o termo grego é *philía*, que também pode ser traduzido por "amor". A mesma ideia aparece no *Alcibíades Primeiro* (126b-c), que fala igualmente da amizade como "conformidade".

[16] A referência é à amizade que crianças e animais, vistos como inferiores, estabelecem entre si.

τῶν θηρίων, ἃς ἡμεῖς τοῦτο τοὔνομα ἐπονομάζομεν, οὐκ ἀπεδέχετο εἶναι φιλίας ἐπανερωτώμενος· συνέβαινε γὰρ αὐτῷ [409e] τὰ πλείω τὰς τοιαύτας βλαβερὰς ἢ ἀγαθὰς εἶναι. φεύγων δὴ τὸ τοιοῦτον οὐδὲ φιλίας ἔφη τὰς τοιαύτας εἶναι, ψευδῶς δὲ ὀνομάζειν αὐτὰς τοὺς οὕτως ὀνομάζοντας· τὴν δὲ ὄντως καὶ ἀληθῶς φιλίαν εἶναι σαφέστατα ὁμόνοιαν. τὴν δὲ ὁμόνοιαν ἐρωτώμενος εἰ ὁμοδοξίαν εἶναι λέγοι ἢ ἐπιστήμην, τὴν μὲν ὁμοδοξίαν ἠτίμαζεν· ἠναγκάζοντο γὰρ πολλαὶ καὶ βλαβεραὶ γίγνεσθαι ὁμοδοξίαι ἀνθρώπων, τὴν δὲ φιλίαν ἀγαθὸν ὡμολογήκει πάντως εἶναι καὶ δικαιοσύνης ἔργον, ὥστε ταὐτὸν ἔφησεν εἶναι ὁμόνοιαν καὶ ἐπιστήμην οὖσαν, ἀλλ' οὐ δόξαν. ὅτε δὴ ἐνταῦθα ἦμεν τοῦ λόγου ἀποροῦντες, [410a] οἱ παρόντες ἱκανοὶ ἦσαν ἐπιπλήττειν τε αὐτῷ καὶ λέγειν ὅτι περιδεδράμηκεν εἰς ταὐτὸν ὁ λόγος τοῖς πρώτοις, καὶ ἔλεγον ὅτι "καὶ ἡ ἰατρικὴ ὁμόνοιά τίς ἐστι καὶ ἅπασαι αἱ τέχναι, καὶ περὶ ὅτου εἰσὶν ἔχουσι λέγειν· τὴν δὲ ὑπὸ σοῦ λεγομένην δικαιοσύνην ἢ ὁμόνοιαν, ὅποι τείνουσά ἐστιν, διαπέφευγεν, καὶ ἄδηλον αὐτῆς ὅ τι ποτ' ἔστιν τὸ ἔργον".

ταῦτα, ὦ Σώκρατες, ἐγὼ τελευτῶν καὶ σὲ αὐτὸν ἠρώτων, καὶ εἶπές μοι δικαιοσύνης εἶναι τοὺς μὲν ἐχθροὺς βλάπτειν, [410b] τοὺς δὲ φίλους εὖ ποιεῖν. ὕστερον δὲ ἐφάνη βλάπτειν γε οὐδέποτε ὁ δίκαιος

que nós chamamos por esse nome, ele não aceitava, quando interrogado, que fossem amizades, pois para ele sucedia de serem, [409e] as desse tipo, mais prejudiciais do que boas. Para fugir disso, dizia então que as desse tipo nem amizade eram e que os que as chamavam por um nome assim as nomeavam falsamente. A real e verdadeira amizade era, muito claramente, a *conformidade*.[17] E ao ser interrogado se falava da conformidade enquanto consenso ou conhecimento, desconsiderou o consenso,[18] pois via como necessariamente inúmeros e prejudiciais os consensos dos seres humanos, e já tinha admitido de uma vez por todas que a amizade era um bem e produto da justiça. De modo que afirmou que a conformidade era a mesma coisa: era conhecimento e não simples senso.[19] Quando então chegamos, entrando em aporia, a esse ponto do raciocínio, [410a] os circunstantes estavam prontos para atacá-lo e dizer que o raciocínio tinha dado uma volta e retornado ao início. Diziam: "Também a arte da medicina é uma certa conformidade — e todas as outras artes. Mas são capazes de falar a respeito do que são. Já a justiça ou conformidade sobre a qual você fala — a que ela se refere, isso lhe escapa, e não está claro qual é o produto dela".

Sobre essas coisas, Sócrates, por fim, eu interroguei também a você mesmo, e você me disse que era próprio da justiça prejudicar por um lado os inimigos [410b], e tratar bem por outro os amigos.[20] Mas o justo depois mostrou não ser

---

[17] O termo grego que traduzo por "conformidade" é *homónoia*.

[18] "Consenso" traduz o grego *homodoxía*.

[19] Traduzo *dóxa* aqui por "simples senso" para retomar a ideia contida em "consenso" (*homodoxía*); os dois, juntos, se opõem ao par "conhecimento"/"conformidade" (*epistéme*/*homónoia*); ver a esse respeito o *Alcibíades Segundo* (nota 27).

[20] Visão corrente na moralidade grega antiga, contra a qual Sócrates se volta em Platão (ver, por exemplo, o *Críton*, 49c-e, e o Livro 1 da *República*, onde debate com o mesmo Trasímaco citado aqui no *Clitofon-*

οὐδένα· πάντα γὰρ ἐπ᾽ ὠφελίᾳ πάντας δρᾶν. ταῦτα δὲ οὐχ ἅπαξ οὐδὲ δὶς ἀλλὰ πολὺν δὴ ὑπομείνας χρόνον καὶ λιπαρῶν ἀπείρηκα, νομίσας σε τὸ μὲν προτρέπειν εἰς ἀρετῆς ἐπιμέλειαν κάλλιστ᾽ ἀνθρώπων δρᾶν, δυοῖν δὲ θάτερον, ἢ τοσοῦτον μόνον δύνασθαι, μακρότερον δὲ οὐδέν, ὃ γένοιτ᾽ ἂν καὶ περὶ ἄλλην ἡντιναοῦν τέχνην, οἷον μὴ ὄντα κυβερνήτην καταμελετῆσαι τὸν ἔπαινον [410c] περὶ αὐτῆς, ὡς πολλοῦ τοῖς ἀνθρώποις ἀξία, καὶ περὶ τῶν ἄλλων τεχνῶν ὡσαύτως· ταὐτὸν δὴ καὶ σοί τις ἐπενέγκοι τάχ᾽ ἂν περὶ δικαιοσύνης, ὡς οὐ μᾶλλον ὄντι δικαιοσύνης ἐπιστήμονι, διότι καλῶς αὐτὴν ἐγκωμιάζεις. οὐ μὴν τό γε ἐμὸν οὕτως ἔχει· δυοῖν δὲ θάτερον, ἢ οὐκ εἰδέναι σε ἢ οὐκ ἐθέλειν αὐτῆς ἐμοὶ κοινωνεῖν.

διὰ ταῦτα δὴ καὶ πρὸς Θρασύμαχον, οἶμαι, πορεύσομαι καὶ ἄλλοσε ὅποι δύναμαι, ἀπορῶν· ἐπεὶ εἴ γ᾽ ἐθέλεις σὺ τούτων μὲν ἤδη παύσασθαι [410d] πρὸς ἐμὲ τῶν λόγων τῶν προτρεπτικῶν, οἷον δέ, εἰ περὶ γυμναστικῆς προτετραμμένος ἦ τοῦ σώματος δεῖν μὴ ἀμελεῖν, τὸ ἐφεξῆς ἂν τῷ προτρεπτικῷ λόγῳ ἔλεγες οἷον τὸ σῶμά μου φύσει ὂν οἵας θεραπείας δεῖται, καὶ νῦν δὴ ταὐτὸν γιγνέσθω. θὲς τὸν Κλειτοφῶντα ὁμολογοῦντα ὡς ἔστιν καταγέλαστον τῶν μὲν ἄλλων ἐπιμέλειαν ποιεῖσθαι, ψυχῆς δέ, [410e] ἧς ἕνεκα τἆλλα διαπονούμεθα, ταύτης ἠμεληκέναι· καὶ τἆλλα πάντα οἷου

prejudicial jamais a pessoa alguma, por agir em tudo, com todos, em busca do que é benéfico... Tendo aturado isso não uma ou duas vezes, mas por muito tempo, acabei por desistir de insistir, julgando que você é sim, dos seres humanos, quem de modo mais belo age para instigar rumo à militância pela virtude, mas que de duas uma:[21] ou você é capaz disso apenas e nada além, algo que valeria também para qualquer outra arte — tal como alguém, sem ser piloto, se aplicar ao louvor dessa arte [410c], de que é de grande valor para os seres humanos, e do mesmo jeito nas demais artes. É precisamente o que também contra você alguém poderia talvez levantar a respeito da justiça, de que você não a conhece mais só porque belamente a elogia. Não é essa a minha posição, mas de duas uma: ou você não sabe, ou você não quer compartilhá-la comigo...

É por isso então, acho eu, que vou até Trasímaco e para onde eu puder: por estar em aporia. Agora, se você estiver disposto a parar com [410d] esses raciocínios de instigação dirigidos a mim, tal como se, na arte da ginástica, eu já estivesse instigado a não negligenciar o corpo, e na sequência do raciocínio de instigação você falasse então de como meu corpo é por natureza e de que tipo de cuidado precisa... A mesma coisa também agora. Considere que Clitofonte admite que é risível militar em favor de outras coisas[22] mas *da alma* [410e] — por causa da qual penamos em relação ao resto —, *dela* negligenciar! E pense que agora falei tudo desse modo

---

te). A frase seguinte traz a refutação socrática básica a essa posição muito popular.

[21] Clitofonte acaba apresentando a primeira das duas possibilidades mais extensamente, e só fala de fato da segunda no final do parágrafo, quando retoma a construção “de duas uma”.

[22] Clitofonte, ao referir-se a si mesmo na terceira pessoa, joga com a fala de Sócrates na abertura.

με νῦν οὕτως εἰρηκέναι τὰ τούτοις ἑξῆς, ἃ καὶ νυνδὴ διῆλθον.

καί σου δεόμενος λέγω μηδαμῶς ἄλλως ποιεῖν, ἵνα μή, καθάπερ νῦν, τὰ μὲν ἐπαινῶ σε πρὸς Λυσίαν καὶ πρὸς τοὺς ἄλλους, τὰ δέ τι καὶ ψέγω. μὴ μὲν γὰρ προτετραμμένῳ σε ἀνθρώπῳ, ὦ Σώκρατες, ἄξιον εἶναι τοῦ παντὸς φήσω, προτετραμμένῳ δὲ σχεδὸν καὶ ἐμπόδιον τοῦ πρὸς τέλος ἀρετῆς ἐλθόντα εὐδαίμονα γενέσθαι.

tendo em mente *o que vem na sequência*, tal como acabei de abordar.[23]

Peço então a você que não aja de outra maneira, para que não mais, como agora, em alguns pontos eu o louve junto a Lísias e junto ao demais, mas em outros o critique. Porque para o ser humano que ainda não foi instigado, Sócrates, vou afirmar que o seu valor é total, mas para aquele que já foi, você é quase um empecilho a que se torne feliz na sua caminhada rumo à meta da virtude.

---

[23] Frase um pouco truncada no original; Clitofonte parece querer dizer que o objetivo geral da sua fala foi enfatizar o que vem na sequência à instigação, como no exemplo que acabou de dar da ginástica.

Posfácio

*Plato litteratus** e o mosaico platônico: um olhar heterodoxo sobre os *Diálogos*

André Malta

No seu ensaio "Poesia e filosofia: uma transa", o filósofo e crítico literário Benedito Nunes menciona — ao abordar como foram construídas no Ocidente as relações entre essas duas áreas, filosofia e poesia — aquela separação tão estabelecida entre nós segundo a qual o filósofo "aplica o seu entendimento num só ponto", enquanto no poeta "a imaginação é cambiante". Ao mesmo tempo, Nunes mostra também como modernamente "a noção de gênio [...] vai tutelar tanto a produção poética quanto a filosófica", concebidas sob o padrão de uma "extrema reflexividade do sujeito". Acho que essas duas ideias levantadas por Nunes, uma que separa e outra que une poeta e filósofo (poeta e filósofo tomados ambos em sentido amplo), podem muito bem ser aplicadas à maneira pela qual temos encarado Platão há pouco mais de duzentos anos: por um lado como alguém orientado por um rigor unitário, por aquela concentração intelectual de que o poeta está dispensado, mas por outro como alguém que compartilha com o criador literário o mesmo processo de autoexpressão. Sim, por mais que reconheçamos o excelente escritor e "poeta" que Platão é, nós o tratamos quase que exclusivamente como filósofo, sem dar peso decisivo à sua "imaginação cambiante". Mas, de modo um pouco contraditório, ainda acreditamos que seus textos de uma forma ou

* *Litteratus* tem os seguintes sentidos básicos em latim: 1) marcado com letras; marcado, estigmatizado; e 2) letrado, instruído; literário.

de outra são expressões diretas do homem Platão, são seus "reflexos".

Essas duas concepções juntas, de um Platão mais restrito à filosofia e a um modo restrito de ser da filosofia, mas que não obstante deve necessariamente deixar rastros em seus escritos da sua experiência intelectiva, enquanto criador de um pensamento em transformação permanente — essas duas concepções básicas têm tido inúmeros desdobramentos para o modo como lemos os *Diálogos*. Mas o que aconteceria caso esse lado "poético", menos sistemático, tivesse um peso *maior* na nossa leitura da obra platônica? E caso ainda — sem que isso representasse uma contradição com o item anterior — a autoexpressão, seja do estilo, seja do pensamento, fosse drasticamente *reduzida*, caso fosse reduzido esse fator do homem, com sua marcha biológico-filosófica, detectável por detrás da obra? Em outras palavras, o que aconteceria se abandonássemos de alguma maneira a divisão filósofo/poeta de que Nunes fala, tanto quanto o próprio conceito de gênio que os une? Quais seriam as consequências para a nossa abordagem do *corpus* platônico, isto é, em relação ao modo como se organiza, ao que deve e ao que não deve fazer parte dele e, por fim, ao sentido geral da sua mensagem enquanto referência incontornável para a reflexão humana?

Nossa interpretação moderna de Platão, essa com a qual, como eu disse, estamos às voltas há pouco mais de duzentos anos, encontra seu possível marco inicial na figura ilustre de Friedrich Schleiermacher (1768-1834), considerado o "pai da hermenêutica", isto é, da arte da interpretação de um texto (ou obra) em seu sentido metódico, que associamos ao âmbito acadêmico. Foi ele quem propôs um caminho relativamente novo, influente e sistemático, para se entender um autor tão complexo como Platão, e é bom lembrar que esse entendimento andou de braços dados com a tradução que fez de quase todos os *Diálogos*, diretamente do grego antigo para o alemão. Entre as bases da visão que Schleiermacher formulou acerca do filósofo que leu de perto estavam, como era de se esperar para sua época, tanto o valor dado à intenção do autor (à sua "psicologia") quanto a busca por um sentido verdadeiro dos seus escritos e da natureza da sua escrita filosófica: há, para esse intérprete, uma espécie de "mensagem total" nesses textos, e essa é a mensagem pretendida pelo homem Platão, e só por ele. É preciso então apreendê-la e delimitá-la, inclusive detectando e descartando o que for falso e/ou discrepante, aquém do cinzel desse grande criador.

Esse enfoque original, naturalmente, como todo enfoque influente, foi se transformando ao longo do tempo, a ponto de os platonistas modernos há muito não se deterem no trabalho daquele que é o precursor de todos eles. A própria hermenêutica enquanto ciência pôde vir a defender, contrariamente a Schleiermacher, que o sentido de um texto subsiste para além do seu autor e independentemente dele: intenção primeira e verdade estável são miragens perigosas demais. Mas, a meu ver, embora quase não falem hoje de Schleiermacher, e embora se sintam satisfeitos com os progressos em seus estudos, os platonistas talvez estejam desconectados dele apenas na superfície: em pleno século XXI, é possível afirmar que permanecem, em sua maioria, lá no fundo e em larga medida, presos às mesmas concepções de intenção e verdade, ainda que operem com elas por meio de termos e enfoques divergentes, que presumem avançados. Trata-se assim, em outras palavras, da persistência daquele binômio reflexividade-do-sujeito/entendimento-num-só-ponto abordado por Nunes, só que transformado, um binômio que devemos criticar e tentar em parte abandonar, tanto quanto for possível, para olharmos de um outro jeito para Platão.

Será então que, voltando a Benedito Nunes e a um outro texto seu, que trata justamente da hermenêutica, será que nós não poderíamos seguir a ideia que o crítico brasileiro lá propõe — de que o ensaio pode ser, quem sabe, um lugar privilegiado para a interpretação, ao combinar a liberdade de imaginação com a ordem dos conceitos? E será que assim poderíamos interpretar, ensaisticamente, a escrita poético-filosófica de Platão como ensaística, com tudo que isso implica de abertura, diversidade e autoapagamento, sem um foco privilegiado na intenção e na verdade, na reflexividade e no dogma? Para fazer isso, é preciso minimamente rever essas e outras balizas que têm delimitado os estudos de Platão e a maioria das suas leituras acadêmicas, e propor em seu lugar uma outra abordagem. Uma abordagem nada revolucionária e original — porque já tentada aqui e ali por outros —, mas ainda assim *heterodoxa*, uma abordagem que esposa uma opinião minoritária, uma *dóxa* divergente, um ponto de vista que é sem verdade e certeza científica, conformado e satisfeito com sua frágil e efêmera condição de *dóxa*. Seria um modo mais socrático-platônico de tratar os *Diálogos*, mais afim à natureza deles, aberto ao diálogo, ao contraditório e à contestação.

É o que vou ensaiar aqui. Num primeiro momento, vou fornecer uma visão panorâmica do *modus operandi* do platonismo hegemônico, desse platonismo que desde Schleiermacher foi se consolidando até produzir um novo dogmatismo, que podemos chamar de científico, em oposição ao dogmatismo neoplatônico vigente até o século XVIII. Depois, num segundo momento, vou defender que é possível pensar os tópicos da autoria, da autenticidade, do sentido e da organização dos *Diálogos* de outro modo, também produtivo. A ideia não é propor tola e ingenuamente uma substituição pura e simples do platonismo vigente, como se ele — na prática infinitamente mais complexo do que o retrato seu que vou pintar abaixo — pudesse ou devesse ser superado. Meu propósito é mais modesto e realista: o de colocar este ensaio à margem dele, como possível combustível para novas tentativas marginais e estimulantes.

I

Não vou historiar os diferentes modos de se estudar e sistematizar o conjunto da obra platônica desde a época de Schleiermacher até o presente. No detalhe, eles são tão variados quantos são seus autores e autoras. Mas há fios que interligam essa diversidade e nos remetem a constantes que, uma vez destacadas, permitem entrever a cara do platonismo moderno. Vou me restringir a dois momentos: à contribuição em linhas gerais do próprio Schleiermacher em fins do século XVIII e primeiras décadas do XIX, e em linhas gerais também à "opinião comum" que tem prevalecido nas últimas décadas, com uma força tamanha que se tornou, como costuma acontecer com convergências do tipo, uma base praticamente indiscutível, cômoda e axiomática para qualquer pessoa que queira se apresentar como estudiosa séria e capacitada de Platão. São momentos aparentemente estanques, mas espero mostrar que o recente é muito mais dependente do antigo do que parece: ele é a sua continuidade e esgotamento. Na descrição desses dois quadros, vou me valer aqui, para desapontamento dos especialistas, de algumas poucas obras apenas — basicamente, uma dezena de livros e artigos —, de novo sem qualquer pretensão a uma abrangência histórica ou a uma avaliação crítica exaustiva. Vou ter tido sucesso se conseguir mostrar não só que o pontapé inicial de Schleiermacher nos conduz ao ponto em que nos achamos hoje, mas também que alguns dados da sua formulação original, que foram desprezados, podem ser reaproveitados no sentido de se ler Platão de uma forma mais aberta em comparação à que veio se estabelecer depois. Sendo ainda schleiermacherianos no todo, talvez tenhamos descartado o melhor dele e aprofundado o mais controverso.

Schleiermacher começou a publicar suas traduções dos *Diálogos*, precedidas de uma introdução geral mais uma introdução específica para cada peça vertida, em 1804. O projeto a princípio fora capitaneado por Friedrich Schlegel, que, seduzido pelo método histórico de Friedrich Wolf e pelo florescimento da filologia clássica na Alemanha, convidara Schleiermacher para juntos dividirem a tradução integral do filósofo grego, seguida da sua reavaliação crítica. Schlegel, no entanto, depois de muitas evasivas e adiamentos, acabou abandonando a empreitada, e Schleiermacher, a princípio a figura auxiliar da dupla, assumiu a tarefa sozinho. Ao morrer, em 1834, deixaria ainda por traduzir quatro diálogos, *Timeu*, *Crítias*, *Leis* e *Epinômis*, além do conjunto das treze *Cartas* tradicionalmente atribuídas ao filósofo. Enquanto estudioso de Platão, é bom esclarecer que nunca escreveu um tratado à parte, pormenorizado, para servir de apoio às suas versões: o que tinha de substancial para dizer sobre seu modo de encarar o conjunto platônico, Schleiermacher limitou-se a dizer naquelas introduções — a geral, mais extensa, e as dedicadas a cada diálogo, mesmo àqueles de cuja autenticidade suspeitava, ou que considerava claramente não platônicos.

Cerca de cem anos depois da morte de Schleiermacher, e ainda dentro do ambiente de língua alemã que pautara os principais rumos dos Estudos Clássicos, Werner Jaeger viria a avaliar, no capítulo "A imagem de Platão na história" do seu monumental *Paideia: a formação do homem grego* (publicado em três volumes, entre 1933 e 1947), a importância daquele trabalho inaugural, que nos seus dizeres "assinalou a virada que havia de levar à descoberta do verdadeiro Platão". A despeito da visão hegeliano-positivista de Jaeger, então confiante de que enfim se alcançara o Platão "real", ou que se chegara bem mais perto dele do que qualquer estudioso antes jamais sonhara, sua avaliação da contribuição de Schleiermacher é esclarecedora. Jaeger mostra que o pai da hermenêutica valorizou "a forma como expressão da individualidade espiritual" e recusou o "sistema fechado", ou o "sistema dogmático acabado", estático, que vinha do neoplatonismo. Além disso, reagrupou as obras e estabeleceu "um nexo interno dos diversos diálogos entre si e com um todo ideal", mostrando como o pensamento tinha uma dimensão histórica e se entrelaçava necessariamente à sua época. Jaeger lembra ainda que Schleiermacher trabalhou com a "explicação pormenorizada do texto" e com a "investigação da autenticidade", e indica como foram esses pilares que logo depois abririam caminho para a percepção da "evolução progressiva e gradual da sua filosofia", com foco na "época de aparecimento de cada diálogo". Jaeger cita ainda, na esteira desse movimento investigativo que se estendeu ao longo do século XIX e além, o surgimento do que se convencionou chamar estilometria — o método estatístico que mede traços de dicção e sua frequência com o objetivo de agrupar as obras numa linha do tempo e determinar a autenticidade delas. Foi a estilometria, diz Jaeger, que já depois de Schleiermacher possibilitou, apesar dos excessos, reformular aquela divisão dos *Diálogos* em três grupos proposta por ele, agora de um modo historicista, com a ênfase voltada para o desenvolvimento sob o ângulo da criação ou composição dos textos.

De fato, Schleiermacher formulou uma concepção muito particular da organização das obras de Platão, num tempo em que repensar em termos dinâmicos o enfoque herdado da tradição se tornava obrigatório. Na sua visão hermenêutica, que privilegiava o "espírito do autor" e as relações internas que se estabeleciam entre as partes e o todo, a tarefa central era reconstruir de modo mais sólido a inteira evolução interior do conjunto, sua progressão natural. No caso de Platão, isso implicava determinar a evolução das suas ideias, como ela se refletia naturalmente na ordenação dos *Diálogos* e como cada um deles deveria espelhar um estilo próprio, um modo de composição característico de um filósofo que era também artista, que criava necessariamente segundo uma unidade artística. Tudo isso transparece na sua breve introdução geral, um texto que hoje pode nos soar nada acadêmico, mas que lançou as bases para futuras construções acadêmicas. Apesar do peso crescente do enfoque histórico em sua época, Schleiermacher minimizava a simples utilização dos dados contextuais presentes nos *Diálogos* para o seu ordenamento, ou a mera sequência dramática entre eles, preferindo investir num método inteiramente interno, "crítico" no sentido da análise pormenorizada do especialista. Partindo da premissa de que Platão escreveu muito da juventude à velhice, Schleiermacher entendia que seus textos testemunhavam um projeto didático gradual, indo do estágio mais simples ao mais complexo, com o objetivo de impulsionar o leitor ao conhecimento, por etapas. Nessa série ascendente, o diálogo que vem depois deve necessariamente avançar em relação ao diálogo que veio antes. Com isso em mente, seria possível então restaurar da forma mais precisa possível o sequenciamento do conjunto, que se perdera.

Mas não bastava apenas dispor de forma inteiramente nova — porque segundo algum tipo de cronologia — aqueles trinta e cinco diálogos do cânone (mais o conjunto das *Cartas*), editados por Henricus Stephanus em 1578 em três volumes. Schleiermacher queria também discutir a autenticidade de vários deles, o que era e o que não era de fato platônico, da mesma forma que no seu tempo já se começava a discutir, da *Ilíada* e da *Odisseia*, quais cantos eram realmente homéricos e quais apócrifos, "interpolações" ou adições posteriores. Esse tópico era agora fundamental porque se tratava de determinar o pertencimento efetivo de obras menores (e mesmo de algumas célebres) ao espírito e ao molde particular do artista a quem eram atribuídas: será que elas traziam de fato as marcas do gênio platônico e se conformavam à unidade do trabalho como um todo?

O primeiro passo de Schleiermacher nessa direção, antes mesmo de ordenar os *Diálogos*, foi criar três classes de obras. A primeira classe, com base na autoridade do testemunho de Aristóteles, que a seu ver garantia a autenticidade delas com solidez, era constituída por onze diálogos: *Fedro*, *Protágoras*, *Parmênides*, *Teeteto*, *Sofista*, *Político*, *Fédon*, *Filebo*, *República*, *Timeu* e *Crítias* (o único inacabado de todo o *corpus*). Eles são tomados como referenciais por Schleiermacher, ou seja, é em função deles que outros diálogos, os de segunda classe, entre os quais estavam *Cármides*, *Górgias* e *Leis*, podem ser analisados em termos de autenticidade e posicionamento. Já as obras de terceira classe Schleiermacher apresentou, ao publicar suas traduções, como apêndices: são aquelas que considerava extremamente duvidosas ou claramente espúrias, como é o caso dos quatro diálogos traduzidos aqui, *Alcibíades Segundo*, *Teages*, *Dois Homens Apaixonados* e *Clitofonte* (mas vale lembrar que nesses apêndices entravam igualmente obras como *Críton*, *Íon*, *Hípias Maior*, *Hípias Menor*, *Menexeno* e *Alcibíades Primeiro*). Definidas as classes, ele então basicamente dispôs os textos que considerava autênticos em três fases, segundo aquela visão de um projeto platônico pedagógico-progressivo: os elementares, os intermediários e os construtivos. Na sua ordenação, desde a abordagem mais básica até chegarmos à exposição da teoria do conhecimento, teríamos — para ficarmos com os onze diálogos de primeira classe, os diálogos nodais a que vêm se juntar os secundários — *Fedro*, *Protágoras* e *Parmênides* como elementares, *Teeteto*, *Sofista*, *Político*, *Fédon* e *Filebo* como intermediários, e *República*, *Timeu* e *Crítias* como construtivos. Secundários entre os elementares seriam *Lísis*, *Laques*, *Cármides* e *Eutífron*; entre os intermediários, *Górgias*, *Mênon*, *Eutidemo*, *Crátilo* e *Banquete*; e entre os construtivos as *Leis*, que deixou sem traduzir.

No frigir dos ovos, Schleiermacher decreta a princípio como de fato genuínas somente vinte e uma obras — a *Apologia*, por exemplo, ele trata como possivelmente duvidosa, por não se relacionar à filosofia platônica e estar destituída da roupagem dialógica. Mais importante, porém, a meu ver, do que esse número frio, e do que a divisão em classes e grupos, é destacar dois dados que estão no cerne do seu método. O primeiro deles é o foco na temática filosófica, na dicção e no modo de construção como indicadores fundamentais tanto da autenticidade quanto da progressão dos diálogos. É esse tipo de análise — principalmente a filosófica — que lhe permite afirmar, por exemplo, que o *Protágoras*, enquanto obra elementar, é anterior ao intermediário *Sofista*, que por sua vez é anterior à construtiva *República*. É esse tipo de análise — filosófica *e estilística* — que lhe permite também defender em relação aos secundários, por exemplo, a afinidade do *Laques* com o *Protágoras*, e que o leva a classificá-lo como igualmente pertencente à etapa elementar. E é por aí ainda que várias obras são condenadas como espúrias. São, portanto, vários elementos em jogo que, simultaneamente, definem os contornos desse quebra-cabeça que é o reordenamento e o enxugamento da obra platônica, em vista das suas partes e do seu conjunto. Vou voltar mais tarde a eles na segunda parte deste ensaio, tanto para destacar seu caráter inevitavelmente subjetivo, quanto para sublinhar de que forma incluíam o elemento da forma e da apreciação literária, que merece ser (e tem sido efetivamente cada vez mais) recuperado.

O segundo dado central no seu projeto tem a ver com a própria cronologia. Schleiermacher trabalha, de fato, com três fases (aliás, como já se tinha tentado antes dele), mas é importante ressaltar que elas não têm uma dimensão fortemente temporal, como seria de se esperar segundo os contornos do nosso platonismo corrente. Em outras palavras, se por um lado é possível sim detectar um avanço entre as fases 1 e 3, entre um diálogo elementar e um construtivo, esse avanço é um avanço pedagógico, instrutivo, não necessariamente um avanço relacionado ao processo *genético*, de *criação* dos diálogos, por parte de Platão. Não custa lembrar que o primeiro diálogo elementar para ele é o *Fedro*, onde um Platão juvenil já estaria expondo as linhas principais da sua filosofia. Ou seja, não está posto no horizonte de Schleiermacher aquilo que veio a se tornar, logo depois, o eixo do reordenamento dos *Diálogos*: a ideia de uma cronologia pontual e relativa, segundo a qual as fases, mais que etapas num processo expositivo gradual, são marcos de um amadurecimento paulatino do próprio Platão enquanto pensador — um pensador que reflete, cria e escreve à medida que vai construindo, expondo, delimitando e revendo seu edifício filosófico.

Nessa visão posterior, uma visão igualmente teleológica, mas em outro sentido, cada obra é um novo tijolo ascendente dentro de uma construção pessoal em curso, linear e formativa, feita de avanços e recuos. Em Schleiermacher, ao contrário, temos a impressão de que existe mais unidade e menos desenvolvimento, um Platão desde o começo já formado e pronto, o qual, ainda que escrevendo ao longo de toda a sua vida, produz a sua obra menos em função do que vai brotando de si e mais em função do que quer ver brotar em quem lê. Nos dois enfoques, claro, há progresso e transformação, há divisão e análise, segundo princípios internos e supostamente não aleatórios. Em Schleiermacher, contudo, esse progresso é em certo sentido mais aberto, está no ponto de chegada (por mais que valorize o gênio autoral), enquanto no consenso do platonismo corrente interessa o ponto de partida, a fonte em detrimento do efeito pedagógico. No final das contas, é possível afirmar que os enfoques se tocam, mesmo que nesta última abordagem, a atual, valha não tanto o que Platão construiu e organizou artificialmente para seus leitores, mas o que construiu e organizou naturalmente dentro de si. Nos dois casos, sobressai a referência autoral e como ela se reflete nos textos produzidos.

Aliás, foi justamente uma pista lançada de passagem por Schleiermacher em sua introdução geral que acabou por dar o tom da divisão de Platão em três fases que impera entre nós já faz algum tempo. Na sua discussão, Schleiermacher fala brevemente sobre o fato de o desaparecimento gradual de Sócrates como personagem central parecer ter relação com o ordenamento dos *Diálogos*. O ponto, como eu disse, não é levado adiante, e na sua própria organização vemos como o *Sofista*, diálogo onde Sócrates não figura como o argumentador principal, vem situado na segunda fase, enquanto a *República*, onde Sócrates é dominante enquanto condutor da argumentação, vem na terceira e última. Ou seja, apesar de falar de relance em "desaparecimento gradual", efetivamente Schleiermacher não via problema no fato de, em uma obra anterior, Sócrates ser secundário, e numa obra posterior voltar a ser determinante. Como sabemos, foi essa relação de Platão com Sócrates, com o Sócrates real e com o Sócrates personagem, que se tornou fator decisivo no longo processo de construção de uma cronologia relativa mais "científica", ainda não presente no sequenciamento de Schleiermacher.

Deixando agora Schleiermacher de lado e dando aqui um grande salto temporal, em tempos recentes uma das figuras mais influentes do platonismo foi, inquestionavelmente, a de Gregory Vlastos, com seu livro *Socrates, Ironist and Moral Philosopher*, que saiu no ano da sua morte, 1991, e resume a sua visão sobre Sócrates e Platão. Num capítulo de enorme repercussão, "Sócrates contra Sócrates em Platão", Vlastos defende que existem dois Sócrates diferentes em Platão: um Sócrates que é retrato aproximado o mais possível da figura histórica, com sua filosofia basicamente moral, e um Sócrates que é porta-voz da filosofia platônica, uma filosofia que ultrapassa o dado moral. Aquela divisão em três fases, nascida antes mesmo de Schleiermacher, continua aqui a ser referência básica, mas com transformações importantes: a *República*, por exemplo, há muito já não figurava na última etapa, onde tendiam a se agrupar obras em que Sócrates tem papel secundário (como *Sofista* e *Timeu*) ou onde simplesmente não aparece (como ocorre, excepcionalmente, nas *Leis*, e ainda no sempre suspeito *Epinômis*, espécie de apêndice ou adendo às *Leis*, como o próprio título no original indica). Aproveitando-se do isolamento dessa fase tardia, que a estilometria já tinha sedimentado no século XIX, e que obtivera desde então adesão maciça dos platonistas, Vlastos pôde se concentrar nas duas fases anteriores, a "primeira" (*early*, em inglês) e a "intermediária" (*middle*) — vale assinalar, num breve parêntese, que por causa da ênfase acentuada no dado formativo ou "darwinista", ou seja, na cronologia da vida intelectiva e criativa de Platão, as fases podiam há tempos ser referidas como "da juventude" (obras primeiras), "da maturidade" (médias) e "da velhice" (tardias), terminologia ainda ausente em Schleiermacher.

Foi diante desse contexto que Vlastos propôs que os diálogos onde o elemento moral socrático predomina, organizando-se em torno da busca por definições, o uso da indução e eventuais aporias, eram diálogos "da juventude", com Platão ainda não tendo sua própria filosofia e querendo primordialmente dar testemunho do seu mestre em atividade. Já os diálogos que trazem, em contraposição, a filosofia platônica em si, cada vez mais amadurecida, doutrinal e distante do campo puramente ético, mas ainda com Sócrates como interlocutor principal, seriam diálogos "da maturidade" de Platão; corresponderiam a uma etapa intermediária da sua produção — etapa à qual finalmente se seguiria depois (aceita a tendência natural de um progressivo distanciamento do filósofo em relação a seu mestre) um terceiro momento, de criação "da velhice", no qual a Sócrates caberia um papel bastante pequeno até mesmo como porta-voz.

Nessa visão, como se vê, o fator supostamente problemático dos *Diálogos* residiria no fato de, entre primeiros e médios, termos sempre um mesmo Sócrates como personagem principal: seria preciso então mostrar, pelo olhar típico da corrente analítica (cuja influência ainda se faz sentir nos estudos platônicos), não se tratar de um só Sócrates, mas de dois: se o diálogo era "socrático" — outra denominação que já tinha se tornado equivalente aos rótulos "primeiro" ou "da juventude" —, com foco nas questões morais, teríamos um "Sócrates A", o Sócrates rente ao Sócrates histórico. Se, por outro lado, o diálogo era filosoficamente mais denso e complexo, com tópicos metafísicos e epistemológicos, por exemplo, Sócrates já não podia mais se ligar à figura histórica, seria um "Sócrates B", porque antes veículo de uma outra filosofia, a platônica. O seu papel discreto nos diálogos "tardios" — e seu eventual desaparecimento na obra tomada como derradeira, as *Leis* — só confirmariam esse processo de transformação no emprego do personagem socrático por parte de Platão.

É interessante notar ainda, ao abordar o livro de Vlastos, que no seu esquema de três fases já encontramos a incorporação de algumas obras antes consideradas espúrias por Schleiermacher (são vinte e sete os diálogos que ele considera platônicos, ante vinte e um do alemão), o que dá uma pálida ideia do que foi, entre um ponto e outro, o debate acalorado sobre a autenticidade de muitas obras, ora espúrias, ora suspeitas, ora ainda totalmente legítimas, a depender de quem julgava. Mais interessante, contudo, é notar em Vlastos como a sua distribuição dos textos em três fases traz os requintes de um detalhamento que se tornara padrão, com variadas hipóteses quanto a obras "transicionais" na passagem de um grupo para outro e, claro, possíveis posições relativas no interior de cada grupo, uma espécie de "hipercronologia" que mal se desenhava em Schleiermacher. Um exemplo emblemático disso é a larga aceitação pelos platonistas, ainda hoje, da divisão de um único diálogo, a *República*, em duas fases: o olhar especializado manda, com sua autoridade, que a transmissão íntegra dessa obra seja revista em favor de uma visão genética superior, segundo a qual o Livro 1 é "anterior", em seu tempo "socrático" de concepção e redação, aos demais livros, pertencentes a um momento "intermediário" da carreira platônica.

No final das contas, voltando aos detalhes da hipótese de Vlastos, pode-se dizer que ela é essencialmente histórico-

-filosófica: busca determinar, com base em testemunhos antigos, qual era a filosofia do Sócrates real, para depois então, por meio da listagem de um conjunto de "teses", argumentar que há no *corpus* platônico um Sócrates moral, refutativo, sem grandes teorias, que só esquizofrenicamente poderia se confundir com o Sócrates doutrinário e complexo atuante nos mesmos *Diálogos*. A percepção rigorosa desse "duplo Sócrates" vira assim a régua com a qual se deve medir a maior parte das obras de Platão, em perspectiva supostamente mais sólida (porque agora pelo enfoque da filosofia analítica), mas ainda assim segundo o esquema evolutivo que vinha do século XIX, porque segundo a sequência com que foram produzidas por Platão. Reparem aqui como a relação mestre-discípulo e o uso que o discípulo faz do mestre como personagem — do retrato histórico ao ventriloquismo — são as bases de um método de análise que parte do princípio de que o pensamento de um filósofo evolui, ao longo de sua vida, da influência recebida à oportuna autoafirmação, e de que a redação e exposição dessa filosofia acompanham essa evolução e esse distanciamento. Por esse olhar, parece verossímil que esse discípulo, ao insistir na figura tradicional do mestre-argumentador como personagem principal, submeta-a a alguma espécie de transformação que reflita a sua própria, e que na base dessa transformação esteja uma autonomia crescente do discípulo. Estando ele mesmo, filósofo mais novo, ausente enquanto personagem nas suas próprias obras — como é o caso de Platão —, é plausível que esse discípulo altere aos poucos a voz do seu "herói" para que ela se preste a outros propósitos, sempre filosóficos e doutrinários, mas não exatamente idênticos.

À primeira vista a tese de Vlastos, enquanto chave que dá ordem ao "caos" do conjunto platônico e pode servir como ponto de partida proveitoso para qualquer voo ulterior, parece instigante e quase irresistível. Poderia ser descrita como a culminância clarividente do que começara lá atrás, de forma hesitante e ainda frágil, com Schleiermacher, não fosse essa hipótese bem menos nova do que parecia: se consultarmos, por exemplo, um artigo de 1928 com o título "On the Order of Plato's Writings", de D. S. Mackay, veremos que a ideia de um amadurecimento intelectual de Platão em três fases, em compasso com uma progressiva libertação sua da filosofia socrática, já era tratada como moeda corrente e dado quase incontestável, motivo pelo qual vem criticada por esse autor. A própria designação dos diálogos da juventude como "socráticos" já está na citada *Paideia* de Jaeger, também da primeira metade do século passado. Vlastos, na realidade, apenas buscou dar sustentação analítica maior à antiga teoria do recorte entre um Sócrates histórico e um Sócrates porta-voz, propondo detalhamentos próprios e, fato decisivo, alcançando larguíssima repercussão. Até os diálogos considerados autênticos à época de Mackay — década de 1920 — já eram os mesmos vinte e sete que veremos em Vlastos no início da década de 1990.

Avaliando em retrospectiva, é possível afirmar que Vlastos, e inúmeros outros antes e depois dele, continuavam a trabalhar com as mesmas premissas embrionárias de Schleiermacher. Do pressuposto de que há fases "naturais" e "maturativas" na construção da obra de Platão ou qualquer filósofo, de cunho pedagógico e/ou genético-compositivo; passando pela ideia de que a determinação da autoria e da autenticidade dessa obra é um fato objetivo, com base na concepção de que todo estilo é próprio, intransferível e pode/deve evoluir em consonância com o progresso da vida biológica e pensante do ser humano que por ele se expressa; até chegar à própria formulação de que o propósito de um filósofo deve ser transmitir uma doutrina acabada, por mais que se esconda por detrás de outras vozes — esses, entre outros, são pontos que surgem como a-históricos demais, para uma área que se vangloria da sua precisão histórica. Formação, autoria, modo filosófico de construção: nada disso é igual todo o tempo em toda parte. Platão pode sim ter escrito, ele mesmo, diálogo por diálogo, um texto em seguida ao outro, num estilo de fato cambiante e num processo contínuo de amadurecimento filosófico ao longo da sua extensa vida, tal como um romancista ou dramaturgo que passa pela mesma experiência e que vai de uma fase para outra, aperfeiçoando sua escrita e sua visão de mundo. É o que queremos crer, e o que fazemos questão de atestar, seja com Machado de Assis, seja com William Shakespeare, para dar dois exemplos bem diferentes. O fato de não termos dados concretos em relação à cronologia das peças de Shakespeare (e em relação à sua vida) não desanima os especialistas no empenho de elaborar, como chave de leitura, uma evolução estilístico-espiritual para sua curta carreira. O fato de, contrariamente, termos dados concretos em relação a Machado não dá espaço para dúvidas entre os seus especialistas de que, ele também, deve ser lido quase exclusivamente segundo a chave da evolução estilístico-espiritual. A evolução é para nós um fato e uma ferramenta, documentemo-la ou não. Como trabalhar sem ela?

Em relação a Platão, bem mais antigo, claro, do que Machado e Shakespeare, mas, principalmente, com uma longa abordagem crítica documentada, talvez seja mais fácil notar a miragem da evolução absoluta da sua "vida-e-obra", com todos aqueles dados de apoio supostamente objetivos. Além das proposições didáticas modernas tidas por mais alternativas, como as de Schleiermacher e a do citado Mackay (que imaginava uma organização também em três fases, mas com foco no ensino e no público-alvo), sabemos que na Antiguidade havia diferentes arranjos dos *Diálogos*, ora segundo uma possível sequência dramática interna, ora segundo seus modos de construção, ora mesmo segundo um esquema temático-pedagógico que podia se desdobrar de diferentes maneiras, com cada título sendo rotulado como "físico" (*Timeu*), "ético" (*Apologia*), "político" (*República*), "maiêutico" (*Lísis*) etc. Se todos esses esquemas antigos, por um lado, eram acompanhados sempre, como era de se esperar, pelo dado central teórico, do pensamento (por mais diferentes que fossem as leituras), conforme acontece ainda entre nós com as nossas abordagens, por outro lado parecia estar ausente entre esses esquemas passados qualquer projeto de evolução centrado na fonte da figura autoral, aquilo que se transformou no nosso eixo, um eixo que privilegia o dado formativo-teórico de Platão e deixa em segundo plano, enquanto chaves de leitura (ainda que não os ignore), os elementos de organização dramática e pedagógica.

Outro ponto que sobressai no confronto com os antigos — e que, como mostrei, tem relação direta com a própria ordenação das obras — é o quão variável se mostra a delimitação do *corpus* platônico, assim como é variável o diálogo nuclear a partir do qual se lê o conjunto. A organização de Trasilo (I d.C.) dos *Diálogos* em nove tetralogias, por exemplo, é uma das mais abrangentes de que se tem notícia, trazendo trinta e seis peças ao todo (com o conjunto das *Cartas* contando como trigésima sexta). Sabe-se que ele se orientou, em parte, pela ordem dramática interna, privilegiando a conexão das ações na passagem de um diálogo para outro. Mas a junção é também muitas vezes artificial e se vale de outros critérios, quando não se percebe nexo aparente entre os acontecimentos de um diálogo e outro. O arranjo de Trasilo é dramático e artificial em outro sentido ainda porque, como se sabe, homenageia a antiga organização das peças em tetralogias nas apresentações dos festivais dramáticos da Atenas dos séculos V e IV a.C. Do ponto de vista da doutrina, durante o longo tempo em que Trasilo serviu de base para muitos platonistas, sabemos que o *Timeu*, sob o peso do neoplatonismo e do cristianismo, imperou como diálogo central. Assim como imperou igualmente no currículo de Jâmblico (III-IV d.C.), que se restringia não mais a trinta e cinco diálogos, mas a doze, e dava papel de destaque como obra introdutória ao *Alcibíades Primeiro*. Em outros casos, as obras introdutórias podiam ainda ser títulos tão díspares quanto *Teages*, *Clitofonte* e *República*. Já as cinco trilogias bem mais antigas de Aristófanes de Bizâncio (III-II a.C.), por sua vez, que se abriam com *República-Timeu-Crítias* (mesma sequência encontrável na oitava tetralogia de Trasilo) e se fechavam com *Críton-Fédon-Cartas*, deviam trabalhar com outra perspectiva filosófico-didática, e provavelmente com um número menor de textos canônicos. Falo rapidamente dessas referências porque nenhum desses ordenamentos, certamente, trabalhava exatamente com os mesmos números do consenso atual, em torno de vinte e sete ou vinte e oito, nem privilegiavam a *República* como o diálogo platônico central, como fazemos hoje. Aparentemente nenhum deles imaginava, tampouco, que as *Leis* eram um diálogo da velhice de Platão e que a investigação do estilo podia dar a medida de uma evolução na composição dos diálogos.

É fato, portanto, que quando falamos em "*Diálogos* de Platão" nunca estamos totalmente de acordo, seja numa escala mais restrita, a da nossa própria época, seja numa escala mais ampla: número, arranjo e importância variam, em maior ou menor grau, e essas variações devem nos dizer alguma coisa. Isso vale também para Homero, Virgílio, Ovídio, Aristóteles e outros: a partir das nossas ideias de autoria e composição, repensamos o *corpus* de cada um deles, determinando o que é e o que não é autêntico e estabelecendo, internamente, qual obra veio antes e qual depois, esquecendo-nos de que nossas abordagens não são "as" abordagens definitivas do "progresso científico", mas apenas novas abordagens, do nosso tempo, diversas de outras que sabemos que já existiram e que tiveram suas razões para existir. Os olhares antigos eram certamente mais "estáticos" e mais "integrativos" em comparação, sem as obsessões nossas pela evolução e pela marca de um gênio em cujo labor não se podem aceitar obras com qualidade tida por inferior. Nesse sentido, a estilometria, que já mencionei mais de uma vez aqui, é um tópico no qual vale a pena nos determos, porque mostra bem como, para nós, a ciência estatística, ao supostamente comprovar a evolução de Platão e o que é autenticamente seu, comprova por tabela nossa evolução enquanto pesquisadores.

O precursor do método é o escocês Lewis Campbell, com uma obra saída em 1867. Ele foi seguido por vários outros pesquisadores de Platão, até chegarmos finalmente ao uso da computação em fins do século XX. É possível, a meu ver, termos uma visão geral sóbria dos resultados da estilometria nos artigos de Charles Young, "Plato and Computer Dating", de 1994, e de Debra Nails, "The Early Middle Late Consensus: How Deep? How Broad?", de 1995. O ponto de partida consensual para os que se apoiam no método (e mesmo para os que dele discordam), com o intuito de determinar ou reforçar a cronologia das obras de Platão, é uma afirmação de Aristóteles no Livro 2 da *Política* (1264b), de que as *Leis* foram redigidas depois da *República*. Em apoio a ela viria ainda o que diz Diógenes Laércio (III d.C.) no seu relato da *Vida de Platão* (III.37), de que essa obra foi deixada no suporte de cera e transcrita por um tal de Felipe Opúntio, o que comprovaria que Platão morreu antes de poder publicá-la. Lidas de modo mais isento, porém, essas afirmações não têm a ver necessariamente com o dado cronológico da vida criativa de Platão, como Jacob Howland mostrou em seu artigo "Re-Reading Plato: The Problem of Platonic Chronology", de 1991. Aristóteles apenas parece indicar que as *Leis* são posteriores porque fazem uma revisão da *República*, ou seja, não há indicação temporal precisa que a situe na velhice do autor, apenas uma sucessão dramático-conceitual. E Diógenes, por sua vez, não indica que as *Leis* ficaram na cera porque "não deu tempo" de Platão, perto já de morrer, transcrever o diálogo: nesse ponto ele parece estar mais preocupado com a questão da autenticidade. Ao dizer — reportando o que "alguns" afirmavam — que Felipe Opúntio "transcrevera" a obra (verbo *metagrápho*, em grego), a qual tinha permanecido no suporte de cera (por causa do seu tamanho, talvez?), Diógenes pode estar querendo dizer que ele a "reescreveu" (outro sentido possível para *metagrápho*), tornando-a não platônica; vale lembrar que, imediatamente depois, Diógenes diz que, segundo essas mesmas vozes, Felipe Opúntio seria o autor do *Epinômis*, o diálogo breve que funciona como um "apêndice" às *Leis*. Resumindo: apesar de essa ideia já circular na Antiguidade, nem em Aristóteles nem em Diógenes Laércio há indicação clara, incontestável, de que as *Leis* fossem uma obra derradeira de Platão.

De todo modo, a partir daí decretou-se, *em perspectiva historicista*, que as *Leis*, o único diálogo (ao lado do *Epinômis*) em que Sócrates não aparece, é uma obra final, da velhice de Platão. E foi explorando então especificamente o emprego de elementos estilísticos no *Sofista* e no *Político*, que formam uma sequência dramática, que Campbell teria comprovado uma afinidade deles com as *Leis*, e também com o *Timeu* e o *Crítias*, outra sequência evidente, todos os cinco diálogos nos quais o papel de Sócrates se reduz muito (o *Filebo*, desse ponto de vista, seria a exceção no grupo). Assim se formava, em linhas gerais, o consenso relativo ao conjunto dos seis diálogos tardios, abrindo-se espaço para que a atenção do platonista interessado na evolução da obra de Platão pudesse se concentrar na ordenação das duas outras fases, conforme mostrei em relação ao livro fundamental de Vlastos. Para muitos, era auspicioso que trabalhos estilométricos independentes estivessem chegando às mesmas conclusões, mas o fato é que uma viciosa circularidade — tão onipresente nos enfoques de cronologia relativa dos Estudos Clássicos — já estava instaurada: partia-se de uma datação interpretativa para se comprovar... uma datação final supostamente objetiva.

O método se sofisticou depois de Campbell, para ganhar ares cada vez mais científicos: uso de partículas, determinado vocabulário filosófico, ritmo da prosa, emprego de fórmulas para pergunta e resposta, admissão ou não do hiato, e até mesmo a contagem de certas letras — tudo isso podia ser medido e quantificado, para então ser distribuído entre diferentes momentos da carreira de Platão como filósofo e escritor. Não se cogitava que o estilo variável platônico pudesse ser determinado por outras circunstâncias que não a expressão direta e espontânea de quem redige, em evolução contínua ou por etapas. Mas como aceitar que nessa concepção linear-evolutiva haja basicamente dois saltos na vida do filósofo, da juventude para a idade adulta e da idade adulta para a velhice, e que o estilo mude, por tabela, duas vezes também, uma abstração simplificadora e redutora mesmo se aplicada aleatoriamente a produções extensas e muito bem documentadas de escritores longevos? O fato é que, por essa concepção, realidades complexas precisavam ser simplificadas — por exemplo, a possibilidade de quem compõe muitas obras vir a revisá-las continuamente, e dá-las a público em tempos diferentes aos da composição. O *Íon*, por exemplo, considerado consensualmente um diálogo socrático, da juventude, admitida a hipótese da redação na mocidade de Platão, não pode, ainda assim, ter sido publicado e completamente revisado na velhice? O que impede que diferentes textos sejam gestados numa mesma época, com diferentes formatos e enfoques sendo simultaneamente explorados? Se o Livro 1 da *República* foi mesmo escrito num período anterior, que peso tem essa informação se, na redação final, todos os livros foram integrados num conjunto harmônico? Em quantos períodos diferentes os nove livros restantes podem ter sido escritos e reescritos? Isso deixaria marcas rastreáveis? Quando começamos a formular questões elementares como essas, que podem facilmente se multiplicar, fica clara a arbitrariedade dos métodos evolutivo e estilométrico, que foram empilhando hipótese sobre hipótese para construir um edifício de certezas. Parecia ciência, mas a subjetividade estava por toda parte. Os enfoques eram *interessados*, principalmente quando a mesma estilometria pontificava, com base nas suas ferramentas, sobre o que era platônico e o que era contrafação, por discrepar ou não da doutrina geral ou dos traços eleitos como genuinamente platônicos.

Nunca é demais sublinhar o impacto sobre a leitura de Platão desse consenso longamente martelado. Só para se ter uma ideia, ao consultarmos uma referência bibliográfica fundamental, por sua abrangência e praticidade, como é *Plato: Critical Assessments*, de 1998, editado em quatro volumes por Nicholas Smith, nós nos deparamos, depois de um primeiro tomo dedicado a questões gerais de interpretação, com os demais textos repartidos em "Período médio de Platão" (volumes 2 e 3) e em "Trabalhos tardios de Platão" (volume 4). Ou seja: são negligenciados quase que por completo os diálogos "socráticos", "da juventude", por eles falarem — assim fica decretado — mais da filosofia de Sócrates do que da de Platão, isso para não citar os textos tidos por apócrifos, sumariamente ignorados pela suspeita acumulada ao longo de décadas. Difícil não concluir, exatamente como Jaeger há quase cem anos, que continuamos a acreditar que nos aproximamos do Platão "verdadeiro" — a evolução experimentada pelo filósofo afinal é a nossa também enquanto pesquisadores... —, à medida que vamos repaginando o esquema genético-desenvolvimentista, com suas ideias de florescimento, amadurecimento e consolidação final associadas à exposição de uma doutrina acabada da parte de um gênio autoral.

Não importa que internamente os textos platônicos, além de alguns poucos — e às vezes confusos — nexos dramáticos, não indiquem internamente estágios e evoluções incontestáveis. E não importa que diálogos breves tidos como socráticos e juvenis, tais como o *Eutífron*, tragam elementos doutrinais, enquanto obras extensas ditas da maturidade, tais como o *Teeteto*, sejam ainda muito negativas — exemplos ao acaso de linhas internas que se cruzam e interpenetram, desestimulando, de novo, a concepção de um progresso linear imposto a fórceps. Na mesma direção, podemos especular ainda se as questões éticas, no final das contas, não são mais dominantes no conjunto da filosofia platônica do que se imagina, o que mostraria que seu suposto distanciamento formativo em relação a Sócrates não é tanto de fundo quanto de desenvolvimento. E, em sentido contrário, poderíamos pensar que outras influências detectáveis nos *Diálogos*, de Pitágoras, Parmênides e Heráclito, por exemplo, devem nos colocar de sobreaviso em relação a tomarmos, na esteira da compartimentação, o Sócrates-personagem como um Sócrates que, de início, veicula basicamente uma filosofia mais socrática.

No fim das contas, é preferível pensar que, do início ao fim, o que vai expresso nas obras é uma só filosofia platônica, compósita, letrada e com características específicas, que investe na reelaboração de um personagem já incorporado pela tradição, ele mesmo uno e rico, e que não atua em contradição consigo mesmo. No mesmo campo das hipóteses, faz todo sentido pensar ainda que, nos *Diálogos*, diferentes estilos são manipulados, independentemente das fases da vida autoral, conforme interesses diversos, de conteúdo e expressão. Mais do que isso, faz todo sentido pensar que quando uma doutrina é transmitida por várias vozes em conversa, com elementos de caracterização, ambientação e estilo, ela deixa de ser uma doutrina e uma escrita chapada: há muita mais coisa acontecendo, linguisticamente falando, entre uma fala e outra do que o mero registro de uma teoria em maturação.

É em função dessas questões e das perspectivas que elas abrem que, na segunda parte deste ensaio, vou explicar como reorganizo o *corpus* platônico, um *corpus* que vejo como sincrônico e disposto em mosaico. Vou falar também do tópico da autenticidade, explicar por que incluo algumas obras nesse conjunto (os quatro diálogos traduzidos neste livro), por que excluo outras (quatro diálogos constantes das tetralogias, mais as *Cartas*) e de como tomo esses movimentos de autenticação e disposição como provisórios e parciais, a depender dos critérios de quem analisa os textos. Os meus, tanto para efeito de ordenamento quanto determinação de autoria, são literários e filosóficos, e derivam da abertura e da mobilidade que vejo no que entendo como platônico, seja no nível do pensamento, seja ainda no nível da construção — principalmente, mas não só — do seu personagem central. Trata-se assim de uma visão literário-filosófica imbricada, que propõe um "arranjo desarranjado", sem ceticismo nem dogmatismo, e que no final busca ultrapassar a própria necessidade de uma figura autoral "genial", porque o "platônico" aqui não precisa ser igual a "saído diretamente da pena de Platão". Meu objetivo final com tudo isso não é rever ou rediscutir a doutrina platônica, cuja existência obviamente reconheço, mas apenas lançar novas luzes sobre os *Diálogos*. Deixo os meandros teórico-críticos para os filósofos e platonistas, aptos efetivamente a uma interpretação ampla e profunda que não me sinto capaz de fazer. Mas tenho plena consciência de que, assim como os contornos da doutrina impactam a definição do *corpus* e seu ordenamento, também a redefinição do *corpus* e o seu reordenamento, tais como proponho aqui, podem impactar a visão da doutrina.

II

Vou começar esta segunda parte apresentando duas listas. Primeiro, as nove tetralogias de Trasilo, a organização que ainda pode servir de base para dispor em sequência as obras completas de Platão: foi a ordem seguida, por exemplo, por John Burnet ao editar os textos gregos de Platão para a coleção "Oxford Classical Texts" no começo do século XX, e seguida também pelo volume a cargo de John Cooper e D. S. Hutchinson, *Plato: Complete Works*, que traz somente as traduções para o inglês. Depois dessa primeira lista, apresento então os títulos organizados segundo a divisão em três fases evolutivas, o esquema que, mesmo não presidindo na maioria dos casos à forma como Platão é editado, é o que efetivamente tem contado para sua análise e interpretação. Na primeira lista já deixo destacadas com asterisco aquelas obras largamente desprezadas desde o século XIX até décadas recentes e que, por isso, deixam de comparecer na divisão por fases, uma vez que não repercutem sobre o estudo de Platão. São sete ao todo, as quatro traduzidas neste livro, *Alcibíades Segundo*, *Teages*, *Dois Homens Apaixonados* e *Clitofonte*, e mais outras três, *Hiparco*, *Minos* e *Epinômis*:

NOVE TETRALOGIAS DE TRASILO

1.
Eutífron
Apologia de Sócrates
Críton
Fédon

2.
Crátilo
Teeteto
Sofista
Político

3.
Parmênides
Filebo
Banquete
Fedro

4.
Alcibíades Primeiro
*Alcibíades Segundo**

*Hiparco**
*Dois Homens Apaixonados**

5.
*Teages**
Cármides
Laques
Lísis

6.
Eutidemo
Protágoras
Górgias
Mênon

7.
Hípias Maior
Hípias Menor
Íon
Menexeno

8.
*Clitofonte**
República
TIMEU
Crítias

9.
*Minos**
Leis
*Epinômis**
(Cartas)

No linguajar que se tornou corrente nos Estudos Clássicos, esses sete títulos destacados com asterisco seriam "pseudoplatônicos", em oposição aos "verdadeiramente" platônicos. Aqui cabem duas ressalvas importantes. Primeira: nessa organização, as treze *Cartas* atribuídas ao filósofo formam, como eu já disse acima, um conjunto que conta artificialmente como quarta obra da última tetralogia (a autenticidade dessas cartas é muito debatida e por isso as deixei entre parênteses, para voltar à questão mais abaixo). Segunda ressalva: os manuscritos nos transmitiram ainda um conjunto de *Definições* e *Epigramas* atribuídos a Platão, além de outros sete diálogos considerados espúrios já por Trasilo. São eles: *Sobre a Justiça*, *Sobre a Virtude*, *Demódoco*, *Sísifo*, *Alcíone*, *Eríxias* e *Axíoco* (todo esse material foi incluído também na edição de Henricus Stephanus de 1578, à exceção dos *Epigramas* e da *Alcíone*).

A esses títulos vêm se juntar mais cinco diálogos platônicos marginais mencionados por Diógenes Laércio em sua *Vida de Platão* (III.62), mas perdidos: *Mídon*, *Feácios*, *Quélidon*, *Dia Sétimo* e *Epimênides*.

Para resumir então: o Platão do século XXI, esse com o qual vimos lidando há pelos menos duzentos anos e cujo nome, já descontados os *Epigramas*, as *Definições* e as *Cartas*, no passado chegou a ser associado a quarenta e sete diálogos (incluindo na conta como "diálogo", ainda que não seja rigorosamente um, a *Apologia*), esse Platão consensual consiste hoje, na prática, em no máximo vinte e oito diálogos "genuínos". Digo "no máximo" porque sabemos, consultando a lista acima, que em relação a alguns permanecem, dependendo do intérprete, graus variados de acolhimento, do legítimo, passando pelo duvidoso, até chegar ao espúrio. Um mesmo diálogo pode percorrer diferentes categorias. É o caso, por exemplo, do *Alcibíades Primeiro*: aceito sem sombra de dúvida na Antiguidade, foi excluído a partir de Schleiermacher (que o via como trabalho insignificante e pobre) e teve sua condenação ratificada por Gregory Vlastos. Em tempos recentes, no entanto, trocou o rótulo de "espúrio" ou "altamente duvidoso" pelo de "possivelmente legítimo", razão pela qual resolvi não deixá-lo com asterisco.

Apresento agora uma lista com esses mesmos vinte e oito diálogos "autênticos" dispostos nas três fases do consenso moderno. Não é uma divisão particular, específica de um estudioso, mas uma espécie de média entre diferentes disposições, com o único objetivo de produzir um quadro que, acredito, seria aceito, com um ou outro ajuste, pela grande maioria dos platonistas. Tais estudiosos operam quase sempre com a indicação de obras "transicionais" na passagem da primeira para a segunda fase: são as que vêm sublinhadas abaixo. Cabe destacar que a sequência temporal vale para a relação apenas entre os grupos, com só uma minoria arriscando hoje uma cronologia estrita das obras no interior de cada grupo — isso se aplica inclusive ao subgrupo dos "transicionais". Coloco a *República* em caixa-alta, como fiz na lista anterior com o *Timeu*, porque entre nós ela tomou o lugar deste como obra central do edifício platônico:

Disposição evolutiva em três períodos

1.
Apologia de Sócrates
Cármides
Críton
Eutífron
Íon
Menexeno
Laques
Lísis
Hípias Menor
Hípias Maior
Alcibíades Primeiro
Protágoras
Górgias

Eutidemo
Mênon
Crátilo
República 1

2.
REPÚBLICA 2-10
Fédon
Banquete
Fedro
Parmênides
Teeteto

3.
Sofista
Político
Filebo
Timeu
Crítias
Leis
(Carta 7ª)

Deixei ao final, entre parênteses, *(Carta 7ª)* e não *(Cartas)* como tinha feito na lista anterior, porque desse conjunto de treze epístolas em primeira pessoa onde Platão fala de sua vida, filosofia e atuação política sobretudo em Siracusa, na Sicília, a *Carta 7ª*, a maior em extensão e riqueza de informações, tem sido modernamente considerada a mais — se não a única — autêntica do conjunto. Vale a pena, aliás, abordá-la aqui em conjunto com o já citado *Alcibíades Primeiro*, para eu começar finalmente a expor os critérios que vão determinar a minha escolha do que entra, e do que não entra, num possível rearranjo do *corpus* platônico.

O *Alcibíades Primeiro*, como falei na primeira parte deste ensaio, pôde ser tomado como diálogo fundamental —

porque introdutório ao universo de Platão — por Jâmblico nos séculos III-IV d.C., tendo recebido comentários de Olimpiodoro e Proclo; de Schleiermacher para cá, porém, caiu em descrédito, sendo resgatado só recentemente da condenação. As *Cartas*, por sua vez, que não pareciam suspeitas na Antiguidade desde que ouvimos falar delas em fins do século III a.C., ao que tudo indica não receberiam o favor de Schleiermacher (que não chegou a traduzi-las) e têm gerado desde então intenso debate, que pendeu para a aceitação de algumas poucas ou, como eu indiquei, apenas da sétima. É fácil ver como essa voz em primeira pessoa do missivista, pessoal e doutrinária, vinha — pelo menos nos seus melhores momentos — ao encontro da necessidade de se construir um novo dogma platônico, razão pela qual não podia ser descartada com a facilidade com que outros textos tidos por problemáticos o eram. A filologia clássica — não custa lembrar a abertura deste ensaio — preserva o traço romântico de ver o texto como reflexo da vida (o que é bem diferente do modo antigo, de produzir uma vida a partir do texto), e nada mais adequado do que obter informações diretas — de um autor acostumado à prática de se esconder — a fim de reforçar a evolução biológico-darwinista de sua obra e pensamento.

Examinados mais de perto, porém, esses textos podem ser tomados como instâncias privilegiadas para se colocar em dúvida os critérios correntes de autenticidade e para se abrir a possibilidade do emprego de outros, sem a pretensão, é sempre bom sublinhar, de fixar uma baliza objetiva. Nos dois casos particulares, para além da questão do estilo (que podia, para fins de suspeição e condenação, ser platônico de menos, ou platônico de mais...), pesava entre os muitos argumentos a favor da *Carta 7ª* — e contra o *Alcibíades Primeiro* — um item fundamental: a relação estabelecida com a doutrina platônica. Sem entrar nos detalhes aqui, supostamente o *Alcibíades Primeiro* mostrava-se deficiente/incongruente naquilo que a carta tinha em altas doses. Platão era sobretudo, a despeito de algumas revisões, um pensador consistente no conteúdo e na qualidade do seu pensar e, portanto, inconsistências na sua apresentação não poderiam ser platônicas. Nada, claro, contra esse ou outro critério principal, que tem sua validade se bem defendido. Mas não seria possível dizer que, sob outros aspectos não contemplados, a *Carta 7ª* pode ser tomada como não platônica, enquanto o *Alcibíades Primeiro* teria todos os traços do tipicamente platônico? E se a *Carta 7ª* não for platônica porque "ser platônico" equivaleria, sob certo ângulo hermenêutico, a um texto se apresentar de uma forma aberta, sem que o autor esteja presente, quer como narrador, quer como personagem, e sem que doutrine diretamente em sua própria voz? E se o *Alcibíades Primeiro* fosse platônico justamente por ter não só essa forma aberta do diálogo, mas representar uma bem-vinda peça adicional num sistema essencialmente voltado para a abertura do próprio pensamento, e não para sua clausura? E se o "platônico" não fosse rigorosamente "de Platão", um reflexo direto do seu gênio e da sua verdade, e isso não trouxesse problemas — mas antes benefícios — para se determinar um *corpus* platônico "genuíno" (sempre entre aspas) e uma reorganização, enquanto chave interpretativa, livre daquela vida específica em desenvolvimento?

Filologicamente falando, bons argumentos podem ser aduzidos para se mostrar que a *Carta 7ª* não é de Platão. No artigo "Against the Authenticity of the *Seventh Letter*", de 2016, dedicado a resenhar um livro cujos autores mesmos já rotulavam essa obra como apócrifa, Michael Trapp propõe que se retome a postura, não inteiramente nova, a favor da condenação desse texto e de seus pares, sob a alegação principal de que o conjunto de *Cartas* de Platão se insere, com suas ênfases e questões, numa prática específica de construção ético-biográfica que veio culminar, depois, nas *Vidas Paralelas* de Plutarco. Quem as redigiu, tempos depois da morte do filósofo, queria forjar uma imagem positiva de Platão em sua atuação político-filosófica. Teria sido nesse ambiente já diferente, e em decorrência da qualidade e excelência na imitação de Platão e sua doutrina, que as treze cartas acabaram por ser integradas ao conjunto da obra platônica, sem que isso representasse problema algum para os antigos (como acontecia, aliás, com os epigramas que eram atribuídos ao filósofo). Só que essa abordagem não as torna, a meu ver, "pseudoplatônicas" de um modo absoluto. Ao contrário de Trapp, não pretendo aqui excluir toda e qualquer carta de uma possível reorganização do *corpus* pelo fato de não serem, comprovadamente, da lavra de Platão: se a construção dessa figura de sábio for critério central para determinada visão da obra de Platão, elas podem ser, na parte ou no todo, tal como foram (e ainda são para alguns), genuínas. Não fosse diverso o critério que adoto aqui, poderiam sim ser consideradas "de Platão", independentemente de redigidas ou não por ele.

O mesmo vale para o *Alcibíades Primeiro*: há bons argumentos para se mostrar, ainda pelo ângulo da filológica tradicional (mas um ângulo mais arejado no trato com Platão), que ele é genuíno e nada suspeito ou espúrio. Jakub Jirsa, no artigo "Authenticity of the *Alcibiades I*: Some Reflections", de 2009, além de lembrar sua aceitação e boa reputação entre os antigos, defende, ponto por ponto, que o vocabulário, o estilo e a doutrina presentes nesse diálogo não trazem de fato as discrepâncias que foi tachado de possuir. Abrir espaço para a sua admissão, porém, significaria pôr em xeque, como Jirsa argumenta, as fundações inevitavelmente arbitrárias de uma área que tem se pretendido científica e objetiva: o melhor, se a peça não se ajusta ao mecanismo, é que este não seja revisto — aquela é que deve ser descartada. De novo: não estou querendo afirmar, com isso, que o *Alcibíades Primeiro* é "de Platão" de um modo absoluto. Na minha proposta, ele deve ser aceito pelos mesmos critérios que fazem com que as *Cartas* sejam deixadas de fora, mas admito que, por outros critérios, essa peça menor pode ser vista como problemática, ao não se encaixar em uma visão particular do que seja platônico. Nesse caso, é importante não só que o critério da exclusão seja bem sustentado (o que o platonismo moderno algumas vezes de fato fez), mas principalmente que não se almeje determinar de uma vez por todas, cientificamente, uma questão espinhosa e mutável como a da autoria (o que raramente se propôs fazer).

O que o *Alcibíades Primeiro* tem que a *Carta 7ª* (e as *Cartas* em geral) não têm, para que eu considere o diálogo platônico e as trezes missivas, não platônicas? Que critérios se veem aí que podem ser estendidos a uma redefinição do *corpus* — tanto para se incluir e excluir obras, quanto para rearranjá-las, sempre com mobilidade? O critério central para mim, neste ensaio, tem a ver com uma palavra simples em português, *prosa*, e com dois sentidos seus fundamentais: o de "conversa" e o de "linguagem sem metrificação". Platão, o Platão do recorte aqui proposto, esse Platão escreve *duplamente em prosa*:

a) primeiro porque cria conversas, cria diálogos; e

b) em segundo lugar porque essas conversas não são escritas em forma poética, como acontece por exemplo com os diálogos na tragédia e na comédia, mas sim num registro desprovido de metro.

Nos *Diálogos* essas duas prosas estão sobrepostas, se fundem. Mas esse Platão da dupla prosa precisa de uma delimitação maior.

O primeiro aspecto, relativo à prosa enquanto conversação, diálogo, é, como a gente sabe, bastante particular. Trata-se de uma conversa que tem três formas básicas de apresentação, podendo ser: totalmente direta, como acontece em vários diálogos, aqui sim exatamente como no teatro (é o caso do *Fedro*, por exemplo, e três das obras traduzidas neste livro, *Alcibíades Segundo*, *Teages* e *Clitofonte*); direta-indireta, com outra conversa "abaixo" da principal sendo rememorada por um dos interlocutores e vindo a assumir o primeiro plano (como faz Sócrates no *Protágoras* e no *Eutidemo*, ou Fédon no *Fédon*, e de forma mais complexa Euclides no *Teeteto* e Apolodoro no *Banquete*); e totalmente indireta, com uma voz em primeira pessoa relatando uma conversação passada (é o que faz Sócrates tanto na *República* quanto no *Cármides* e no *Lísis*, e também em um dos diálogos aqui traduzidos, *Dois Homens Apaixonados*; é o que faz Céfalo de forma mais intrincada no *Parmênides*). Além do mais, essa conversa não é uma conversa qualquer, por mais que no original mantenha sempre certo clima descontraído e casual de "bate-papo": ela está centrada na argumentação relativa a temas filosóficos — definições, teorias, valores, métodos — que impactam a vida humana. Nessas conversas argumentativas, os falantes podem pender ora para o formato pergunta-e-resposta, com sucessivas intervenções pontuais, ora para longas tiradas, com uma figura dominando a discussão e "palestrando". Nos dois casos, a figura tanto do argumentador quanto do "palestrante" principal tende a ser Sócrates, e as duas facetas não raro se manifestam dentro de um mesmo diálogo. Finalmente, nessas conversas muito particulares, Platão está sempre ausente, ou seja, ele nunca aparece — nem como narrador do diálogo nem como seu participante. Em outras palavras, não há em momento algum um Platão inscrito no texto (em primeira ou em terceira pessoa), responsável por qualquer tipo de enquadramento em relação ao que está sendo dito. Concretamente, como se sabe, o nome "Platão" só é referido duas vezes no conjunto, e mesmo assim de passagem, na *Apologia* e no *Fédon*. Isso em relação à prosa de Platão enquanto conversa.

Já o segundo aspecto diz respeito à prosa enquanto linguagem não metrificada ou, melhor dizendo, enquanto registro literário por escrito sem recurso ao metro: é a prosa que dá vida às prosas dos personagens, num cruzamento desconcertante entre oral e letrado. Além dessa delimitação básica, vale acrescentar que essa prosa não é uma prosa literária qualquer, porque desde a Antiguidade tem sido louvada como coisa burilada, variada e poética — muito distante da sisudez e da aridez de um Aristóteles em seus tratados, por exemplo. Entre as grandes qualidades de Platão como escritor — responsável pelo próprio nome *Plátton* (um apelido, na realidade?) e que o diferenciava na Antiguidade de outros compositores de diálogos socráticos — está justamente essa sua capacidade de *pláttein*, de "plasmar", "moldar" a linguagem e, associada a isso, a "amplitude", *platútes*, do seu estilo, conforme aponta Diógenes Laércio na sua *Vida de Platão* (III.4). "Platão" seria assim, concretamente, "O que molda", "O amplo". Note-se que o próprio Diógenes já inscrevia o trabalho do filósofo numa linhagem literária, de criação dramática, ao falar de como o mimo, tipo de teatro popular em prosa, o influenciou no recurso à caracterização (III.18). Registre-se também que Dionísio de Halicarnasso (I a.C.), no seu tratado *Sobre a composição das palavras* (25), já destacava a *philoponía* e a *poikilía* — "polimento" e "caráter caleidoscópico", em traduções mais livres — da prosa platônica. Isso tudo significa dizer que essa prosa literária trabalhada, que traz múltiplas prosas envolvendo múltiplos personagens, apresenta muitos recursos, podendo ser ora ágil, ora lenta, ora leve, ora austera, ora reflexiva, ora brincalhona, ora argumentativa, ora imagético-fantasiosa, ora pedestre, ora sublime, estando todo o tempo a jogar consigo mesma, com o leitor e com a tradição literária e cultural que tinha à sua disposição. Mais ainda (e esse ponto é fundamental aqui para mim), essa prosa sofisticada e ampla, pertencente a uma tradição teatral, investe num elemento que é absolutamente central em qualquer boa criação dramática — a caracterização dos personagens — e faz isso dando atenção especial àquele que é "o" personagem central do *corpus*, Sócrates. Dito de outra forma, a caracterização do conversador e argumentador Sócrates talvez seja o índice maior da capacidade literária disseminada pelo conjunto platônico; mesmo nos casos em que o papel de Sócrates é mais discreto, ela não deixa de se fazer notar.

Essas são então as duas prosas fundidas de Platão — a prosa-conversa e a prosa-registro literário —, prosas que, como se vê, não se associam ao que se entende tradicionalmente por um texto filosófico, do qual esperamos, imediatamente, tanto a forma de um tratado quanto a ausência das veleidades típicas de um ficcionista.

Mas são essas prosas, conforme detalhadas acima, que determinam para mim a exclusão das *Cartas* e a inclusão do *Alcibíades Primeiro*: a inclusão deste porque tem as qualidades apontadas, de troca dialógica e elaboração de caracteres, e a exclusão daquelas porque não trazem pelo menos uma delas. Podemos considerar sim o conjunto das *Cartas*, ou a *Carta 7ª* em particular, como uma bela construção literária em prosa, com fins de caracterização, mas nela não há aquela impessoalidade autoral vista aqui como fundamental no conjunto platônico, nem (mesmo que se admita que toda carta é uma conversa com o destinatário) o dado propriamente dialógico ou dialético: nelas Platão fala diretamente, e fala na primeira pessoa. Já o *Alcibíades Primeiro*, como diálogo na forma direta pura, com apenas dois interlocutores, Sócrates e o próprio Alcibíades (tal como no *Alcibíades Segundo*), encaixa-se no modo de construção típico, além de investir numa série de elementos de caracterização, dicção, ambientação e reflexão que não discrepam do que, nessa ótica em particular, seria tipicamente platônico.

Na realidade, o que há sobretudo na base dessas duas prosas, que tomo aqui como critério decisivo, é a valorização (assumida como subjetiva, parcial) de uma riqueza tanto dramático-literária quanto argumentativo-reflexiva, faces inseparáveis de uma mesma moeda "Platão".

No plano da prosa-conversa, ao termos um Platão sempre ausente do debate que vem apresentado — ao termos um

Platão removido das discussões e teorizações em curso —, o que temos afinal, como muitos estudiosos já apontaram, é uma significativa abertura no direcionamento filosófico do que se diz, mesmo que se tome Sócrates como seu porta-voz. Isso acontece porque, ainda que incorporássemos esse posicionamento largamente difundido de um Sócrates que dá voz ao que Platão pensa (ou seja, de que o Platão pensador, uma vez ausente, precisa ao menos se manter colado a um dos falantes), ainda assim a ideia de abertura e não-comprometimento teria bons motivos para ser sustentada, já que esse falante principal Sócrates, que traz, indiscutivelmente, importantes conteúdos da filosofia platônica, no plano da prosa-registro literário é construído com foco numa qualidade dominante — a ironia —, que lhe dá movimento e graça, uma duplicidade básica e uma instabilidade instigante.

Sim, é fato que Diógenes Laércio (*Vida de Platão*, III.52) lá atrás já dava como certo aquilo que os platonistas têm querido quase sempre defender: que Platão fala principalmente através de Sócrates nos *Diálogos* nos casos em que Sócrates é um debatedor de peso (o que ocorre na grande maioria das obras); e que fala através de outros personagens menores nas obras em que Sócrates não aparece ou é discreto, basicamente, através do ateniense nas *Leis*, de Timeu no *Timeu* e do estrangeiro de Eleia no *Sofista* e no *Político*. Mas ignorar as ironias recorrentes de Sócrates, mais as perspectivas e dinâmicas internas que situam, a ele e aos outros personagens, no interior dos *Diálogos*, apenas com o intuito de sustentar o dogmatismo renitente e rasurar, em última instância, a própria forma dialógico-literária, parece tão pouco producente e tão empobrecedor quanto, na linha de Vlastos, achar que Platão praticamente *não fala* através de Sócrates nos diálogos "socráticos", porque quer que Sócrates, aí, mostre-se a si mesmo.

Como todo escritor e, principalmente, como todo bom dramaturgo, Platão fala menos através de um personagem em particular (o principal, para o qual nossa atenção tende a se voltar naturalmente) e mais através do embate desse personagem com os demais à sua volta: é o embate que carrega alguma possível mensagem final. Não custa sublinhar que o dramaturgo competente desaparece em sua obra, tal qual Platão faz em seus *Diálogos*. A visão de Sófocles não é a de Édipo no *Édipo Rei*, nem a de Eurípides é a de Medeia na *Medeia*, nem a de Ésquilo é a de Clitemnestra no *Agamêmnon*. São apenas pontos de vista fortes; quando se expressam, não se reduzem a uma reflexão que bem poderia ter saído da boca do criador dessas criaturas no palco. E, no entanto, somos convidados a dizer que existe, por meio do conjunto das peças, uma visão de mundo em Sófocles, em Eurípides, em Ésquilo, e que cada uma das visões de mundo que divisamos neles deve ser complexa, para que elas fiquem minimamente à altura das peças. O mesmo acontece, *mutatis mutandis*, com Platão: por causa do recurso sofisticado à forma tradicional do diálogo socrático, sua autoria implica seu próprio apagamento e despersonalização em favor de personagens variados e de um personagem central, Sócrates. Esse personagem central dirige nossa atenção, capta-a de modo a que nos posicionemos ao seu lado, aprendamos com ele, queiramos agir como ele e ver as coisas como ele mesmo as enxerga. Mas, por ser um personagem irônico, escorregadio, ele nos devolve à dinâmica do teatro, segundo a qual o produto do cruzamento entre os pontos de vista é mais relevante do que, e vem se somar a, um ponto de vista em particular. Isso não invalida uma visão de mundo — ou, melhor dizendo (porque aqui a conversa é filosófica), não invalida a percepção de uma doutrina. Ela está lá nos *Diálogos*, mas *dramaticamente*, sem o autor inscrito e sem a autoridade esperada. Em função disso, é plausível que tal doutrina tenha ligação direta com essa própria *falta de autoridade*, positivamente falando, que associamos ao nome do autor-dramaturgo "Platão" e ao personagem Sócrates tal como esse nome o construiu. Platão, assim, é com seu Sócrates — para resumir usando uma distinção simples em inglês — um *tentative thinker*, não um *authoritative thinker*.

É nesse sentido então que esse tipo de autoria dramático-ficcional desconstrói a autoridade filosófica: seu efeito não é o de, ceticamente, invalidar um conhecimento de fato (porque sua substância está lá e se encontra descrita em qualquer manual de filosofia), mas o de apresentar esse conhecimento de um modo duplamente refratado — não só por causa de um autor que não se posiciona internamente, mas ainda por causa do posicionamento interno de um personagem que mira a si mesmo e que, mesmo ocupando o lugar dessa "presença" que o autor deixou vago, também se desautoriza em certa medida. Nessa leitura, portanto, o Platão-autor e o Sócrates-personagem são figuras solidárias, com a primeira se anulando e a segunda se impondo: ao invés de, com o personagem, termos acesso enfim a uma simples visão de mundo ou lição platônica, o que temos é sua ironização, como é possível afirmar — para dar um rápido exemplo — que é alvo da ironização a famosa expulsão da poesia da cidade ideal imaginada na *República*: a doutrina geral por detrás da proposta continua de pé, mas no conjunto a proposta em si não deixa de ser uma fantasia exagerada, e isso faz toda a diferença, literária e filosoficamente. Essa ironização — que na acepção empregada aqui ultrapassa a *eironeía* grega e seus cognatos nos *Diálogos* (onde apontam para o sentido específico de "ignorância fingida") — é alcançada por meio de ferramentas bem conhecidas aplicadas à caracterização de Sócrates, como o humor, a autodepreciação, o autoquestionamento, a dúvida permanente, o reposicionamento em relação ao que ficou dito em outra parte por ele mesmo, o interesse pela colaboração, a atribuição de saberes a outros; nessas ferramentas podemos até incluir seu próprio "desaparecimento" nos diálogos em que ganha papel secundário. São todas essas ferramentas que acabam, de uma forma ou de outra, associadas em sentido amplo à percepção de uma ironia socrática, que vai da dissimulação ao sarcasmo, do lado esquerdo ao direito, do polo positivo ao negativo, da verdade à mentira, muitas vezes com esses dois planos se confundindo e sendo inseparáveis, o que dá aquela complexidade ao personagem, um personagem paradoxal, que só sabe que não sabe, que afirma ao mesmo tempo uma coisa e o contrário dela.

Mesmo que Sócrates possa surgir como alguém efetivamente fingido quando, por exemplo, se autodeprecia em sua capacidade de conhecimento e/ou elogia um interlocutor, mesmo que esteja com um sorriso nos lábios quando atribui determinada fala a outra pessoa (como no caso das duas únicas mulheres que falam nos *Diálogos*, Diotima no *Banquete* e Aspásia no *Menexeno*), ainda assim a ironia não aponta, a meu ver, simplesmente para a certeza e a autoconfiança de Sócrates, para um senso seu de superioridade. Ao contrário: a ironia, enquanto provocação dirigida no final das contas a quem lê, acentua a percepção movediça e a relativização da grande figura, do grande sábio — grande justamente por incorporar a consciência dessa instabilidade. E isso vale não apenas para o personagem central: as ideias, as teorias, as perguntas, as possíveis respostas, as dúvidas, as analogias e as construções imaginativas — todo esse material, em Platão, vem sempre tingido por um colorido literário que depõe contra qualquer conclusão certeira. É em meio a isso que se estabelece esse ponto referencial, o sedutor Sócrates, de cuja grandeza e sedução faz parte apontar que há muitos outros lados, que se reúnem e se dissolvem, continuamente, lados sugestivos e/ou questionáveis, aos quais ele mesmo pode se associar. É o que precisamente não cabe num Sócrates como o de Xenofonte, que redige, com seus diálogos socrático-apologéticos em primeira pessoa, as crônicas de um sofista benfeitor.

É esse Sócrates construído de um modo complexo, como podiam ser construídos a cada vez os personagens míticos em suas mais variadas aparições, que aparece, a meu ver, coerentemente nos *Diálogos* como índice de sua autenticidade, colaborando para o efeito de abertura deles e, por tabela, para a própria visão filosófica que veiculam e para a nossa percepção de um conjunto. Trata-se, é claro, de uma ficção platônica com raízes históricas, como eram históricos os heróis para poetas e prosadores: uma vez respeitado o núcleo duro do personagem tradicional, as reinterpretações poderiam ocorrer à vontade — esse era o acordo tácito entre os autores que os produziam e o público que os consumia. Contra os que duvidam de uma integridade de Sócrates no conjunto dos *Diálogos*, da mesma forma que não veem, por exemplo, um Creonte exatamente igual nas três peças em que Sófocles o põe em ação (*Édipo Rei*, *Édipo em Colono* e *Antígona*), seria possível argumentar que, ao menos no caso socrático-platônico, a presença mesma das muitas facetas é elemento essencial para a sua caracterização, conforme ficou exposto acima. São facetas inclusive etárias, do jovem Sócrates do *Parmênides*, passando pelo homem maduro do *Banquete*, até chegar ao velho do *Fédon*. Além disso, além de essa multiplicidade lhe conferir coerência por se associar a uma reflexão que é dinâmica e móvel, há pelo menos dois outros motivos, a meu ver, para se defender a unidade do Sócrates platônico: o fato de, ao contrário do que ocorre numa tragédia, sua caracterização se manifestar mais pelo pensamento do que pela ação (como se sabe, não há atividade concreta propriamente dita nos *Diálogos*), o que lhe dá outro contorno de elaboração na comparação com um Creonte; e o fato de, ligado a isso, Sócrates ser, enquanto agente, apreendido sempre no horizonte de uma ação sua principal — a escolha por marchar em direção à morte, quando do seu julgamento em Atenas. Ou seja, por mais variadas que sejam as manifestações socráticas (em compasso com as variações estilísticas e de enfoque de Platão), elas remetem sempre ao modo como escolheu viver — sem as aspirações dos cidadãos comuns —, modo este que, por sua vez, está implicado, e vem explicitado, no modo como escolheu morrer.

Em outras palavras, o Sócrates múltiplo dos *Diálogos* é sempre reunido, unificado, por essa sua dimensão política, da sua ação na pólis ateniense, na vida e na morte. É ela que inclusive, em última instância, resolve em certo sentido a sua complexidade dúbia, de figura que pode mesmo agir dissimuladamente, porque o seu pensamento se esclarece, sem sombra de dúvida, pelos seus atos principais dentro da comunidade. Portanto, de um modo ainda aristotélico, tal como prescrito na *Poética*, a ação socrática principal permanece, à sua maneira, como eixo central e conversa diretamente com seu caráter. Seja nas obras que tratam diretamente do seu processo e execução, seja naquelas em que isso vem aludido por ironias históricas, com Sócrates ainda bem vivo, seja ainda nas que esse elemento está totalmente ausente (mas que podem, de todo modo, falar a partir de um momento posterior à sua morte) — não importa, Sócrates é sempre o Sócrates iluminado pela sua coerência e coragem. É nesse sentido, a meu ver, que Sócrates é sempre um herói filosófico positivo: não porque seja sempre, como muitos querem, um antissofista impecável, contrário ao engano e exemplar na argumentação, mas porque sua vida política, ao contrário das dos sofistas e dos demais, é exemplar, e é em face dela que seu pensamento pode ser medido de forma decisiva.

Voltando, então, à questão da autenticidade, à luz desses elementos todos seria possível dizer que é platônico o diálogo que, ao reproduzir o método conversacional de Sócrates, opera com base na sua propalada ignorância e incessante busca por conhecimento, investindo literariamente, entre outros pontos, sobretudo num personagem que é feio e belo, jovem e velho, mundano e sublime, alheio e envolvido, austero e brincalhão, racional e inspirado, dialogante e palestrante, provocador e humilde, aprendiz e professor. Como mostrou Ruby Blondell no livro que melhor trata da caracterização em Platão, essa é a *atopía* (o "estranhamento" ou "deslocamento") tão fascinante que encontramos na sua prosa, esse é o amálgama que nos entrega um personagem em constante movimento, resistente a se encaixar no padrão de sábio. Cada diálogo tido por platônico então pode ser visto como uma peça adicional nesse caleidoscópio literário-filosófico, na medida em que imita — e nos faz imitar — essa riqueza, na medida em que nos faz empatizar com Sócrates e a criticá-lo também (como ele faz com outros), que nos faz vê-lo como alguém que alarga os limites do saber e é ele mesmo vítima das suas limitações, e cuja autoridade de sábio repousa na possibilidade mesma de ser contestada e posta de escanteio. É aquela *abertura* de que venho falando, contrária à simplificação do personagem e do conjunto platônico.

É em função desses elementos que, mais acima, excluí as *Cartas* e incluí o *Alcibíades Primeiro* no meu *corpus* provisório. É em função deles que incluo como platônicos os quatro diálogos traduzidos neste livro, cujas qualidades estão apontadas em detalhes na "Introdução". Apesar de breves e aparentemente despretensiosas, são obras que merecem integrar o *corpus* justamente porque trabalham com a expansão que quero associar aqui a Platão e ao Sócrates de Platão. Na engrenagem filosófico-literária que quero divisar, a adição de peças interessantes como essas, cada uma com sua graça, colabora para a multiplicidade tanto da caraterização quanto da reflexão: se não são diálogos especialmente inovadores, nem obras-primas, como uma dezena do *corpus* reconhecidamente é, ainda assim trazem tonalidades próprias, que não devem ser dispensadas, sobre educação, conhecimento e atuação política. A alegação geral de que são desengonçados, ou incongruentes perante a doutrina platônica, base da condenação desde Schleiermacher (com questões do tipo: por que o *Clitofonte* abre espaço para um ataque a Sócrates num formato que é excepcional? por que o *Teages* o mostra como professor de um jeito único e expande a atuação do seu "sinal numinoso"? por que nos *Dois Homens Apaixonados* uma questão tão central como é a definição de filosofia não vem desenvolvida a contento?), essa alegação tem seu sinal trocado aqui: é isso que torna esses diálogos instigantes, afins ao que seria uma forma de escrever e pensar tipicamente "platônica". Essa forma não é monolítica nem presa a uma lógica férrea.

Por esses mesmos critérios, quais outras obras poderiam ainda ser excluídas/incluídas? Os *Epigramas* e as *Definições*, é claro, devem ser excluídos: por não serem prosa naquele duplo sentido, não se encaixariam na classificação, mas poderiam integrar um outro tipo de lista platônica que buscasse outra forma de pluralidade que não a proposta aqui. E quanto aos outros diálogos considerados apócrifos, *Hiparco*, *Minos* e *Epinômis*, que integram as tetralogias? Em relação a *Hiparco* e *Minos*, ambos são breves e dialogados na forma direta, trazem o personagem Sócrates como condutor da discussão e abordam temas filosóficos. Há ainda afinidades formais entre eles: os dois se abrem com Sócrates formulando logo de saída a pergunta "o que é?"; o interlocutor é sempre uma figura anônima, aparentemente um discípulo seu; o método de pergunta-e-resposta é interrompido nos dois casos por uma digressão socrática sobre os líderes políticos que dão título às obras (Hiparco, em Atenas, e Minos, em Creta); e a conclusão, tal como o começo, é igualmente seca. Positivamente, é possível destacar a presença da ironia no *Hiparco* e das referências literárias no *Minos*. Os temas — a ganância e a lei — são típicos, razão pela qual a condenação de Schleiermacher já não se dava tanto em termos puramente filosóficos, mas mais construtivos, literários. O problema, para ele, não era tanto a abertura de supetão, que está de certa maneira também no *Mênon* (se bem que conduzida com qualidade muito superior), e sim o conjunto, nos dois casos, de abertura-desfecho inábil, pobre. Mais do que isso, porém, Schleiermacher via nesses diálogos uma deficiência grave de individualização do interlocutor, algo que para ele era um teste decisivo na determinação do que era platônico. De novo: o problema não é o anonimato em si, que pode ser produtivo em diálogos como o *Sofista* e o *Político* (e, a meu ver, também nos *Dois Homens Apaixonados*), uma vez que a figura sem nome pode ser bem delineada. A deficiência reside na falta de qualidade no manejo desse elemento dramatúrgico — ou seja, temos aí aquela ênfase tão schleiermacheriana na forma, e é essa ênfase que quero recuperar aqui, enquanto contribuição importante sua, a despeito de ter sido a menos valorizada.

Já em relação ao *Epinômis*, vale a pena abordá-lo em conjunto com as *Leis*, obra para a qual serve de adendo ou apêndice: trata-se, na verdade, da retomada da conversa anterior, com os mesmos três personagens. Já à época de Schleiermacher havia objeções de outros estudiosos a esses dois títulos (a começar pelo próprio Schlegel), pela aridez e por conta da ausência de Sócrates como personagem, algo de fato relevante, porque acontece só aí em todo o conjunto que chegou até nós. Modernamente, o finlandês Holger Thesleff chegou a criar o conceito de "semiautenticidade" para se referir ao *Epinômis*, às *Leis* e a algumas outras obras enquanto produtos "acumulados", com a participação de colaboradores supervisionados por Platão. Seja como for, dentro dos meus critérios, a ausência chocante de Sócrates, mais a aridez geral, tanto no texto-apêndice quanto nos doze livros das *Leis* (que fazem dessa uma obra mais extensa que a própria *República*), bastariam para indicar, em termos literários, a exclusão de ambos de um provisório *corpus* platônico. São pontos, contudo, que mereceriam um exame bem mais cuidadoso do que este que apresento aqui.

A princípio é possível pensar em uma condenação em termos semelhantes também para aqueles sete diálogos que chegaram até nós à margem das tetralogias, diálogos não levados em conta por Schleiermacher e cujos títulos muitos platonistas mal sabem de cor. Dois deles, *Sobre a Justiça* e *Sobre a Virtude*, têm aquelas características encontradas em *Minos* e *Hiparco*: dialogação direta, títulos "defectivos" pela ausência de um interlocutor nomeado, começo e fim desajeitados, com a questão colocada logo de cara por Sócrates, e — principalmente — ausência de caracterização, inclusive de Sócrates, prejudicada decerto pela brevidade ainda maior desses textos em comparação à dupla *Minos-Hiparco*. Já nos outros cinco temos sim interlocutor: Demódoco (o pai de Teages, personagem presente na obra aqui traduzida), Sísifo (não confundir com a figura do mito), Axíoco e Eríxias (nos diálogos de mesmo nome), além de Querefonte na *Alcíone*. *Demódoco* é uma peça desconjuntada, abrindo-se diretamente com um discurso de Sócrates dirigido ao amigo, onde aborda o tema da deliberação; não há diálogo. A isso se seguem três brevíssimas conversas ouvidas e relatadas por Sócrates (a Demódoco?), nas quais ele mesmo, Sócrates, não tomou parte, sobre a presença da justiça nos julgamentos e sobre o ato de persuadir e ser persuadido. Em *Sísifo* voltamos ao tópico da deliberação, mas aqui temos sim um diálogo em forma direta, elaborado mais platonicamente, ainda que com brevidade. Há qualidade literário-filosófica aí, sendo seus principais problemas a falta de desenvolvimento e o final aparentemente improvisado.

Do conjunto de todos os *Diálogos* que chegaram até nós, a *Alcíone* é o mais breve, o que, em seu caso, não chega a ser um problema. Trata-se de uma peça literariamente bem-acabada, também em forma direta, um pequeno entrecho poético no qual Sócrates parte do mito da mulher transformada pelos deuses em ave (a alcíone) para abordar, junto a seu discípulo Querefonte, a limitação do conhecimento humano e o alcance do poder divino. Como já afirmei mais acima, dos textos transmitidos é o único diálogo que não figura na edição de Stephanus, razão pela qual não traz aquela paginação lateral padrão. Em sua *Vida de Platão*, Diógenes Laércio diz que seria supostamente de um tal de Leon (III.62). A transmissão atesta, porém, a atribuição a Luciano de Samósata (II d.C.), em cujas obras completas costuma aparecer, embora muitos estudiosos queiram contestá-la também. Além da beleza da reflexão proposta, a *Alcíone* tem interesse por causa da valorização das histórias míticas por parte de Sócrates, e também pela referência a duas esposas suas, não apenas Xantipa, mas também Mirto, algo que não vemos em nenhuma outra parte dos *Diálogos*. Levando em conta seu valor geral, inclusive para uma eventual discussão específica sobre a questão da autoria "dividida" (o caso não é isolado nos Estudos Clássicos), apresento sua tradução no "Apêndice".

Finalmente, *Eríxias* e *Axíoco* são diálogos na forma indireta, ou seja, conversas reportadas — em ambos os casos por Sócrates, tal como acontece na *República*. O primeiro, *Eríxias*, fala da riqueza e é o mais longo dos diálogos não pertencentes ao conjunto das tetralogias de Trasilo (seu tamanho corresponde mais ou menos ao do *Alcibíades Segundo*). O segundo, *Axíoco*, fala da morte e da alma e, se bem que consideravelmente menor, tem bom desenvolvimento. No *Eríxias*, a construção é condizente com o que vemos em geral nos *Diálogos*, e a caracterização dos interlocutores de Sócrates — Eríxias, Erasístrato e Crítias — é competente e saborosa. A peremptória conclusão socrática a respeito do tema, porém, vinda de chofre, esvazia o alcance filosófico. No *Axíoco*, também bem construído, e onde Sócrates consola o moribundo que dá título à obra, a platitude da doutrina da imortalidade da alma chama a atenção, e não surpreende que esse Sócrates "pregador" no final convença Axíoco a aceitar com tranquilidade seu fim. Por esses motivos principais, esses dois diálogos, a meu ver, também não devem ser incluídos num *corpus* platônico tal qual se desenha aqui.

Meu *corpus* então — excluídos *Cartas*, *Hiparco*, *Minos*, *Leis* e *Epinômis* (arrolados nas tetralogias), mais *Definições*, *Epigramas*, *Sobre a Justiça*, *Sobre a Virtude*, *Demódoco*, *Sí-*

sifo, *Eríxias*, *Axíoco* e *Alcíone* (transmitidos por fora) —, traz os trinta e um títulos abaixo, em ordem alfabética no português:

Alcibíades Primeiro
Alcibíades Segundo
Apologia de Sócrates
Banquete
Cármides
Clitofonte
Crátilo
Crítias
Críton
Dois Homens Apaixonados
Eutidemo
Eutífron
Fédon
Fedro
Filebo
Górgias
Hípias Maior
Hípias Menor
Íon
Laques
Lísis
Menexeno
Mênon
Parmênides
Político
Protágoras
República
Sofista
Teages
Teeteto
Timeu

Feita a discussão sobre a autenticidade, uma autenticidade que é ensaística, provisória e deliberadamente parcial e subjetiva, fica faltando falar, para concluir, sobre a reorganização do *corpus*, em termos que desafiem a visão cronológica. Minha proposta, como já ficou claro, não é me apoiar nas questões literárias e construtivas para simplesmente repensar a cronologia, como fez de forma original o já citado Holger Thesleff: para ele, resumidamente, seria possível defender que a forma direta de alguns diálogos, aquela puramente teatral ou "mimética", é mais recente que a indireta de outros, ou seja, aquela mediada pela narração (que ele chama de "reportada"), o que alteraria o ordenamento-padrão. Apesar de instigante e plausível, essa teoria, refinada por Thesleff ao longo do tempo, preserva ainda a visão evolutiva, que quero abandonar justamente pelo fato de dominar e viciar as abordagens de Platão. É sempre bom deixar clara minha justificativa básica para esse abandono: enquanto hipótese investigativa, a visão evolutiva tem sido tão produtiva quanto atestam seus estimulantes resultados, década após década; enquanto dogma, contudo, é uma camisa de força que limita os movimentos inerentes à prosa platônica, porque, em última instância, é sempre analítica e compartimental, desperdiçando as potencialidades de um olhar integrativo, que opere com o princípio de que os *Diálogos* são vasos comunicantes sincrônicos.

Em substituição ao esquema evolutivo, prefiro trabalhar com a sugestão de Jakub Jirsa, que fala no seu artigo em mosaico platônico, mas sem desenvolver essa ideia. Acho que essa imagem pode ser expandida, com algumas especificações, para acomodar um rearranjo aberto — e, no fim das contas, "desarranjado" — dos *Diálogos*, sem cronologia e progresso, sem ordem didática ou doutrina ascendente, sem processo histórico, um esquema que sobretudo sirva não para desestabilizar ou impedir a interpretação de Platão (como pode parecer), mas antes para reanimá-la, na medida em que abre campo para novas abordagens. No meu mosaico opero com uma disposição dinâmica e com posicionamentos livres — e é por isso que não vou apresentar aqui, graficamente, qual seria a reordenação dos textos que estou considerando platônicos. Cada platonista e interessado pode situá-los como preferir, porque eles não são fixos. Como outros, estou convencido de que os *Diálogos* — para além de se encaixarem em etapas sucessivas — podem se prestar também a essa mobilidade caleidoscópica, sem que precisem pender, quer para o dogmatismo, quer para o ceticismo. Cada um deles corresponde a uma pedra do mosaico, cada um existe por si mesmo, com a sua cor própria, o seu peso e o seu contorno (às vezes mais próximos entre si, às vezes mais contrastantes), mas ao mesmo tempo todos têm uma mesma superfície comum reconhecível, que lhes dá aquele pertencimento ao conjunto e a possibilidade de serem lidos em função uns dos outros. As pedras desse mosaico, apesar do parentesco evidente entre algumas, não têm lugar fixo e, portanto, as relações entre elas podem ser continuamente revistas, segundo o modo como as situamos. É fato que temos sequências evidentes com *Teeteto-Sofista-Político* e *Timeu-Crítias* (mas outras enganadoras, como *Clitofonte-República-Timeu* e *Hípias Maior-Hípias Menor*), sequências que podem e devem ser exploradas de forma significativa, por conta dessa singularidade conectiva que apresentam no interior do *corpus*. Ao mesmo tempo, acredito que, ao explicitarem em pequena escala esse *modus operandi* do "debate contínuo", elas reforçam, em sentido contrário, a conversa mais ampla, multidirecional, estabelecida por toda e qualquer obra do conjunto: tenham ou não tenham entre si uma sequência clara (seja da conversa, da ação ou do pensamento), elas logram se conectar e se comunicar pelos mais variados temas e interesses — o tipo de movimento que tende a ser podado (com algumas exceções) pela leitura evolutiva, que por princípio divide e separa. Por outro lado, todas essas obras remetem, no meu esquema, a um mesmo núcleo, a uma mesma pedra central do mosaico, orbitando em torno dela e dela podendo se aproximar ou distanciar — segundo o modo como jogamos com essas pedras.

Que pedra central do mosaico é essa? Na minha perspectiva, tem de ser a *Apologia de Sócrates*, por causa da sua ênfase na caracterização do personagem central do *corpus* platônico. Como se sabe, a *Apologia*, rigorosamente falando, não é um diálogo, mas um longo discurso de defesa de Sócrates no tribunal de Atenas. Ele se divide em três partes desiguais e só em alguns breves momentos mostra Sócrates de fato conversando com seu acusador principal. Portanto, embora se aproxime de diálogos dominados por um discurso principal (como *Menexeno*, *Timeu*, o inacabado *Crítias* e o próprio *Clitofonte* apresentado em tradução neste livro), é sim uma peça anômala no conjunto maior, principalmente segundo a classificação que estou adotando aqui, de que, para ser platônica, uma obra tem de comportar a "prosa" na sua dupla acepção — enquanto registro literário sem metro (o que a *Apologia* faz bem) e enquanto conversa (o que ela não faz). Mas sua inclusão se justifica, a meu ver, justamente por causa dessa anomalia extraordinária: com seu foco na primeira pessoa, há todo o espaço para o personagem Sócrates se apresentar diante de nós — porque é isso que ele faz, ao se apresentar diante dos jurados e do público presente ao tribunal ateniense. No esquema com o qual estou trabalhando aqui, essa primeira pessoa do personagem é mais importante do que a primeira pessoa de Platão nas *Cartas*, porque ilumina literariamente todo o *corpus*, na medida em que esse personagem que decide morrer ao ser confrontado com a morte é transportado, seja retrospectivamente, seja prospectivamente, para todo o conjunto, e junto com ele seu *caráter político* único e inspirador.

A esse respeito, acredito que já tenha ficado claro que, na minha visão, o Sócrates da *Apologia* é tão histórico-ficcional quanto o Sócrates encontrável em qualquer outro diálogo platônico: é sempre o Sócrates "de Platão", fabricado a partir dos seus elementos constitutivos básicos, já selecionados pela tradição. Isso vale, aliás, para os demais personagens históricos, na *Apologia* e fora dela (por exemplo, o Górgias no *Górgias*), que em linhas gerais tinham a mesma serventia daqueles que supomos inventados (se é que de fato o são, por exemplo, o Íon no *Íon* e o Eutífron no *Eutífron*): tanto o personagem reconhecidamente histórico era recriado à luz dos interesses criativos do diálogo em pauta, que o transformavam, quanto o supostamente ficcional era forjado em função dos paralelos com as figuras reais, o que o tornava reconhecível. Acredito também que tenha ficado claro que, pelo olhar que estou propondo, não é preciso absolutamente que se continue a ver a *Apologia* como obra "primeira" ou "da juventude": sua relação com o restante das obras não é temporal, mas literário-filosófica. A meu ver, é como se a *Apologia* quisesse responder à questão "quem é Sócrates?" ou, melhor dizendo, "quem é especificamente esse Sócrates do conjunto platônico?", da mesma maneira que a *Apologia* de Xenofonte nos explica quem é o Sócrates dos escritos socráticos de Xenofonte, e outras apologias de Sócrates que sabemos que circulavam na Antiguidade davam conta de tantos outros Sócrates quantos eram seus criadores. Em cada *Apologia*, o mesmo Sócrates básico era já um Sócrates diferente, ficcionalizado segundo determinados interesses. Na *Apologia de Sócrates*, que aqui ocupa o centro do meu mosaico platônico, Sócrates é aquela figura consistentemente dúbia e irônica, a mesma que quero sempre atribuir, enquanto vertente central, a um autor "Platão".

É interessante notar como, em certo sentido, essa "poetização" platônica de Sócrates, no sentido original do termo, de "fabricação literária", é tratada dentro da própria *Apologia*. Quando Sócrates, no seu discurso de defesa, critica o Sócrates-personagem deturpado da comédia *As Nuvens* de

Aristófanes, podemos dizer que o que ele faz na verdade é apontar para a mentira daquela ficção, com seus interesses satíricos próprios e os graves prejuízos daí decorrentes para o satirizado. Trata-se, claro, de uma estratégia retórica bastante comum, essa de opor o real ao falso — a abertura da *Apologia*, como se sabe, fala ironicamente dessa manobra no plano especificamente jurídico, quando o réu opõe sua verdade às mentiras dos acusadores. Segundo o que estou propondo aqui, seria através de uma estratégia análoga que a *Apologia* afirmaria a verdade desse Sócrates platônico em oposição a outros Sócrates não-platônicos, como o de Aristófanes. No momento, porém, em que faz isso, a *Apologia* afirma inevitavelmente também seu Sócrates como um Sócrates ficcional e "poético", a serviço dos interesses da filosofia platônica. Dessa maneira, a crítica dirigida a Aristófanes pode ser lida, a contrapelo, como um reconhecimento da ficção transformadora, a mesma ficção que faz de Aristófanes, ele mesmo, também um personagem no *Banquete*, com tudo que isso implica de mentira e deformação satírica.

O *Banquete*, aliás, merece ser lembrado neste ponto, ao lado de um diálogo platônico menos conhecido e lido, o *Hípias Maior*. Em ambos, a meu ver, a desconcertante duplicidade de Sócrates tão bem apresentada na *Apologia*, e que divide os jurados — ele é sério ou gozador? fingido ou sincero? filósofo ou sofista? sabe ou não sabe se defender no tribunal? é soberbo ou reverente aos deuses? —, essa mesma duplicidade aparece, nesses diálogos, de outras formas, bem assinalada e desenvolvida, reforçando a necessidade de darmos atenção à caracterização geral do personagem nos *Diálogos*. No final do *Banquete*, como se sabe, Alcibíades compara Sócrates àquelas estátuas dos silenos que escondiam dentro de si um tesouro insuspeitado, fixando assim uma contradição entre o plano de fora e o de dentro. Já no *Hípias* é o próprio Sócrates que joga com a figura de um suposto parente seu que não para de fustigá-lo com questionamentos, personagem este que, já avançados na conversa, descobrimos ser o próprio filho de Sofronisco: a contradição aqui é entre o mesmo e o outro. Nos dois casos, temos estratégias muito diferentes utilizadas com o mesmo fim, de reforçar essa figura central da filosofia e da literatura platônica, uma figura essencialmente deslocada e irônica, com tudo que essa palavra implica. O próprio personagem dos *Diálogos* conhecido como "Sócrates, o Jovem", aliás, um homônimo do mais velho que está presente, ao lado dele, no *Teeteto* e no *Sofista*, e que é interlocutor principal do estrangeiro de Eleia no *Político*, mereceria uma investigação nessa linha da exploração da duplicidade socrática na obra platônica: se foi mesmo uma figura histórica, cabe perguntar por que explorar literariamente a confusão que acontece aí por conta da homonímia.

É, portanto, uma figura íntegra e cheia de picardia, complexa e provocativa em suas mais variadas dimensões (que um ensaio como este pode apenas esboçar), que não só reaparece com vigor na *Apologia* enquanto *personagem*, com toda a assertividade da sua primeira pessoa dominante, mas que também se impõe enquanto *caráter*, porque suas palavras vêm iluminadas pelas suas ações — tanto as da sua longa vida em Atenas, quanto aquele ato final que pôs fim a essa vida, convalidando-a. É esse Sócrates que nos fala a partir dos *Diálogos*, não um Sócrates limitado historicamente, mas um Sócrates potencializado literariamente. Faz sentido, por isso, que a *Apologia* fique no centro do mosaico e que em torno dessa pedra fundamental as demais orbitem em produtiva desordem, sem círculos concêntricos uniformes, estáveis ou progressivos.

Referências bibliográficas

Parte I

Sobre o que diz Benedito Nunes:

Nunes, B. "Poesia e filosofia: uma transa" e "Pluralismo e teoria social", in *Ensaios filosóficos*. São Paulo: Martins Fontes, 2011, pp. 1-19 e 276-303, respectivamente.

Sobre Schleiermacher:

Jaeger, W. "A imagem de Platão na história", in *Paideia: a formação do homem grego*. Tradução de A. Parreira. São Paulo: Martins Fontes, 1995, pp. 581-91.

Lamm, J. "Schleiermacher as a Plato Scholar", *The Journal of Religion*, 80/2, 2000, pp. 206-39.

Schleiermacher, F. *Hermenêutica: arte e técnica da interpretação*. Tradução de C. Reni Braida. Petrópolis: Vozes, 2009.

_________. *Introductions to the Dialogues of Plato*. Translated from the German by William Dobson. Cambridge: Pitt Press, 1836.

Sobre a ordenação dos diálogos e/ou a determinação de autoria:

Chroust, A.-H. "The Organization of the *Corpus Platonicum* in Antiquity" (1965), in N. Smith (org.). *Plato: Critical Assessments*, vol. 1. Londres/Nova York: Routledge, 1998, pp. 3-16.

Howland, J. "Re-Reading Plato: The Problem of Platonic Chronology", *Phoenix*, 45/3, 1991, pp. 189-214.

Mackay, D. S. "On the Order of Plato's Writings", *The Journal of Philosophy*, 25/1, 1928, pp. 5-18.

Philip, J. A. "The Platonic *Corpus*" (1970), in N. Smith (org.). *Plato: Critical Assessments*, vol. 1. Londres/Nova York: Routledge, 1998, pp. 17-28.

Poster, C. "The Idea(s) of Order of Platonic *Dialogues* and their Hermeneutic Consequences", *Phoenix*, 52/3-4, 1998, pp. 282-98.

Vlastos, G. *Socrates, Ironist and Moral Philosopher*. Ithaca: Cornell University Press, 1991.

Sobre a estilometria:

Nails, D. "The Early Middle Late Consensus: How Deep? How Broad?" (1995), in N. Smith (org.). *Plato: Critical Assessments*, vol. 1. Londres/Nova York: Routledge, 1998, pp. 164-79.

Young, C. "Plato and Computer Dating" (1994), in N. Smith (org.). *Plato: Critical Assessments*, vol. 1. Londres/Nova York: Routledge, 1998, pp. 29-49.

Parte II

Sobre o anonimato:

Annas, J. "Drama, ficção e o elusivo autor", in J. Annas, *Platão*. Tradução de M. de Paula Hack. Porto Alegre: L&PM, 2012.

Edelstein, L. "Platonic Anonymity" (1962), in N. Smith (org.). *Plato: Critical Assessments*, vol. 1. Londres/Nova York: Routledge, 1998, pp. 183-200.

Plass, P. "Philosophic Anonymity and Irony in the Platonic *Dialogues*" (1964), in N. Smith (org.). *Plato: Critical Assessments*, vol. 1. Londres/Nova York: Routledge, 1998, pp. 201-20.

Sobre o uso do formato dialogado e o emprego da caracterização e de outras ferramentas literárias:

Blondell, R. "Drama and Dialogue" e "The Imitation of Character", in *The Play of Character in Plato's Dialogues*. Cambridge: Cambridge University Press, 2002, pp. 1-52 e 53-112, respectivamente.

Finkelberg, M. *The Gatekeeper: Narrative Voice in Plato's Dialogues*. Leiden: Brill, 2018.

Frede, M. "Plato's Arguments and the Dialogue Form", in N. Smith (org.). *Plato: Critical Assessments*, vol. 1. Londres/Nova York: Routledge, 1998, pp. 253-69.

Griswold Jr., C. "Plato's Metaphilosophy: Why Plato Wrote Dialogues" (1988), in N. Smith (org.). *Plato: Critical Assessments*, vol. 1. Londres/Nova York: Routledge, 1998, pp. 221-52.

Lombardini, J. *The Politics of Socratic Humor*. Oakland: The University of California Press, 2018.

Press, G. "Irony and Other Forms of Humour", in G. Press, *Plato: A Guide for the Perplexed*. Nova York: Continuum, 2007.

Rutherford, R. *The Art of Plato: Ten Essays in Platonic Interpretation*. Cambridge, MA: Harvard University Press, 1998.

Sobre a revisão da cronologia e questões de autenticidade:

Cooper, J. (org.). *Plato: Complete Works*. Indianapolis: Hackett, 1997.

Jirsa, J. "Authenticity of the *Alcibiades* I: Some Reflections", *Listy Filologické*, 132/3-4, 2009, pp. 225-44.

Thesleff, H. "Platonic Chronology" (1989), in N. Smith (org.). *Plato: Critical Assessments*, vol. 1. Londres/Nova York: Routledge, 1998, pp. 50-73.

Trapp, M. "Against the Authenticity of the *Seventh Letter*", *Histos*, 10, 2016, pp. 76-87.

Apêndice

Alcíone (Sobre a metamorfose)[1]

QUEREFONTE[2]

Que som é esse, Sócrates, que nos alcançou vindo lá de longe, da orla e daquele penhasco?[3] Como é doce aos ouvidos! Qual animal será que se manifesta assim? Pois os aquáticos, ao menos, não emitem som.

SÓCRATES

É uma certa ave marinha, Querefonte, de nome alcíone, multilamentosa e multichorosa, a respeito da qual os seres humanos contam um antigo mito. Dizem que, quando ainda era uma mulher — a filha de Éolo (rebento, este, de Hélen) —, ela chorou a morte do seu legítimo esposo, Ceíce de Tráquis (o filho do astro Eósforo, belo rebento de belo pai), saudosa do amor que tinham.[4] E que então, vendo asas brota-

---

[1] Esse minidiálogo socrático não consta da edição que Stephanus fez das obras de Platão no final do século XVI, e ao longo da transmissão foi atribuído ora ao filósofo ateniense, ora a Luciano de Samósata (II d.C.). Para uma breve discussão a respeito, ver "Posfácio".

[2] Querefonte era um dos amigos mais próximos de Sócrates. Nos *Diálogos* platônicos, aparece como interlocutor secundário no *Cármides* e no *Górgias*, e é o responsável pela famosa consulta ao Oráculo de Delfos mencionada na *Apologia de Sócrates* (20e-21a).

[3] No final do diálogo ficamos sabendo que a cena se passa no Cabo Faléron, situado na Baía de Falera (lado leste do Golfo Sarônico), a poucos quilômetros de Atenas.

[4] Éolo era o rei dos ventos, e seu pai, Hélen, o herói que deu nome

rem em si por uma vontade numinosa, como ave ela passou a sobrevoar os mares à procura dele, uma vez que, vagando por toda a terra, não pôde encontrá-lo.

QUEREFONTE

Essa é a alcíone de que você está falando? Eu nunca tinha ouvido esse som antes — ele realmente me bateu como algo exótico. É um eco verdadeiramente plangente que esse animal produz. Mas que tamanho ele tem, Sócrates?

SÓCRATES

Não é grande. Grande, porém, é a honra que obteve dos deuses por causa do amor ao marido. Pois é quando faz seu ninho que o cosmos[5] traz dias denominados "alciônicos", distintos pelo bom tempo em pleno inverno — o dia de hoje é um desses, totalmente. Você não está vendo como o céu acima está azul e todo o mar tranquilo e sem onda, parecido, por assim dizer, com um espelho?[6]

QUEREFONTE

Você fala corretamente. Pois hoje parece ser um dia "alciônico", e o de ontem foi um assim também. Mas pelos deuses, Sócrates![7] Como acreditar nos mitos de antanho — que

---

à raça grega ("helenos"). A história de Alcíone e Ceíce, o filho de Eósforo (isto é, a "Estrela da Manhã", "Lúcifer" em latim), comportava algumas variantes; numa delas, depois da sua morte numa tempestade em alto-mar, Ceíce também teria se transformado em ave, o mergulhão.

[5] *Kósmos*, usado aqui e mais duas vezes abaixo com o sentido filosófico de "universo", aproxima o diálogo do *Timeu* (ver 27a e 30b).

[6] Como eram chamados os dias de inverno com tempo limpo, quando Zeus impedia que as águas agitadas do mar destruíssem os ovos da alcíone, que fazia seu ninho na faixa litorânea. Existe uma fábula de Esopo, "A alcíone", que explora essa situação.

[7] Há um toque cômico no uso dessa exclamação justamente quando

um dia aves se tornaram mulheres ou mulheres, aves? Tudo isso parece totalmente impossível.

SÓCRATES

Caro Querefonte, é provável que nós sejamos juízes inteiramente míopes das coisas possíveis e impossíveis, pois avaliamos segundo a nossa capacidade humana, dada a não reconhecer, a não crer e a não ver. Várias das coisas viáveis nos parecem inviáveis, e das alcançáveis, inalcançáveis, muitas vezes por causa da nossa inexperiência, e muitas outras ainda por causa da criancice do nosso espírito.[8] Na realidade, todo ser humano parece ser um criança, mesmo o bastante idoso, uma vez que o nosso tempo de vida é diminuto — o de um recém-nascido, se comparado a toda a eternidade.[9] De que modo então, meu bom amigo, pessoas que ignoram as capacidades dos deuses e dos numes poderiam dizer se alguma dessas coisas é possível ou impossível?

Você viu anteontem, Querefonte, que tempestade tamanha? Alguém aflito com aqueles relâmpagos e trovões, com a magnitude extraordinária dos ventos, tomado pelo medo teria suposto que todo o mundo habitado iria desmoronar. Pouco depois, porém, houve um espantoso restabelecimento do bom tempo e é ele que perdura até agora. Você acha então mais grandioso e trabalhoso restaurar um azul assim a partir de uma incontrolável tormenta e perturbação, trazendo todo o cosmos de volta à calmaria, ou ter a figura de uma mulher remodelada na de uma ave...? Isso até mesmo nossas

---

Querefonte quer pôr em dúvida a capacidade divina presente no mito da alcíone.

[8] O substantivo *nepiótes* significa "criancice", "puerilidade" e também "tolice", "estupidez". O mesmo vale para o adjetivo *népios* que vem na sequência, que significa simultaneamente "pueril" e "tolo".

[9] Oposição presente no *Timeu* (37d) entre *khrónos* como "tempo determinado" e *aión* como "eternidade".

criancinhas fazem, as que conhecem como modelar, usando argila ou cera: a partir do mesmo material facilmente reconfiguram, inúmeras vezes, formas de naturezas variadas.

Para o nume então — que guarda grande distância, não comparável às nossas capacidades — pode ser o caso de tudo isso ser fácil e simples. Pois você supõe que o céu em sua totalidade seja quanto maior que você mesmo? Por favor, me explique.

QUEREFONTE

Mas que ser humano, Sócrates, seria capaz de conceber ou nomear algo do tipo? É coisa que nem mesmo se alcança dizer.

SÓCRATES

Ora, ao compararmos os seres humanos uns com os outros, não observamos presentes neles grandes distâncias, em termos de capacidades e incapacidades? Um homem adulto, se comparado a uma criança recém-nascida de cinco ou dez dias de vida, que espantosa diferença apresenta, em termos de capacidade e incapacidade, em praticamente todas as áreas de atuação da vida — tanto no que realiza através das multiengenhosas mãos, quanto através do corpo e da alma! Isso, como eu disse, não parece nem mesmo possível de entrar na mente dos pequeninos. E a magnitude do vigor de somente um homem crescido — que incomensurável distância apresenta em comparação! Esse único homem facilmente derrotaria muitíssimos milhares daqueles. Pois é decerto uma idade inteiramente desprovida de qualquer recurso e engenho que por natureza acompanha, no começo, os seres humanos.

No momento em que o ser humano, segundo parece, difere esse tanto do próprio ser humano, como então julgaremos que a totalidade do céu deve se mostrar — se comparada às nossas capacidades — aos que alcançam observar tais coisas? Talvez muitos suponham plausível que a distância tamanha apresentada pela magnitude do cosmos — se comparada à figura de Sócrates ou de Querefonte — deve corresponder, proporcionalmente, a quanto sua capacidade, sensatez e reflexão diferem da nossa condição.[10] Muita coisa impossível para você, para mim e para muitos como nós, para outros é facílima. Pois é mais impossível para os destreinados em flauta flautear, e para os desletrados em gramática, ler e escrever (enquanto permanecerem assim desconhecedores), do que fazer de aves mulheres ou de mulheres, aves. A natureza praticamente joga no favo um animal desprovido de patas e asas, mas, depois de lhe dar patas e asas, e abrilhantá-lo com uma grande variedade de belas e diversificadas cores, produz a abelha, sábia operária do divino mel! E a partir de ovos desprovidos de voz e vida ela modela muitas espécies de animais — alados, terrestres e aquáticos —, recorrendo (é o que se diz) às sagradas artes do grandioso azul.[11]

Portanto, as grandiosas capacidades dos imortais, sendo nós inteiramente mortais e diminutos, incapazes de enxergar tanto o que é grandioso quanto o que é diminuto, e nos encontrando ainda em aporia até mesmo em relação a grande parte do que se passa conosco — não, nós não as poderíamos sequer dizer com segurança, quer se trate de alcíones, quer de rouxinóis.[12]

---

[10] O trinômio em grego é formado por *dúnamis*, *phrónesis* e *diánoia*; novos possíveis ecos da cosmologia do *Timeu*.

[11] *Aithér* em grego, usado em referência ao brilho do céu e que traduzi, em vez de "éter", por "azul".

[12] Alusão a um mito muito popular: Tereu, casado com Procne, filha do rei de Atenas Pandíon, violenta a irmã dela, Filomela, e corta a sua língua para não ser denunciado. Mas Filomela conta tudo a Procne através dos desenhos de um bordado, e a irmã decide punir o marido matando o filho que tinham e servindo-lhe suas carnes cozidas. Tereu descobre tudo e ameaça matá-las, mas elas são salvas pelos deuses com a transformação em aves: Procne se torna um rouxinol e Filomela, uma andorinha. Em outras versões da mesma história, os papéis das irmãs podiam ser invertidos.

(*Elevando o tom e olhando para o alto*) A fama desse mito que fala dos hinos entoados por você, ó ave de melodioso lamento, tal como nossos ancestrais nos transmitiram, assim eu a transmitirei aos meus filhos. E sua paixão piedosa, de quem ama o marido, eu mesmo inúmeras vezes irei entoar para as minhas esposas, Xantipa e Mirto, falando, entre outras coisas, especialmente dessa honra que você obteve dos deuses![13]

(*Voltando ao tom normal*) Mas será que você também vai fazer algo assim, Querefonte?

QUEREFONTE

Convém que sim, Sócrates. As coisas ditas por você são um duplo chamado à união entre maridos e esposas.[14]

SÓCRATES

Já está na hora então de nos despedirmos da alcíone e deixarmos o Faléron rumo à cidade.

QUEREFONTE

Com certeza, façamos desse jeito!

---

[13] No *Fédon* (60a), que recria os instantes finais da vida de Sócrates, Xantipa aparece como sua única esposa. Muitos acreditam que essa referência a uma segunda mulher simultânea, Mirto, faça parte de uma tradição posterior.

[14] "Duplo" (*diplasían*) aqui parece se aplicar, pelo sentido, a "união", e talvez seja uma referência à bigamia de Sócrates apresentada no diálogo.

Sobre o autor

Platão nasceu em Atenas, em 427 a.C., numa família aristocrática. Aos vinte anos tornou-se discípulo de Sócrates, sábio que incitava seus interlocutores ao questionamento e dispensava o uso da escrita. Ainda jovem, assistiu à derrota ateniense na Guerra do Peloponeso (431-404) e viveu sob duas tiranias: a dos Quatrocentos (411) e a dos Trinta (404-403), imposta por Esparta. Restabelecida a democracia, acompanhou em 399 a condenação e a execução do seu mestre por impiedade. Depois disso, Platão viajou por cerca de doze anos, retornando a Atenas em 387, quando fundou sua escola, a Academia, à qual se dedicou até morrer, em 347, e onde formou, entre outros alunos, Aristóteles.

Compôs mais de duas dezenas de diálogos, entre os quais se destacam *Banquete*, *Fedro*, *Górgias*, *Protágoras*, *República*, *Teeteto*, *Timeu* e *Sofista*. Escreveu também a *Apologia de Sócrates*, sua obra mais popular, na qual recria, junto com o *Críton* e o *Fédon*, o julgamento e os últimos instantes da vida do mestre. Apesar de ter sido sempre considerado um grande filósofo, nunca houve acordo entre os intérpretes sobre a gênese e a estrutura da filosofia de Platão. O fato se justifica, entre outras razões, por não ser possível lhe atribuir uma doutrina acabada a partir do conjunto dos *Diálogos*, nos quais ele próprio nunca aparece enquanto personagem e Sócrates predomina como figura central.

Sobre o tradutor

André Malta é professor de Língua e Literatura Grega na Universidade de São Paulo, onde ingressou como docente em 2001, tendo obtido nesta instituição os títulos de mestre (1998), doutor (2003) e livre-docente (2013). Realizou ainda um pós-doutorado nos Estados Unidos, pela Brown University (2011-2012). É autor de uma Tetralogia Homérica formada pelos livros: 1) *A selvagem perdição: erro e ruína na Ilíada* (Odysseus, 2006); 2) *Homero múltiplo: ensaios sobre a épica grega* (Edusp, 2012); 3) *A Musa difusa: visões da oralidade nos poemas homéricos* (Annablume, 2015); e 4) *A astúcia de Ninguém: ser e não ser na Odisseia* (Impressões de Minas, 2018).

Como tradutor, verteu uma seleção de doze cantos da poesia homérica, quatro da *Ilíada* e oito da *Odisseia*, reunidos em *Homero portátil* (edição eletrônica do autor, 2021), e cinco obras de Platão, *Íon* e *Hípias Menor* (L&PM, 2007) e *Eutífron*, *Apologia de Sócrates* e *Críton* (L&PM, 2008), além de uma antologia das *Fábulas* de Esopo (acompanhadas do *Romance de Esopo*, traduzido por Adriane da Silva Duarte, Editora 34, 2017). É o criador do canal no YouTube *Isso Aqui Não É Grego*, em 2020.

Este livro foi composto em Sabon e Cardo, pela Franciosi & Malta, com CTP e impressão da Edições Loyola em papel Pólen Natural 80 g/m² da Cia. Suzano de Papel e Celulose para a Editora 34, em junho de 2022.